ATLAS PRATIQUE DE LA PHOTO

ATLAS PRATIQUE DE LA PHOTO

Édité par
Éditions Glénat

Services éditoriaux et commerciaux :
Éditions Glénat - 31-33, rue Ernest Renan
92130 Issy-les-Moulineaux

Reprise de *Camera Wise*
Traduit de l'anglais par :
Anne Sladovic, Patrick Facon et François Pernot.

Photographies de couverture
Canon, EM/ Frank Coppi

Maquette de couverture
Les Quatre Lunes

Remerciements
Page 1 Images Colour Library, 3 Robert Harding Picture Library, 4-5 Images Colour Library

Imprimé en Espagne

Achevé d'imprimer : avril 2003
Dépot légal : avril 2003
ISBN 2-7234-3515-6

SOMMAIRE

INTRODUCTION

Ce livre traite de la manière de prendre les meilleures photographies possibles, quels que soient les équipements que vous possédez. Peu importe si vous disposez d'un boîtier réflex trois corps sophistiqué, doté d'une douzaine d'objectifs, ou bien d'un simple appareil compact, ou bien si vous avez entre les mains le meilleur de la technologie actuelle ou un équipement plus ancien, voire dépassé. Peu importe si vous utilisez les formats modernes ou si vous en êtes resté au bon vieux 35 mm. Le secret est que plus vous prendrez de photographies, meilleures elles deviendront.

Bien entendu, il ne faut pas se lancer au hasard ; il est nécessaire de suivre des règles précises. Certains types de photographies nécessitent des équipements spécialisés, comme c'est le cas pour la plupart des sports ou pour les clichés d'action, qui requièrent de puissants téléobjectifs. Cela ne signifie pas qu'il vous faudra saisir de telles scènes avec des appareils professionnels. Certes pas. Vous serez surpris de ce que vous pourrez obtenir avec des équipements modestes. Vous serez également étonné des progrès que vous pourrez accomplir et des résultats presque professionnels auxquels vous parviendrez avec un peu de pratique.

La première moitié de ce livre met l'accent sur les équipements et, jusqu'à un certain point, sur la technique ; la seconde traite de thèmes et de sujets à propos desquels vous pourrez appliquer les techniques décrites dans la première partie.

La meilleure façon de procéder consiste à vous intéresser à un sujet précis, à charger votre appareil et à essayer par vous-même. Vous pourrez vous inspirer de la première partie du livre pour vous exercer à la photographie de nuit (pages 63 à 66), à l'utilisation du grain (pages 111 à 114). Vous pourrez vous orienter vers la seconde partie pour traiter des sujets comme les paysages de montagne (pages 151 à 154), ou le portrait (pages 193 à 196). Peu importe. L'important est de vous exercer le plus possible.

Prenez un rouleau de film, ou plus si vous le souhaitez, et faites le développer immédiatement, tout en vous remémorant l'excitation que vous avez connue en photographiant, les techniques que vous avez employées et les effets que vous vouliez réaliser. Tout cela peut sembler extravagant, mais vous ne trouverez jamais un meilleur moyen d'apprendre. Essayez de vous adresser à un bon laboratoire. Leur qualité varie beaucoup et elle ne tient pas forcément à des problèmes de prix ou de marque. Un traitement mal conduit provoque autant de dommages sur une photographie qu'un mauvais appareil ou qu'un médiocre photographe. Il conduit beaucoup de gens à abandonner cette activité.

Triez ensuite vos clichés en trois catégories, comme suit:

① Les ratés, ceux qui présentent des erreurs évidentes, comme un mauvais réglage, ceux que vous n'avez pas pris au bon moment. N'hésitez pas à vous en débarrasser.

② Les photographies qui sont presque bonnes mais ont quelques défauts. Interrogez-vous sur ces défauts. Aurait-il été possible d'obtenir quelque chose de mieux en changeant de point de vue, en attendant un peu avant d'appuyer sur le déclencheur, ou en zoomant en avant ou en arrière ? Le sujet était-il traitable avec l'équipement dont vous disposez ?

③ Les clichés réussis, ceux dont vous êtes fier et que vous souhaitez garder. Ce sera de loin la pile la moins importante. Si vous obtenez une ou deux très bonnes photographies à partir d'un rouleau, alors vous aurez fait du bon travail. Observez ces clichés, essayez de comprendre pourquoi vous les avez réussis.

Enfin, si vous voulez être réellement critique, demandez-vous, pour finir, lesquels de vos clichés sont d'une qualité qui permettrait d'envisager leur publication. Dans la négative, essayez de comprendre pourquoi. Un problème de couleur résulte souvent d'un mauvais travail du laboratoire. Si la mise au point est incorrecte, il s'agit d'un simple réglage mécanique que vous pourrez apprendre à maîtriser, quoique la faute puisse également revenir à une erreur du laboratoire. Il en va de même pour le flou, qui peut provenir d'un mouvement brusque de votre appareil ou d'un sujet qui a bougé. Si c'est une question de composition, la réponse est entre vos mains.

PREMIÈRE PARTIE

ÉQUIPEMENT ET TECHNIQUES

Une exposition réussie

Apprendre comment fonctionnent l'ouverture du diaphragme et la vitesse d'obturation vous permettra d'obtenir le temps de pose le mieux adapté et vous aidera à créer des images comme vous les souhaitez.

Arriver à un temps de pose correct, c'est doser le volume de lumière qui impressionne le film. Si on laisse filtrer trop d'intensité lumineuse, le film sera surexposé et la photographie beaucoup trop claire. En revanche, si la lumière est insuffisante, le film sera sous-exposé et la photographie trop sombre.

Aussi est-il essentiel de penser simultanément à l'ouverture du diaphragme et à la vitesse d'obturation. Bien que ces deux paramètres permettent de contrôler le niveau de lumière qui atteindra le film, leur manière d'affecter l'image est très différente. L'ouverture du diaphragme touchera la profondeur du champ, c'est-à-dire la netteté de l'image (voir page 14). La vitesse d'obturation déterminera la qualité des sujets en mouvement.

Qualité de l'exposition

La qualité de l'exposition ne dépend pas uniquement de la seule quantité de lumière qui atteindra le film. Elle est déterminée par un bon dosage entre l'ouverture du diaphragme et la vitesse d'obturation, ceci en fonction du sujet concerné.

Il est possible de choisir diverses combinaisons qui permettent de faire passer la même quantité de lumière par l'objectif. Il est aussi possible de sélectionner une faible ouverture du diaphragme afin de saisir l'ensemble de la scène. Alternativement, on peut opter pour une vitesse d'obturation élevée qui permet de capturer le mouvement. Toute exposition résulte en définitive d'un compromis entre l'ouverture du diaphragme et la vitesse d'obturation.

Exposition automatique

Certains appareils disposent d'un mode d'exposition automatique qui contrôle l'ouverture et la vitesse d'obturation, permettant de réaliser des clichés correctement exposés. Cependant, le résultat final n'est pas forcément celui qu'attend l'utilisateur. L'appareil sélectionnant des réglages moyens, la vitesse d'obturation peut se révéler trop basse pour capturer un sujet en mouvement.

En ayant assimilé les paramètres de base de l'exposition, on pourra deviner de quelle manière se comportera un appareil et agir manuellement sur les commandes automatiques de manière à obtenir l'effet désiré.

▼ En sélectionnant une ouverture réduite, le photographe est parvenu à prendre un cliché d'une très grande netteté. Cette solution n'a été possible que parce que le véhicule était immobile.

Vitesse d'obturation et contrôle de la lumière

La quantité de lumière qui impressionne le film est contrôlée par un diaphragme situé immédiatement derrière le verre de l'objectif. Le diaphragme travaille à la manière de l'iris d'un oeil, qui s'ouvre largement dans l'obscurité, afin d'accroître le volume de lumière reçu, et se ferme en pleine lumière

Valeurs de diaphragme. Les appareils photographiques, pour indiquer la grandeur de l'ouverture, utilisent un système numérique appelé valeurs de diaphragme. Sur les objectifs de 50 mm, on trouve un éventail d'ouvertures de f1,4, f2,8, f5,6, f.8, f11, f16 et f22. Moins ces valeurs sont importantes, plus grande est l'ouverture et plus grand est le volume de lumière qui atteint le film. Par exemple, le réglage f2.8 laisse passer plus de lumière que le réglage f16.

En augmentant ou en diminuant la valeur de diaphragme, on accroît ou on réduit le volume de lumière. Par exemple, le réglage f8 correspond à un niveau de lumière double de f11 et moitié moins important que pour f5.6.

Dans des conditions d'éclairement insuffisantes, sélectionner une forte ouverture permet à un volume de lumière plus important d'atteindre le film. Dans des conditions d'éclairement maximales, le recours à une plus faible ouverture empêche trop de lumière d'atteindre le film et évite la surexposition. Un appareil automatique détermine sans recours manuel ces paramètres.

Le phénomène de surexposition est beaucoup plus apparent sur les diapositives. Régler l'ouverture sur f8, à 1/125e de seconde, permet d'obtenir un peu plus de lumière.

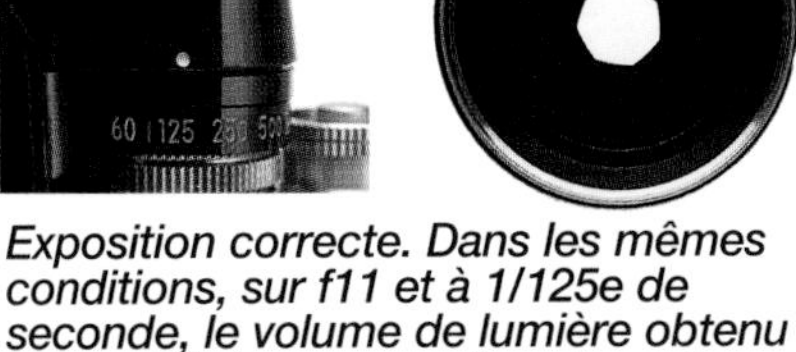

Exposition correcte. Dans les mêmes conditions, sur f11 et à 1/125e de seconde, le volume de lumière obtenu est parfait. Les appareils automatiques permettent un tel réglage.

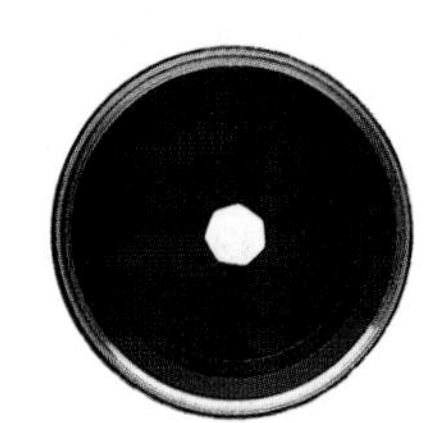

Sous-exposition. Lorsque l'appareil est réglé à f16 et à 1/125e de seconde, l'ouverture est insuffisante et la lumière se révèle trop faible pour permettre d'obtenir un bon résultat.

Les effets de la grandeur d'ouverture sur une photographie

Si l'on sélectionne une petite ouverture, la profondeur du champ est importante, et une grande partie de l'image est contrastée. Ce type de réglage est adapté aux paysages et aux prises de vues architecturales.

Si l'on sélectionne une grande ouverture, la profondeur du champ est moindre, et seule une petite partie de l'image sera contrastée. Cette méthode est adaptée à la mise en valeur de certaines parties d'un sujet photographié, le faisant ressortir du reste de l'image.

Lumière faible	Forte ouverture	Ouverture faible (f1.8 ou f2, par exemple)	Faible profondeur de champ
Lumière moyenne	Ouverture moyenne	Ouverture moyenne (f5.6 ou 8, par exemple)	Grande profondeur de champ
Lumière intense	Petite ouverture	Ouverture forte (f11 ou f16, par exemple)	Très grande profondeur de champ

Vitesse d'obturation et temps de pose

Le vitesse d'obturation détermine de quelle manière le film est exposé à la lumière, en même temps que le temps de pose. En actionnant le déclencheur, vous mettez l'obturateur en mouvement et laissez passer la lumière à travers l'objectif jusqu'au film.

Le volume de lumière qui parvient à la pellicule est déterminé par la vitesse d'obrturation, c'est-à-dire pendant combien de temps l'obturateur demeurera ouvert. Cette valeur s'exprime en fractions de seconde et en secondes pleines.

Sur un appareil reflex moderne, le temps de pose peut être de 1 seconde, 1/2 seconde, 1/4, 1/8e, 1/30e, 1/60e, 1/125e, 1/250e, 1/500e, 1/1 000e, 1/2 000e de seconde. Quelques boîtiers professionnels peuvent aller jusqu'à 1/8 000e de seconde, tandis que d'autres disposent d'une vitesse d'obturation aussi élevée que 1 minute.

En passant successivement d'une vitesse d'obturation à l'autre, on double ou on divise par deux le volume de lumière qui atteint la pellicule. Par exemple, le réglage 1/125e de seconde laisse passer deux fois plus de lumière que 1/250e, mais deux fois moins que 1/60e.

Dans des conditions d'éclairement important, sélectionnez une vitesse d'obturation élevée afin de limiter le volume de lumière qui atteindra le film, en sorte que l'image ne sera pas surexposée. Dans des conditions d'éclairement insuffisantes, choisissez une vitesse d'obturation lente, qui permet à la lumière d'impressionner suffisamment longtemps le film pour qu'une image s'y forme. Avec un appareil automatique, point n'est besoin de procéder à de tels réglages. Celui-ci répondra comme il convient aux variations de lumière.

Surexposition. Dans des conditions de lumière intense, la vitesse d'obturation à 1/60e de seconde et l'ouverture à f11 laissent trop de lumière pour parvenir au film. Une trop faible vitesse d'obturation a rendu ce cycliste flou.

Bonne exposition. Dans les mêmes conditions, un réglage à 1/125e de s et une ouverture de f11 permettent d'obtenir le bon volume de lumière. Non seulement, le cycliste est mieux défini, mais l'impression de mouvement est parfaitement restituée.

Sous-exposition. Régler la vitesse d'obturation à 1/250e et l'ouverture à f11 n'autorise pas le passage d'un volume de lumière suffisant, mais donne une image bien définie. Faire passer l'ouverture à f8 pour obtenir une image bien définie et correctement exposée.

Les effets de la vitesse d'obturation sur une image

La vitesse d'obturation constitue un paramètre crucial lorsqu'on souhaite prendre des photographies bien nettes de sujets en mouvement où lorsqu'on redoute les bougés de l'appareil.

Pour des sujets mouvants comme les sports, il vous faudra avoir recours à des vitesses d'obturation élevées, afin de bien saisir les mouvements. pour les paysages et les natures mortes, ayez recours à des vitesses d'obturation basses.

Eclairement faible	Vitesse lente	Vitesse d'obturation élevée (1/15e ou 1/30e, par exemple)	Sujets en mouvements flous, problèmes lorsque l'appareil bouge
Eclairement moyen	Vitesse moyenne	Vitesse d'obturation moyenne (1/60e ou 1/125e, par exemple)	Permet de corriger les mouvements de l'appareil, accentue l'impression de mouvement.
Eclairement intense	Vitesse élevée	Vitesse d'obturation basse (1/500e ou 1/1 000e, par exemple)	Gomme l'impression de mouvement

Déterminer le meilleur temps de pose

À différents types d'images et de sujets correspondent différentes combinaisons d'ouverture et de vitesse d'obturation. Tout dépend si vous souhaitez fixer sur la pellicule un cycliste en pleine vitesse ou la totalité d'un beau paysage ; ou bien si le sujet que vous photographiez doit se détacher nettement sur un fond plus flou ; ou bien encore si vous désirez mettre en valeur tous les détails d'une nature morte.

La vitesse d'obturation et l'ouverture sont conçues de façon qu'une fermeture du diaphragme corresponde à un réglage de vitesse en termes d'exposition. Réduire d'un cran l'ouverture c'est-à-dire passer de f8 à f11 ou diminuer de moitié la vitesse d'obturation en passant par exemple de 1/125e à 1/250e de seconde permet d'affecter à la baisse le volume de lumière qui entre dans la chambre noire dans des proportions identiques.

Cette corrélation offre au photographe une grande variété de combinaisons d'ouverture et de vitesse d'obturation, permettant une exposition correcte du film. Si le posemètre de votre appareil recommande un temps de pose de 1/125e de seconde à f11, vous serez en mesure de capturer un quelconque mouvement, tout en bénéficiant d'une profondeur de champ moyenne.

Pour les sujets en mouvement. Si vous souhaitez photographier un pilote de motocyclette en train de négocier un virage, seule une vitesse d'obturation plus élevée - c'est-à-dire 1/500e de seconde - vous permettra de fixer le mouvement. Mais, dans ce cas précis, il faudra compenser en sélectionnant une ouverture plus importante, soit f5.6. Paramétrer ainsi votre appareil vous permet de réduire la profondeur de champ et d'effectuer une mise au point plus précise.

Passer à une vitesse plus élevée permet de diminuer le volume de lumière admis dans la chambre noire. Mais, sous peine d'avoir une photographie sous-exposée, il vous faudra compenser cela en augmentant l'ouverture du diaphragme, de façon que l'intensité de la lumière reçue soit plus importante.

Pour des natures mortes. L'important est de disposer d'une large profondeur de champ, de manière à ce que l'ensemble du sujet soit net.

Passer de f11 à f22 accroît cette profondeur mais réduit d'autant la lumination. Il vous faut corriger cela en passant à une vitesse d'obturation de 1/30e de seconde. Cette manœuvre permet d'ouvrir un peu plus longtemps l'obturateur, donc à plus de lumière d'atteindre le film.

▶ Le photographe a employé une vitesse d'obturation élevée et une grande ouverture pour saisir cette photographie parfaitement exposée de deux fous de Bassan. Une vitesse d'obturation rapide a permis de capturer les mouvements des oiseaux, tandis qu'une grande ouverture a permis de bien les faire se détacher sur l'arrière-fond et l'avant-plan.

Une vitesse d'obturation de 1/125e de seconde et une ouverture de f11 constituent une exposition correcte lorsque vous travaillez par un temps ensoleillé, avec un film de 100 ISO chargé dans votre appareil.

Pour les photographies sportives, une vitesse d'obturation de 1/125e de seconde sera insuffisante pour saisir le mouvement d'un sujet. Sélectionnez donc une vitesse plus élevée et une ouverture de f4 afin d'obtenir le meilleur résultat possible.

Pour les prises de vues architecturales, assurez-vous que l'image soit nette dans toute sa profondeur en réglant l'appareil sur une petite ouverture - f22 - et en sélectionnant une vitesse d'obturation lente, de l'ordre de 1/30e de seconde.

Profondeur de champ

RETOUR AUX BASES

Pour contrôler la netteté d'une photographie, il est important d'effectuer une mise au point correcte sur le sujet . Mais l'ouverture affecte aussi le degré de netteté de la scène.

Avec une grande ouverture, la plage de netteté en avant et en arrière du sujet sur lequel s'effectue le réglage est très étroite. Cette zone correspond à ce qu'on appelle la profondeur de champ.

Réduire l'ouverture du diaphragme de manière progressive permet d'accroître la profondeur de champ et de donner de plus en plus de netteté à l'ensemble d'une photographie. À la plus petite ouverture d'un objectif correspond la profondeur de champ maximale.

▲ ***Pour des paysages, il est nécessaire d'avoir recours à une petite ouverture, afin d'optimiser le profondeur de champ et de conférer de la netteté à l'ensemble de la photographie.***

▼ ***L'attention est attirée par les zones les plus nettes de cette photographie. Une forte ouverture permet d'obtenir une profondeur de champ étroite, de manière à faire converger le regard vers un point précis d'une scène.***

À vérifier avant de photographier

A condition que votre appareil en soit doté, vous pourrez utiliser son bouton de profondeur de champ pour vous assurer du résultat que vous obtiendrez au final. Ce bouton permet de ramener l'ouverture du diaphragme à celle qui sera employée au moment où vous prendrez votre photographie. Votre viseur s'en trouvera quelque peu obscurci, mais vous aurez ainsi une meilleure idée de la profondeur de champ de votre image.

Échelles de profondeur de champ

Si votre objectif dispose d'une échelle de profondeur de champ, utilisez-là pour déterminer les zones de netteté. A chaque ouverture de diaphragme correspond une marque précise. Sur cette échelle figurent les zones de netteté les plus proches et les plus éloignées, correspondant à telle ou telle ouverture de diaphragme.

Objectif manuel

Objectif autofocus

Choisir son objectif

Un des boîtiers les plus souples d'emploi qui existe aujourd'hui est sans aucun doute le réflex de 35 mm. La raison essentielle de cette supériorité tient aux innombrables objectifs interchangeables dont il peut être équipé.

Téléobjectifs qui permettent de saisir le moindre détail, grands angulaires qui embrassent de grands volumes, objectifs ultrasensibles qui offrent la possibilité de photographier avec un très faible niveau de lumière, zooms équipés d'un grand nombre de longueurs focales pouvant être rapidement sélectionnées. Le choix est considérable. Chaque objectif est destiné à une application spécifique et chacun d'entre eux confère une certaine particularité à telle ou telle photographie.

Aussi convient-il d'apprendre comment ils fonctionnent et à quels types de sujets il sont destinés.

Catégories d'objectifs

Selon leur longueur focale, les objectifs sont regroupés en trois grandes catégories : standard, grands angulaires et téléobjectifs.

Techniquement, la longueur focale correspond à la distance qui sépare le film d'un point précis situé dans l'objectif. Cependant, dans la pratique, l'important est de savoir de quelle manière la longueur focale affecte l'angle de champ de l'objectif.

◀ ***Même si vous employez le plus sophistiqué des appareils compacts, vous découvrirez vite combien il est frustrant de disposer d'une longueur focale limitée, avec un grand angulaire qui ne sera jamais assez important et un téléobjectif d'une portée insuffisante. Le recours à un reflex de 35 mm permet de surmonter ces obstacles, en vous offrant la possibilité d'utiliser une vaste gamme d'objectifs interchangeables, vous conférant ainsi une très grande souplesse de travail.***

Longueur focale et composition

Les objectifs à longueurs focales variables permettent une très grande souplesse en matière de prise de vues. Vous serez ainsi en mesure de modifier de manière spectaculaire la composition d'une photographie en changeant seulement la longueur de focale de l'objectif que vous utilisez.

Les objectifs standard offrent une image identique à celle que l'œil restitue. Les photographies prises ont un aspect naturel. Pour un appareil 35 mm, un objectif de 50 mm est considéré comme standard.

Les objectifs grand angulaires, avec une longueur focale courte (13-35 mm pour un format de 35 mm), permettent de couvrir un champ plus large.

Les téléobjectifs, avec une grande longueur focale (70-300 mm pour un format de 35 mm), donnent un champ plus étroit. Ils permettent de se rapprocher du sujet sur lequel s'effectue la mise au point alors que les grands angulaires l'éloignent.

Les téléobjectifs et les grands angulaires les plus puissants permettent d'accroître ces effets, exerçant de cette manière une influence très forte sur le style et la composition des clichés.

Les téléobjectifs à forte longueur focale, soit plus de 300 mm, offrent la possibilité de prendre un point précis situé devant de l'appareil. Ils se révèlent d'une grande utilité pour les photographies sportives ou celles qui concernent la vie sauvage, où l'on doit se tenir à distance du sujet.

Les objectifs dits "Fisheye" (normalement, de 15 à 16 mm) couvrent un angle de 180° mais créent des déformations considérables. Certains de ces objecifs restituent une image circulaire de 180°.

Les objectifs macro sont conçus pour photographier les sujets à une distance très rapprochée. Ils possèdent une grande variété de longueurs focales, allant de 50 à 200 mm.

Objectifs fixes contre zooms

Les objectifs se répartissent en deux catégories : les fixes et les zooms. Les premiers ont une longueur de focale et un angle de champ non modifiables.

Les zooms sont d'un emploi beaucoup plus souple, c'est-à-dire que leur longueur focale peut être transformée progressivement dans l'ensemble du champ qu'ils couvrent et qu'ils peuvent restituer à volonté une partie plus ou moins importante d'une scène. Cette particularité est d'une grande importance lorsqu'on veut parvenir à des réglages très fins et qu'on souhaite cadrer une image sans bouger l'appareil lui-même.

Beaucoup d'appareils sont actuellement vendus avec un zoom standard, allant de 35 à 70 mm, au lieu de l'objectif standard habituel de 50 mm. La souplesse d'emploi du zoom vous permettra de prendre une très grande variété de photographies. Cependant, les zooms sont souvent plus lents et moins maniables que les objectifs fixes de 50 mm et a qualité des images s'en ressent d'autant. Ces objectifs incluent les zooms à petite focale (35-70 mm), les zooms à moyenne focale (70-210 mm) et les superzooms (28-200 mm).

Qu'est-ce qu'un objectif ?

La meilleure façon de comprendre ce qu'est un objectif et comment il fonctionne consiste à l'enlever du boîtier et à l'examiner de près. Il est également très utile de savoir à quoi correspondent les indications qu'il comporte.

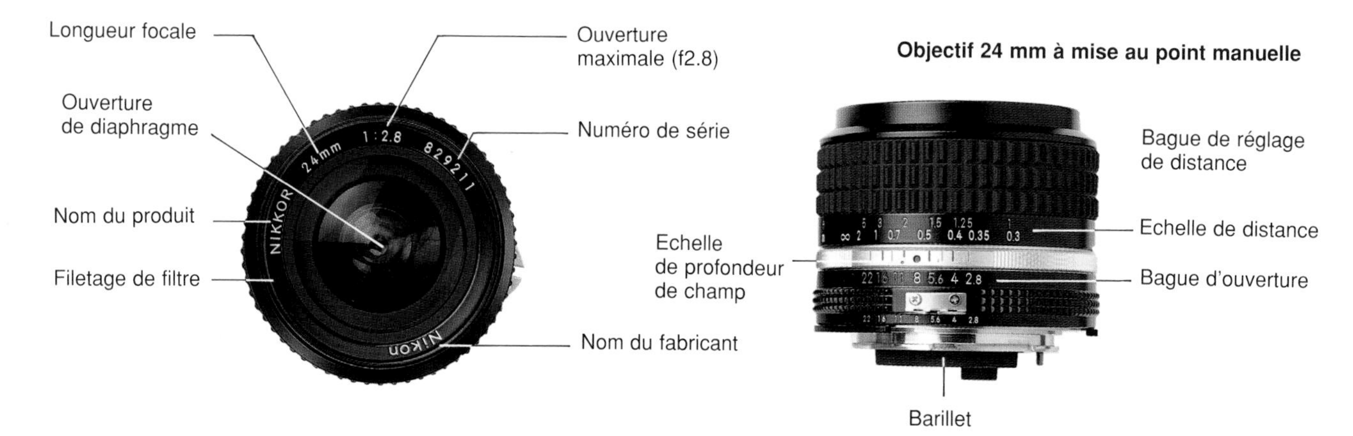

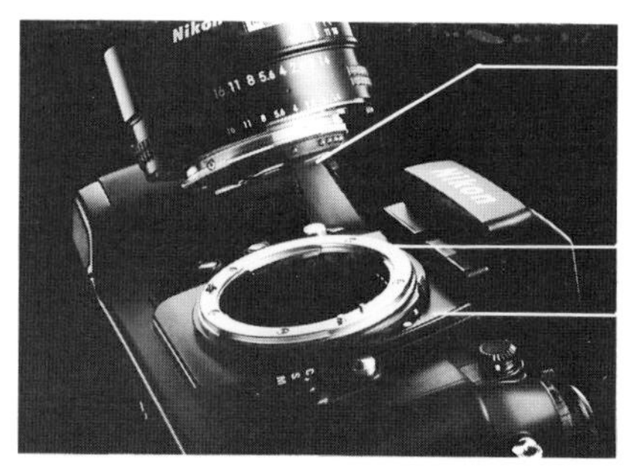

▲ ***Pour fixer l'objectif sur le boîtier, alignez les marques correspondantes qui figurent sur les deux éléments, puis placer le barillet de l'objectif sur la monture du boîtier et tourner jusqu'à ce que le verrouillage se produise.***

Longueur focale et angle de champ

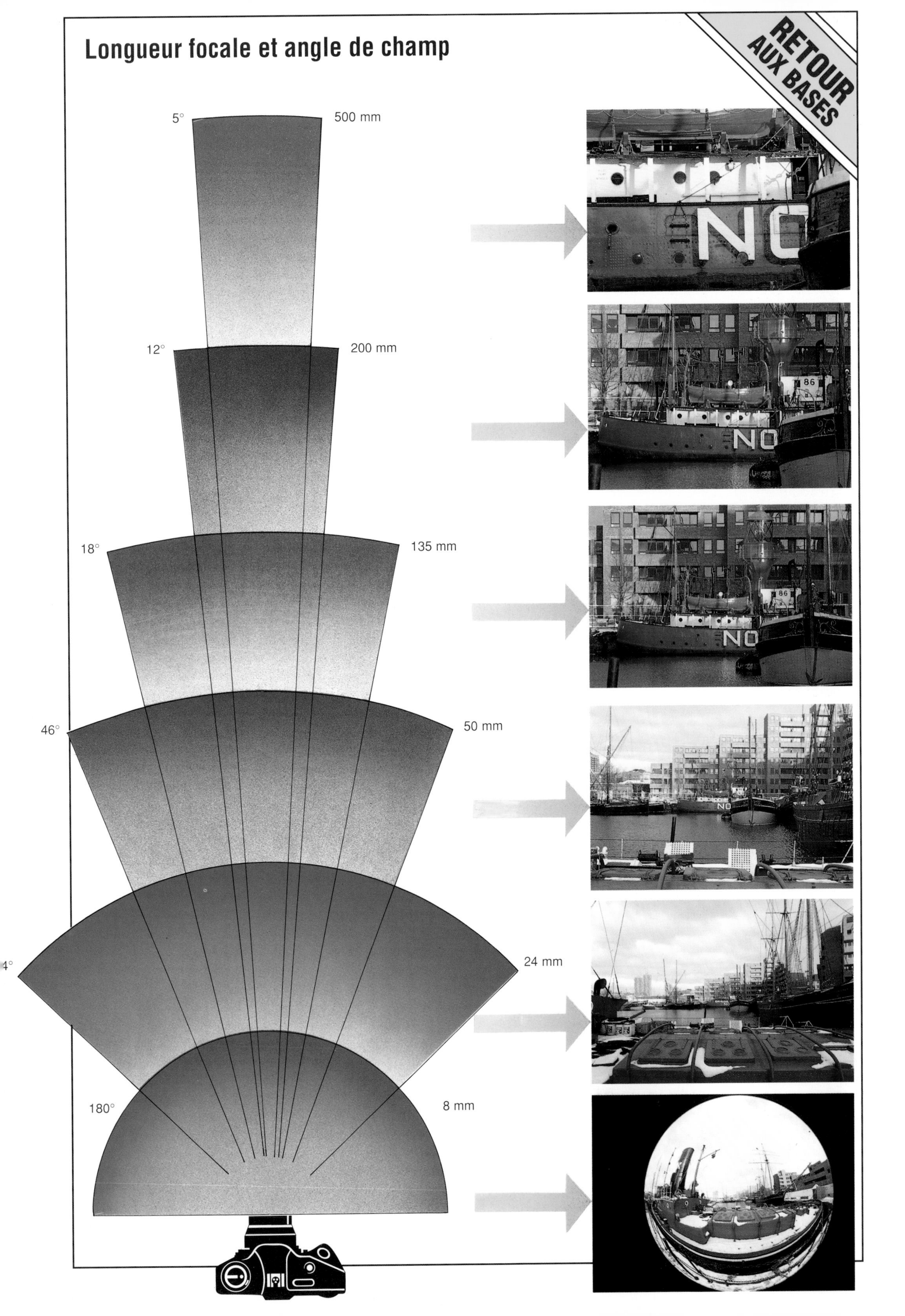

Choisir un objectif

Parce que la longueur focale joue un rôle important dans l'aspect final d'une photographie, il est essentiel de bien choisir son objectif par rapport au type de cliché que l'on souhaite réaliser.

Il n'existe pas d'objectif idéalement adapté à telle ou telle scène, mais chaque approche requiert un type particulier d'objectif.

1 OBJECTIFS GRANDS ANGULAIRES
Les objectifs grands angulaires, d'une très grande souplesse d'emploi, sont adaptés aussi bien aux intérieurs réduits qu'aux vastes panoramas. Pour les clichés de paysages, assurez-vous bien que l'avant-plan est bien contrasté, sous peine de vous retrouver avec une photographie d'une grande fadeur.

2 OBJECTIFS STANDARDS
Avec un objectif standard, l'image est restituée dans des proportions correspondant à la réalité, elle dégage une ambiance naturelle qui restitue beaucoup plus que l'objectif lui-même ce que le photographe a voulu exprimer. Avec un objectif standard, le rendu d'un tel cliché est excellent.

3 TÉLÉOBJECTIFS
Les téléobjectifs sont parfaitement adaptés à la photographie sportive ou animalière, où les prises de vues doivent être faites à distance. Les téléobjectifs à moyenne focale de 85 à 135 mm sont adaptés aux portraits.

4 OBJECTIFS MACRO
Les objectifs macro sont très largement employés pour les photographies rapprochées de scènes de la nature et de la vie sauvage. Ils permettent de restituer des sujets à des dimensions supérieures à celle de la réalité.

1

2

3

4

Objectifs standard

L'importance des objectifs standard ne doit pas être surestimée, encore qu'ils figurent en bonne place dans les sacs des photographes. Leur qualité d'image est excellente, ils confèrent aux clichés un rendu naturel et bénéficient souvent d'une vitesse d'ouverture très élevée.

▲ ***Henri Cartier-Bresson, un des photographes les plus connus au monde, a pris ce cliché avec un objectif de 50 mm. Au lieu d'avoir recours à un téléobjectif ou à un grand angulaire, il a su utiliser avec bonheur ses dons pour la composition et sa maîtrise des techniques de prise de vues pour réaliser quelques-unes des plus étonnantes photographies de son temps.***

Traditionnellement, l'objectif fourni avec un boîtier au format de 35 mm est presque toujours un 50 mm. Nombre de photographes célèbres ont appris leur métier en utilisant de tels objectifs et beaucoup ont pris avec eux quelques-uns de leurs clichés les meilleurs.

Aujourd'hui, un grand nombre de professionnels se sont tournés vers le zoom 35-70 mm. Nombreux sont ceux qui considèrent ce standard comme dépassé, parce qu'il ne possède pas l'impact graphique d'un cliché pris avec un grand angulaire ou un téléobjectif.

Ironiquement, une des raisons essentielles pour lesquelles les objectifs standard sont si utiles, c'est qu'ils permettent aux photographes de bien imprimer leur marque personnelle sur leurs clichés. Ils offrent aussi la possibilité d'obtenir un résultat d'une qualité inégalable et coûtent la moitié du prix d'un objectif de 35-70 mm.

▼ ▶ ***La plupart des fabricants d'appareils photographies proposent des objectifs possédant une large gamme de vitesses.***

Vrai comme la vie

Trop souvent, les photographes se reposent sur l'effet graphique des objectifs grand angulaires ou les téléobjectifs pour réaliser des clichés spectaculaires. Les effets produits par des images prises avec un grand angulaire ou avec un téléobjectif peuvent apparaître impressionnants, mais leur impact s'amenuise de plus en plus parce que de telles méthodes ont été trop souvent employées.

Sans doute un des atouts principaux des objectifs standard est de restituer des images qui semblent naturelles au regard. Ce qui signifique que l'objectif ne procède à aucune déformation d'une quelconque partie d'un cliché. Ce qui signifie également que le photographe doit se dépenser beaucoup pour que le sujet qu'il prend soit intéressant. Il lui faut faire preuve d'une très grande créativité pour arranger les éléments qui composent une scène. Pour toutes ces raisons, les objectifs standard constituent un moyen parfait d'apprendre et de maîtriser l'art de la photographie.

▼ ***Ce cliché, pris au moyen d'un objectif de 50 mm, ressemble de près à ce que le photographe a vu dans la réalité. La distance apparente entre les objets qui composent la scène semble naturelle.***

La perspective

En théorie, la perspective dépend seulement du point d'où est réalisée une photographie. Dans la pratique, elle tient aussi à la longueur focale de l'objectif que vous employez, du taux d'agrandissement du cliché et de la distance à laquelle on le regarde. Une image de dimensions normales correspondant à une demi-page ou à une page de ce livre faite avec un 50 mm donnera la perspective la plus naturelle.

◀ ***Le photographe a eu recours à un objectif de 200 mm pour capturer cette image. Les effets produits habituellement produits par les téléobjectifs apparaissent bien ici. L'avant-plan et l'arrière-fond semblent se trouver au même niveau.***

▶ ***En utilisant un objectif grand angulaire de 24 mm, on obtient le résultat inverse de celui du téléobjectif. L'image paraît avoir été étirée, en sorte que l'avant-plan et l'arrière-fond semblent plus éloignés qu'ils ne le sont dans la réalité.***

Une excellente qualité

Une des raisons qui font le succès des objectifs standard réside dans la très grande qualité de leur optique et l'excellent piqué des photographies qu'ils permettent de réaliser.

Les fabricants d'appareils photographiques sont généralement jugés sur la qualité de leurs objectifs standard, ceux-ci étant le plus couramment montés sur les boîtiers qu'achètent les clients. Vous pouvez donc être certain que les optiques de cette catégorie vendus par la plupart des grandes marques donneront de très bons résultats. Celles qui sont commercialisées par les marques les plus prestigieuses vous combleront. Simple à fabriquer et produit en grandes quantités, un objectif de 50 mm est d'un coût très abordable. Cette particularité et sa très grande qualité optique en font un achat très rentable.

Ouverture maximale

Un autre avantages des optiques standard réside dans leur importante ouverture maximale comparée à celle des autres optiques aux longueurs focales différentes. Leur ouverture minimale assez faible de l'ordre de f16 et parfois f22 ajoute à leur souplesse d'emploi.

La plupart des fabricants proposent leurs 50 mm avec une importante variété de vitesses. Une ouverture maximale standard est de f1.8, mais vous pouvez aussi acquérir des optiques aussi rapides que f1.4, f1.2 et même f1.

▼ ***Point n'est besoin de disposer d'un téléobjectif pour prendre des clichés tels que celui-ci. La très grande capacité d'ouverture d'un objectif standard autorise un tel résultat, en permettant de rendre flou l'ensemble de l'arrière-plan. La perspective naturelle, nécessaire pour des sujets pris dans leur environnement normal, est bien rendue.***

RETOUR AUX BASES

Qu'est-ce qu'un objectif standard ?

Un objectif standard permet d'obtenir des images dans lesquelles *l'espacement des objets apparaît naturel à l'œil.*

Théoriquement, un objectif standard dispose d'une longueur focale équivalant à la diagonale de l'image qu'il prend, soit 43,20 mm pour un format de 35 mm. L'adoption du standard de 50 mm résulte d'un problème pratique. Il est en effet plus facile de fabriquer des objectifs d'une longueur focale plus élevée que celle des optiques dites standard. Aujourd'hui, les objectifs standard s'échelonnent de 32 pour certains appareils compacts à 58 mm pour les objectifs à très grande ouverture.

Pour les autres formats, la longueur focale des objectifs standard est très variable, mais quelles qu'elles soient, elles restituent toujours une impression de naturel.

Autres formats

Formats moyens

- ❑ 6 x 4,5 – 75 mm
- ❑ 6 x 6 - 80 mm
- ❑ 6 x 7 - 90 mm

Grands formats

- ❑ 5 x 4 - 150 mm
- ❑ 10 x 8 - 360 mm

Utiliser un objectif standard

Un objectif de 50 mm sera adapté à la plupart des sujets que vous réaliserez. Sa souplesse d'emploi et son importante échelle d'ouverture le rendent apte aussi bien à la photographie de paysages que de portraits.

Natures mortes. Pour les clichés au format 35 mm, un objectif de 50 mm est idéal. Parce qu'il est légèrement plus long que le standard de base véritable (43,2 mm), il peut travailler à des distances confortables, en restituant une bonne perspective.

Paysages. Avec un appareil monté sur trépied, une ouverture de f11, f16 ou (sur quelques objectifs) de f22, vous parviendrez à un excellent dégré de netteté sur l'ensemble du cliché. À f16, votre photographie sera nette entre 1 m et l'infini. Un objectif de 50 mm pourra également saisir l'ensemble d'un scène sans provoquer de déformations dans les coins de l'image, ce qui se produit avec un grand angulaire.

▲ *Le poids peu élevé et la souplesse d'emploi des objectifs standard en font l'équipement idéal pour les voyageurs. Ils peuvent être utilisés avec bonheur pour réaliser des portraits, à condition de ne pas être trop proche du sujet, afin d'éviter des déformations.*

▼ *Cette superbe nature morte a été réalisée avec un appareil 10 x 8 équipé d'un objectif de 360 mm. Ce dernier équivaut à un 50 mm sur un boîtier au format de 35 mm. Il est capable de capturer des images de plus grandes dimensions, tout en leur conservant un aspect naturel.*

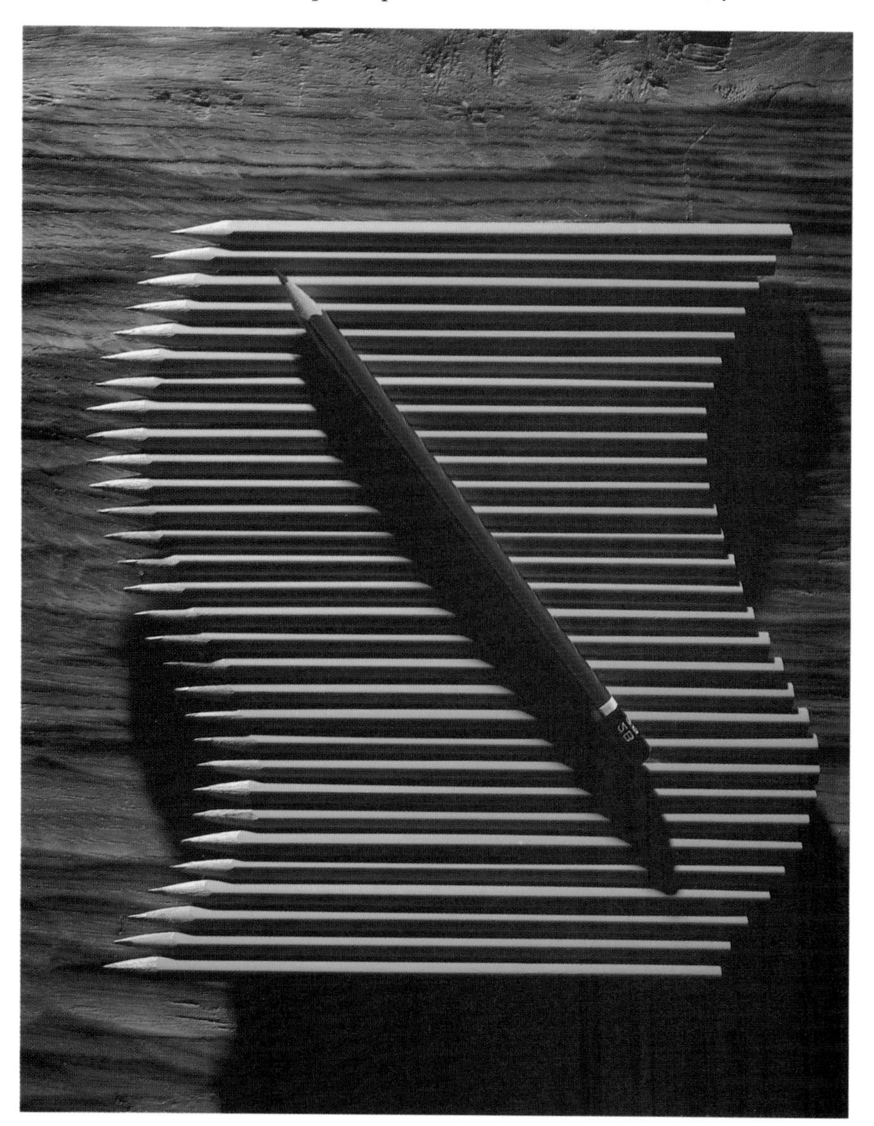

Portraits. L'objectif le mieux adapté à ce type de photographie est le téléobjectif à courte focale (entre 85 et 135 mm). Cependant, il n'existe aucune raison pour laquelle vous n'obtiendriez pas de bon résultat avec un 50 mm. Sachez cependant qu'un cliché réalisé de trop près pourrait provoquer certaines déformations. Le 50 mm est idéal pour les photographies d'enfants (où le sujet ne doit pas être cadré dans totalité du cliché, mais entre la moitié et les trois quarts) et même d'adultes. L'espace restant peut ainsi être utilisé pour inclure un fond donné, parfait pour le portrait en situation.

Scènes de rues. Les petites dimensions et le poids assez faible des objectifs standard les rendent indispensables pour les photographies documentaires ou les reportages. Ils sont cependant moins pratiques que les téléobjectifs à grande focale, en sorte que vous ne devez pas vous tenir au milieu d'une foule. Mais vous serez en mesure d'évoluer en plein cœur d'une action et de prendre des clichés sur le vif de très bonne facture.

Vous pouvez également acquérir des objectifs macro qui vous permettront d'effectuer des photographies rapprochées. Ils peuvent prendre des clichés très nets à de faibles distances, mais ils sont à la fois plus lents et beaucoup plus coûteux que des optiques de 50 mm.

Les grands angulaires

Comme leur désignation l'indique, les grands angulaires sont destinés à capturer de vastes scènes. Ils sont d'une valeur sans égale pour les paysages, mais leur utilité ne s'arrête pas là. Vous pourrez aussi les employer pour obtenir des effets créatifs.

L'objectif de 50 mm conviendra bien à la plupart des photographies que vous pourrez réaliser. Mais il viendra bientôt un moment où vous ne pourrez plus capturer l'ensemble d'une scène que vous distinguerez dans votre viseur. Le recours à un objectif grand angulaire permettra de résoudre ce problème.

Le terme grand angulaire recouvre des optiques dont la longueur focale est inférieure à 50 mm. Ces objectifs englobent en fait un angle de champ plus important que celui de 46° couvert les optiques standard, c'est-à-dire qu'ils étendent le champ d'une photographie non seulement sur les côtés, mais aussi en dessous et au-dessus. Plus courte est la focale, plus grand est le champ pris en compte.

Un objectif grand angulaire revient très cher, les plus coûteux étant ceux à courte focale. La différence de prix entre un 35 mm et un 24 mm est souvent très importante. Cependant, grâce à la fabrication assistée par ordinateur, les fabricants sont parvenus à proposer des optiques de cette gamme à des prix beaucoup plus acceptables aujourd'hui.

De multiples usages

Une des utilisations les plus communes des objectifs grands angulaires se rapporte aux photographies de paysages. Mais ils n'en sont pas moins très bien adaptés à des clichés d'intérieur ou à la photographie de groupe. Par exemple, vous serez en mesure, si vous utilisez une optique de ce type, de tenir dans votre viseur un groupe important et de le photographier d'assez près pour que les gens puissent entendre les instructions que vous leur communiquerez.

▲ Dans tout sac de photographe, il existe de la place pour un ou deux grands angulaires. Si vous n'avez pas les moyens, contentez-vous d'un simple 24 mm.

De larges applications

Beaucoup de professionnels, ignorant le 50 mm, utilisent en standard le 35 mm comme un grand angulaire. Mais le premier objectif grand angulaire véritable a une focale de 28 mm. Le 24 mm et les optiques à plus courte focale sont beaucoup plus employés parce qu'ils permettent d'obtenir des effets plus spectaculaires. Un objectif de 35 mm peut couvrir un champ deux fois plus important que celui qu'embrasse un 50 mm. Pour un 28 mm, le champ est trois fois plus grand et pour un 24 mm, quatre fois.

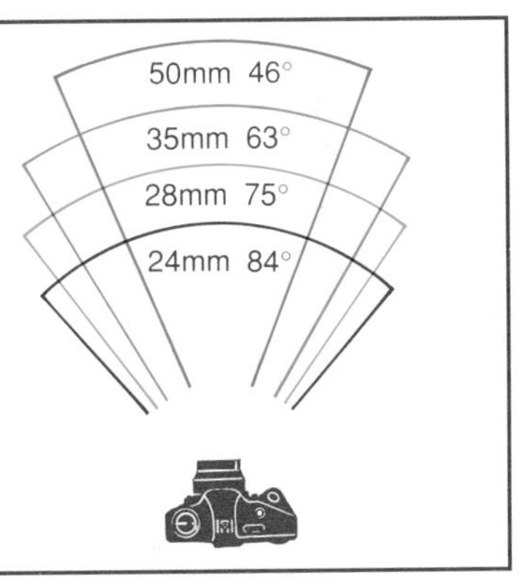

▼ Utilisez vos grands angulaires pour saisir des photographies spectaculaires, comme un coucher de soleil ou des formations nuageuses. Vous pourrez capturer une vaste portion de ciel et restituer ainsi une impression d'espace.

Les effets des grands angulaires

Les grands angulaires permettent d'obtenir nombre d'effets très intéressants.

Effet de profondeur. Les objets distants apparaissent souvent plus lointains qu'ils ne le sont en réalité. Grâce à un objectif grand angulaire, un photographe sera en mesure de rapprocher les sujets situés à l'avant-plan. En combinant ces deux caractéristiques, il pourra même introduire dans sa prise de vue un effet de profondeur, presque de 3 D. Plus courte est la focale de l'objectif, plus important est l'effet obtenu en ce sens.

Rallonger les distances. Les photographes paysagistes apprécient les objectifs grands angulaires non seulement parce qu'ils leur permettent de saisir des zones plus importantes, mais aussi parce qu'ils offrent la possibilité de rallonger les distances, d'accroître l'impression de profondeur. Cet effet peut être encore augmenté en incluant dans un cliché un élément — tel qu'une route — serpentant de l'avant-plan à l'arrière-fondde la photographie.

Exagérer les proportions. L'effet qui consiste à rallonger les distances fonctionne aussi avec les objets. Ceux-ci apparaîtront à la fois plus proches et plus allongés. Utilisez par exemple un grand angulaire pour photographier une voiture. La longueur de celle-ci se trouvera immédiatement accrue, au point de lui conférer les proportions d'une limousine.

Cet effet intéressant peut être aussi employé pour accroître l'impression de hauteur. En photographiant une maison en contre-plongée avec un grand angulaire, vous lui donnerez l'allure d'un véritable gratte-ciel.

▲ Le photographe a accentué la hauteur et l'ampleur de ce bâtiment en prenant sa photographie en contre-plongée, avec un grand angulaire.

Note

Déformation

Si vous employez un grand angulaire pour faire un portrait, prenez garde à ne pas placer le sujet de votre photographie trop près de votre appareil. Cette façon de procéder aura tendance à lui faire occuper l'ensemble de l'espace disponible. Mais l'effet produit par un grand angulaire déformera également les traits du visage de la personne photographiée et disproportionnera certaines parties de son corps. Plus important sera le grand angulaire que vous utilisez et plus proche sera le sujet, plus prononcée sera la déformation.

Lorsque vous procédez à la composition de votre image, essayez de vous rendre compte si les sujets proches sont déformés. Si tel est le cas, éloignez-les de l'appareil de quelque distance.

▲ Les portraits rapprochés apparaissent fort peu naturels. Les parties du sujet les plus proches de l'appareil sont disproportionnées par rapport aux autres. Ici, la tête de cette jeune semble plus volumineuses.

▲ La solution à un tel problème est simple. En reculant de quelques pas, le photographe est parvenu à gommer les déformations initiales, réalisant un portrait plus attractif et plus naturel.

Photographier avec un grand angulaire

Lorsque vous décidez d'utiliser un grand angulaire, rappelez-vous que plus courte sera sa longueur focale, plus grande sera la déformation des images que vous prendrez par rapport à la réalité. Fort de cette information, vous êtes en mesure de déterminer quel type d'objectif convient le mieux aux clichés que vous souhaitez prendre.

Prenez l'optique la plus grande possible que vous trouverez si vous désirez exagérer l'impression de profondeur d'une image, ou y intégrer le plus de choses possibles. Si vous avec l'intention de saisir une simple scène sans exagérer les effets produits par un grand angulaire, prenez un objectif à focale modérée.

35 mm

▲ *Le grand angulaire de 35 mm est parfaitement adapté à la photographie de reportage et de vérité. Vous pouvez serrer au plus près le sujet et en conserver la tête et les épaules dans votre cadrage. Avec un objectif grand angulaire à focale moyenne, le problème de la déformation ne se pose pas. Un cliché pris de près produit souvent de meilleurs résultats qu'une photographie faite à distance, avec un objectif à plus grande focale.*

28 mm

▶ *L'objectif de 28 mm convient bien aux paysages et à la photographie dans la rue. Il vous permet de prendre un large panorama et de regrouper sur un même cliché un grand nombre d'éléments. Avec une optique de cette dimension, les effets de déformation sont parfaitement visibles et la distance entre les objets apparaît vraiment peu conforme à la réalité. Si vous utilisez un 28 mm, assurez-vous que les divers sujets que vous prenez sont à la même distance de l'appareil.*

24 mm

▲ Un objectif de 24 mm est en mesure de couvrir une pièce moyenne, mais évitez de vous approcher trop près des sujets photographiés afin de ne pas provoquer de phénomène de déformation.

Les effets produits par un objectif grand angulaire apparaissent mieux avec un 24 mm, avec lequel la déformation pose un problème. Les sujets placés à quelques mètres de l'appareil semblent plus lointains, et d'importantes étendues de paysages de campagne ou urbains peuvent être capturées.

◀ Photographie prise avec un 50 mm.

Longeur focale et profondeur de champ

RETOUR AUX BASES

D'un point de vue donné et à une ouverture déterminée, la profondeur de champ s'améliore de façon spectaculaire lorsque les longueurs de focale sont moindres. Quand vous vous rapprochez d'un sujet au point que le grand angulaire couvre la même zone qu'un objectif à plus grande focale, la profondeur de champ reste la même. Mais les photographes ne travaillent pas habituellement de cette manière.

Si vous souhaitez optimiser la profondeur de champ, ayez recours à l'objectif à longueur focale la plus faible. En faisant, avec un 24 mm, la mise au point sur un sujet situé à 2 m, en utilisant une ouverture de f8, la profondeur de champ s'étagera de quelques centimètres en avant de l'objectif jusqu'à l'horizon et la scène sera nette partout.

▲ Avec une mise au point sur le sujet le plus proche, la profondeur de champ est limitée et ne s'étend pas au sujet le plus éloigné.

▲ Avec un 24 mm, la profondeur de champ s'accroît spectaculairement et l'ensemble de la scène est net.

Films lents et faibles lumières

Vous pouvez fort bien utiliser des objectifs de 24 et de 28 mm pour des temps de pose aussi bas que 1/30e de seconde. Cela signifie que vous pourrez avoir recours à des films lents de haute qualité et à des temps de pose très bas sans craindre qu'un bougé vous fasse rater une photographie.

Les grands angulaires sont également bien adaptés à des prises de vues dans des conditions de faible niveau d'éclairement, la plupart des objectifs de cette catégorie ayant de grandes ouvertures et des temps de pose bas. Pouvoir photographier à 1/30e de seconde permet aussi de travailler par lumière intense, lorsque l'on souhaite recourir à de petites ouvertures afin d'optimiser la profondeur de champ.

▲ Les grands angulaires sont idéalement adaptés aux prises de vues faites dans des conditions de faible éclairement. Attention aux sujets flous si vous utilisez dans ce cas de trop basses vitesses.

◀ Un grand angulaire vous sera particulièrement utile si vous souhaitez faire une prise de vue dans un endroit mal éclairé et exigu, où vous ne pourrez pas utiliser un trépied.

Note : Comment bien utiliser un grand angulaire

❑ Photographier d'en bas un mannequin avec un grand angulaire permettra d'allonger ses jambes, mais demandez-lui d'aligner les extrémités de ses pieds sous peine que ceux-ci aient un aspect par trop massif.

❑ Utilisez un grand angulaire pour prendre des portraits de trois-quarts ou de face montrant les gens dans leur environnement.

❑ Utilisez un grand angulaire léger et facile à porter lorsque l'éclairement est bas et que vous employez un film lent.

Travailler avec un téléobjectif

Utiliser un téléobjectif vous permettra de faire se rapprocher les sujets éloignés.

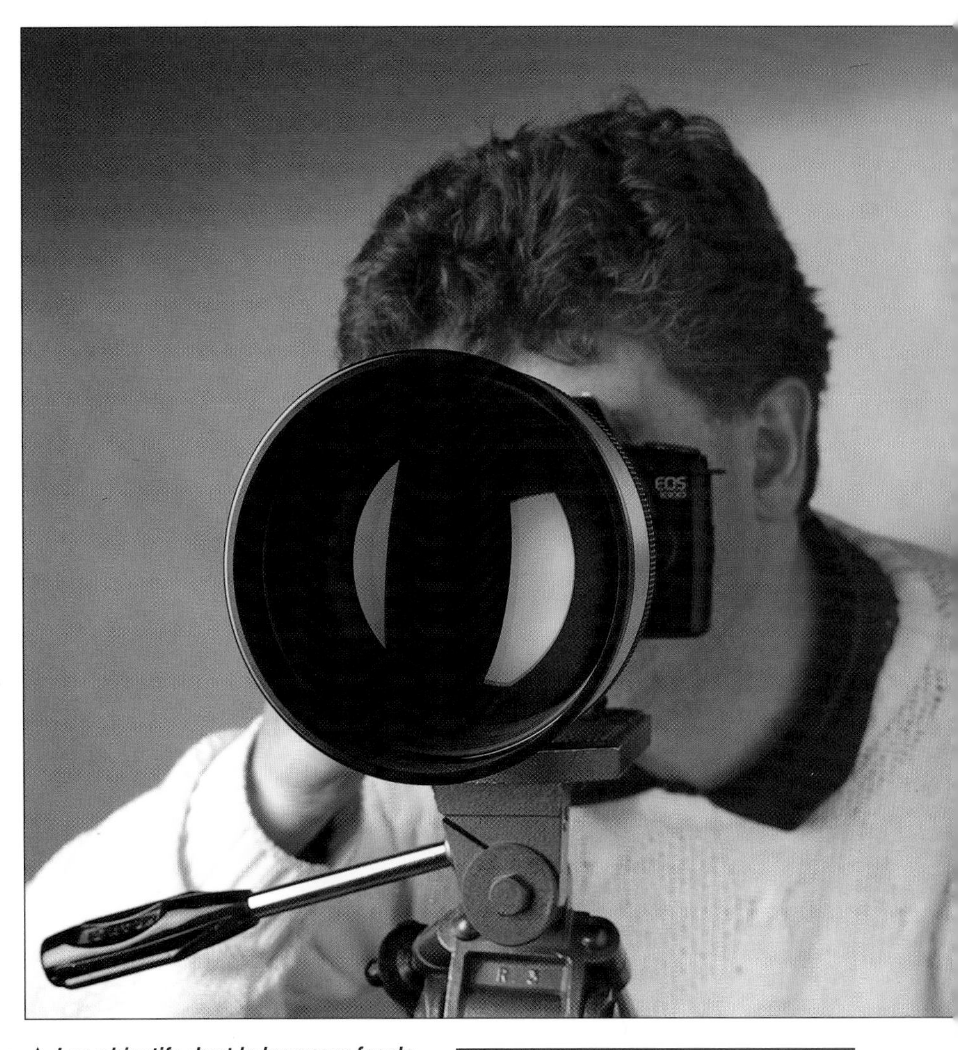

▲ *Les objectifs dont la longueur focale est supérieure à 70 mm sont classés dans la catégorie des téléobjectifs. Mais toutes les optiques de ce type ne sont pas aussi lourdes et coûteuses que celle du 300 mm, représenté ici. Le recours à tel ou tel téléobjectif dépend du sujet que vous souhaitez photographier, de la distance à laquelle il se trouve et de la scène que vous souhaitez inclure dans votre image.*

Il est courant de comparer un téléobjectif à un télescope qui serait monté sur un appareil photographique. L'utilité principale du téléobjectif et du télescope est de rendre plus proches, plus grands et plus détaillés les objets éloignés.

Le téléobjectif vous permet de prendre de près le sujet que vous souhaitez photographier, que vous ne puissiez l'approcher ou qu'il ne veuille pas que vous l'approchiez. Vous êtes ainsi en mesure d'effectuer des photographies sportives depuis une tribune ou des clichés d'animaux sauvages sans courir le moindre risque.

Le recours à un téléobjectif s'impose également lorsqu'il s'agit de faire se détacher des sujets précis de leur environnement. Vous pouvez ainsi faire le portrait d'un individu qui se confond avec la foule, ou bien mettre en valeur un détail architectural précis sur un bâtiment. Plus simplement, se rapprocher d'un sujet donné avec un objectif standard ou un grand angulaire ne produit pas le même effet, car même de très près ces optiques capturent beaucoup plus d'arrière-fond qu'un téléobjectif pointé de loin.

Qu'est-ce qu'un téléobjectif ?

Les objectifs qui possèdent une longueur focale plus grande que celle des optiques standard sont classés dans la catégorie des téléobjectifs. Pour un boîtier de 35 mm, cette définition signifie que les objectifs supérieurs à 50 mm entrent dans cette catégorie — bien que les standards courants considèrent qu'une optique de 85 mm soit le téléobjectif le plus petit qui existe.

Magnification

Plus importante est la longueur focale d'un objectif, plus l'image qu'il restitue sera magnifiée. Un téléobjectif de 100 mm a un pouvoir de magnification deux fois plus important qu'un objectif de 50 mm. Ce qui signifie que les dimensions d'un sujet donné seront deux fois plus importantes avec cette optique. Un objectif de 500 mm possède un pouvoir de magnification dix fois plus grand qu'une optique standard.

◀ *Avec un 50 mm, le sujet principal de cette photographie, l'homme qui porte un chapeau, est perdu parmi la foule.*

▶ *Avec un 200 mm, le photographe met le sujet principal en valeur.*

Utiliser des téléobjectifs

85 mm

90 mm

Ces optiques, bien adaptées à la photographie de la tête et des épaules, sont parfaites pour le portrait. Elles mettent bien en valeur les traits du visage et permettent de travailler à distance confortable, assez loin pour que votre sujet ne se sente pas serré de trop près, mais assez près aussi pour que vous puissiez communiquer avec lui.

Les téléobjectifs à courte focale sont également utilisés pour la photographie de rues, à condition de pouvoir opérer à proximité du sujet, et pour les paysages, lorsque vous souhaitez gommer les détails de l'avant-plan.

Quelques photographes les utilisent en lieu et place de leurs optiques standard.

100 mm

105 mm

135 mm

Nombre de ces téléobjectifs à moyenne focale disposent d'un système de mise au point rapproché, ce qui les rend utiles pour la photographie de sujets tels que les plantes et les insectes.

Avec ces optiques, vous pouvez soit prendre des clichés de la tête et des épaules, soit des portraits véritables. Utiliser des téléobjectifs d'une focale supérieure à 135 mm peut accentuer ce phénomène dans des proportions inacceptables.

Avoir recours à de grandes ouvertures de diaphragme (de l'ordre de f2 ou f2.8) permet d'utiliser ces optiques dans des conditions de lumière faible. De ce fait, un photographe peut les employer pour des prises de vues dans la rue, mais aussi dans des salles de concert ou de théâtre.

Note — La location de téléobjectifs à grande focale

Les téléobjectifs ne sont pas bon marché. Ceux qui possèdent une grande focale, de l'ordre de 400 à 500 mm, sont inaccessibles pour beaucoup de photographes. Mais cela ne signifie pas que vous en serez réduit à n'employer que des optiques à courte focale. Une solution consiste à louer ce matériel dans des boutiques de professionnels. Le coût journalier reste raisonnable et nombre de magasins pratiquent des tarifs raisonnables pour le weekend. Plus longtemps vous louerez ce matériel, plus bas en sera le prix, même si la caution que vous devrez déposer est élevée.

180 mm

200 mm

250 mm

Il existe une différence marquée entre ces objectifs et les téléobjectifs à plus courte focale, puisqu'ils permettent de magnifier un sujet à distance.

Ces optiques sont largement utilisées pour les photographies prises sur les courts de tennis ou pour les sports en salle soit depuis les tribunes, soit depuis le terrain lui-même. Elles servent également pour les clichés effectués dans la rue.

Ce sont les objectifs les plus longs qu'un photographe puisse encore employer de façon pratique.

300 mm

400 mm

500 mm

Ce sont les optiques les plus fréquemment employées pour la photographie sportive et les clichés d'animaux sauvages.

Les photographes sportifs apprécient particulièrement les objectifs de 300 mm de très haute qualité, à ouverture de f2,8, caractérisés par une lentille de très grandes dimensions. Les 300 mm à ouverture maximale de f4 ou f5,6 sont un peu plus compacts et moins coûteux. Ils permettent de bien cadrer un sujet à une centaine de mètres, mais, du fait de leur ouverture moins importante, ils requièrent l'utilisation de films à haute sensibilité correspondant à des temps de pose élevés.

Les 400 et 500 mm doivent être maniés avec précaution. Ils réclament un support très robuste mais sont d'une extraordinaire utilité pour photographier des scènes de la vie sauvage.

Leur ouverture de diaphragme étant limitée habituellement à f5,6, une bonne lumière et des films à haute sensibilité sont nécessaires.

Effets des télés

Il existe bien d'autres utilisations des téléobjectifs que la simple magnification d'un sujet à grande distance. Par rapport à un objectif standard, **la profondeur de champ** est moindre lorsque vous employez une optique de ce type. Vous pouvez ainsi effectuer la mise au point sur un sujet précis en le faisant bien se détacher sur l'arrière-fond. Les téléobjectifs à grande focale, avec leur très faible profondeur de champ (de l'ordre de quelques centimètres seulement en avant et en arrière du sujet sur lequel s'effectue la mise au point), permettent de rendre flou l'ensemble de l'arrière-fond.
Un autre des effets produits par de telles optiques est **la compression**. Ainsi les sujets alignés dans la profondeur de l'image paraissent beaucoup plus proches les uns des autres qu'ils ne le sont dans la réalité. La différence de taille entre ces objets est également réduite.

▲ ***En ayant recours à un téléobjectif à grande focale, le photographe est parvenu à comprimer cette image, c'est-à-dire à réduire la distance qui existe entre l'avant et l'arrière de cette voiture de course. Cette façon de procéder rend le sujet capturé beaucoup plus massif et accroît d'autant l'impact du cliché.***

▶ ***Utilisez un téléobjectif pour photographier des paysages inhabituels et donner à une scène un aspect bidimensionnel. Egagérez cet effet en vous arrangeant pour exclure certains détails caractéristiques de l'arrière-fond et de l'avant-plan.***

Appréciez le cadrage

RETOUR AUX BASES

Il peut être utile de connaître les cadrages que permettent les téléobjectifs par rapport aux objectifs auxquels vous avez habituellement recours, c'est-à-dire les optiques standard. Cela vous permettra d'employer les bonnes longueurs focales pour les photographies que vous serez amené à réaliser.

Utilisez l'échelle de mise au point de votre viseur pour savoir quelle partie d'une scène sera incluse dans votre cadrage lorsque vous emploierez une longueur focale différente.

Une autre façon de procéder consiste à utiliser un support de diapositive de 35 mm. Tenez-le à une distance de votre œil correspondant à la longueur focale de l'objectif que vous pensez employer et vous obtiendrez ainsi le cadrage correspondant à la scène à photographier.

Cette méthode se révèle d'une très grande utilité lorsque vous effectuez une visite au préalable d'un endroit où vous comptez prendre des clichés, sans pour autant y amener l'ensemble de votre matériel.

▼ ***Cette photographie a été prise avec un objectif de 50 mm. Les rectangles montrent les cadrages obtenus avec divers téléobjectifs.***

Cadrage avec un 50 mm
Cadrage avec un 100 mm
Cadrage avec un 200 mm

Les zooms

Portraits artistiques, paysages au piqué de grande qualité, scènes de la vie sauvage : faire des clichés de ces différents sujets est possible grâce aux zooms, qui figurent parmi les objectifs préférés de nombreux photographes, un des plus employés aussi.

Un des plus grands avantages du zoom réside dans sa très importante souplesse d'utilisation. Les objectifs de ce type sont assez peu coûteux, légers, et possèdent une bonne définition. Les zooms les plus récents sont d'une effecience hors du commun et en général d'un prix abordable. Ils sont en mesure de remplacer deux, trois et même quatre objectifs standard fixes.

Grâce aux recherches entreprises dans ce domaine, les zooms actuels ont atteint un degré de perfection élevé. Aujourd'hui, ils sont d'une qualité pratiquement identique à celle des meilleures optiques à focale fixe.

En ce qui concerne leur prix, ces objectifs sont beaucoup moins coûteux que des optiques à grande longueur focale fixe. Un zoom de bonne qualité, couvrant plusieurs longeurs focale, revient en effet à la moitié du prix d'un 105, d'un 135, d'un 180 ou d'un 200 mm à focale fixe.

▲ Il existe une gamme étendue de zooms modernes qui offrent de très grands standards de qualité.

◀ Un zoom à focale moyenne est idéalement adapté à la prise de vue sportive scolaire. Il permet de prendre des photographies d'amateur de qualité. Vous pourrez entrer dans l'action en jouant avec différentes longueurs focales.

Zooms à focale moyenne

50-200 mm

70-200 mm

70-210 mm

80-200 mm

Un zoom à focale moyenne est bien adapté à bon nombre de prises de vues et de situations. En choisissant une longueur focale de 85 mm, vous pourrez réaliser des portraits artistiques de la tête et des épaules. En l'utilisant au maximum de sa longueur focale, vous serez en mesure de saisir de nombreux détails à une certaine distance. Ces particularités rendent possible la photographie de paysages au piqué accentué ou d'événements sportifs. Cependant, un tel objectif ne pourra traiter des sujets qui réclament une importante magnification de l'image, tels que les scènes de la vie sauvage.

▲ ***Pour ce cliché d'une artiste de rue, le photographe a réglé son zoom 70-210 mm sur une longueur focale de 135 mm. Ce réglage lui permet d'obtenir une perspective agréable et un excellent piqué de l'image. Utiliser un zoom permet de réaliser une composition de très grande qualité en restant à distance, sans avoir à se promener au milieu de la foule.***

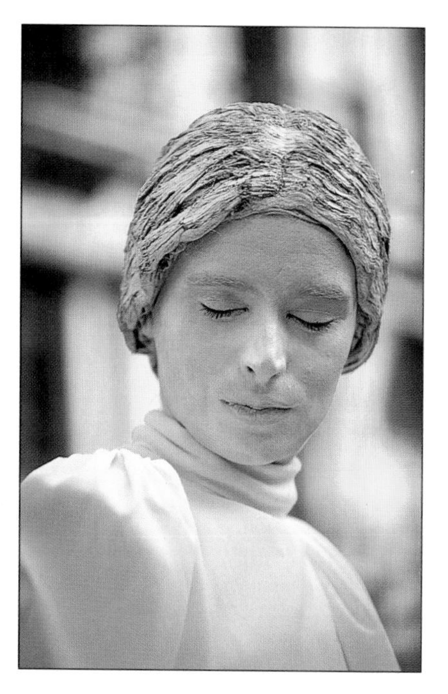

▲ ***Utiliser la longueur focale la plus importante de votre télézoom permet d'obtenir la magnification nécessaire pour faire tenir un visage dans l'ensemble du cadrage. Ce réglage réduit aussi la profondeur de champ, offrant la possibilité de rendre flou l'arrière-fond et de bien mettre en valeur le sujet principal, en en révélant les détails les plus fins.***

Faites le bon choix

Il existe un choix si étendu dans le domaine des zooms, qu'il faut vous poser certaines questions essentielles avant d'investir.

La première des priorités consiste à choisir un objectif dont les caractéristiques permettent de couvrir l'ensemble des longueurs focales dont vous estimez avoir le plus couramment besoin. Votre choix définitif résultera bien évidemment d'un compromis entre le prix, le poids et l'ouverture maximale de l'objectif.

Quelques optiques disposent d'une fonction macro. A vous de décider si vous en aurez besoin. Mais sachez que les meilleurs des zooms ne comportent pas un tel mode, essentiellement parce que la qualité de l'image qu'il permet de restituer n'est souvent pas très bonne.

Vérifiez les commandes

Lorsque vous déciderez d'acquérir un zoom produit par un fabricant d'objectifs indépendant, il vous faudra vérifier dans quel sens tourne la bague de réglage de mise au point pour les sujets distants ou proches. Celle-ci pourrait fort bien, en effet, faire la mise au point de près en tournant dans le sens des aiguilles d'une montre, alors que l'on trouve le contraire sur la plupart des autres objectifs.

◀ ***Pour ce cliché, le photographe a réglé son zoom à la longueur focale de 85 mm. Cette facon de procéder lui permet de prendre un cliché de trois-quarts qui révèle bien le drapé du costume de l'artiste. Un tel réglage autorise aussi un excellent cadrage du sujet et réduit la profondeur de champ de manière à rendre flou l'arrière-fond.***

Les zooms à grande focale

75-300 mm

100-300 mm

100-500 mm

135-600 mm

250-600 mm

400-600 mm

Beaucoup de sujets réclament des objectifs beaucoup plus puissants que de simples zooms à courte ou moyenne focales. Si vous vous intéressez à la photographie sportive ou à la vie sauvage, vous aurez certainement besoin d'un objectif à la longueur de focale supérieure à 210 mm.

Les zooms à grande longueur focale permettent de réaliser de tels clichés. Ils offrent aussi une profondeur de champ limitée, qui donne la possibilité de bien faire ressortir le sujet. Ils créent enfin un effet de compresion qui peut être utilisé pour effectuer des photographies de paysages inhabituelles.

Malheureusement, en raison d'une cadence de fabrication assez limitée, ces objectifs ne bénéficient pas des mêmes progrès technologiques que les autres. Aussi leur prix est-il beaucoup plus élevé. Comme leur usage est très spécialisé, ils ne disposent pas de caractéristiques telles que la possibilité d'effectuer une mise au point macro.

De bonnes nouvelles

En dépit de ces insuffisances, les zooms à grande focale sont d'une extraordinaire utilité. Si vous souhaitez par exemple prendre des photographies d'animaux sauvages depuis un couvert, ces optiques vous offriront de très grands avantages. Lorsque vous êtes à l'affût, vous ne pouvez guère vous déplacer, tandis que les animaux s'approchent rarement des hommes. Avec un zoom à grande focale, vous pourrez photographier à l'envi des sujets distants.

Zooms et doubleurs de focale

Un doubleur de focale sert à accroître la longueur focale d'un zoom. Si vous adapter un élément de ce type sur un objectif de 80-200 mm, vous serez en mesure de couvrir des longueurs focales de 80-400 mm, donc de doubler vos capacités.

Les doubleurs de focale ne font pas que magnifier une image ; ils peuvent accentuer les défauts d'un objectif. Pour cette raison, n'achetez pas un équipement de ce type bon marché que vous monteriez sur un objectif peu coûteux. Vos image manqueraient de piqué et de contraste.

▼ Avec un zoom, la photographie d'oiseaux se trouve facilitée. Ce type d'objectif est assez puissant pour pouvoir capturer des animaux en vol à de grandes distances, vous permettant de changer progressivement de longueur focale afin de conserver votre composition.

Taille et poids

Lorsque vous faites l'acquisition d'un zoom, ayez toujours à l'esprit que plus un objectif a une importante longueur focale et une grande ouverture, plus il sera lourd et encombrant. Plus longue sera la focale et plus importante l'ouverture du diaphragme, plus volumineux et plus lourd sera l'optique.

Grâce à l'emploi de matériaux modernes et aux progrès effectués dans ce domaine, beaucoup de zooms à moyenne focale sont compacts et légers — certains ne le sont pas plus que des objectifs standard. Mais leur ouverture est dans l'ensemble assez faible.

Seules quelques optiques à focale moyenne n'ont fait l'objet d'aucun compromis dans ce domaine. Certains fabricants ont réalisé en effet des 80-200 mm f2,8 à temps de pose rapide, qui font appel à des lentilles de très haute qualité et donnent d'excellentes résultats. Le revers de la médaille est que ces équipements coûtent fort cher (de l'ordre de deux fois le prix d'un boîtier semi-professionnel) et que leur poids est deux fois plus élevé que celui d'un objectif moins évolué.

Sauf si vous avez besoin d'un zoom très rapide, choisissez plutôt un modèle compact, avec une ouverture de f4-5,6.

◀ ***Pour réduire le poids de votre équipement, choisissez un zoom à moyenne focale compact. Il en existe d'aussi peu lourds qu'un objectif standard de 50 mm et moins encombrant que le nec plus ultra dans ce domaine, le 80-200 f2,8.***

▲ ***Cette scène a été prise sous une exposition de f8 à 1/250e de seconde. L'image sera correctement exposée lorsque le photographe réglera son objectif 70-210 mm f4-5,6 à la longueur focale de 70 mm.***

▲ ***Dans ce cas, le cliché a été pris après un passage une longueur focale de 210 mm. Le résultat sera sous-exposé car en procédant à un tel réglage, le photographe a travaillé en fait avec une ouverture de f11. Pour réussir sa prise de vue, il aurait dû accroître l'ouverture du diaphragme ou sélectionner un temps de pose de 1/125e de seconde.***

Ouverture variable

RETOUR AUX BASES

Lorsque vous portez votre choix sur un zoom, lisez attentivement ses caractéristiques. Un zoom à focale moyenne typique répond aux spécifications suivantes : 70-210 mm f3,5-4,5. Cette indication signifie que, grâce à une bague située sur l'objectif, vous serez en mesure de régler l'ouverture sur l'ensemble de l'échelle proposée. Cela ne veut pas dire que seule l'ouverture pourra être modifiée. Chaque mesure correspond également à une modification de focale lorsque vous procédez à un grossissement.

Tout ira bien si vous utilisez votre appareil photographique en mode automatique, le posemètre procédant sans intervention de votre part aux réglages nécessaires de l'exposition. Mais si vous intervenez manuellement, vous serez confronté à des problèmes. Par exemple, dans le cas où vous prendriez des clichés au flash en studio, l'ouverture que vous sélectionnerez ne sera valable que pour une seule longueur focale. Si vous réglez l'exposition à 80 mm et que vous passez ensuite à 200 mm, votre photographie s'en trouvera surexposée. Pour surmonter cet obstacle, choisissez un objectif à ouverture non variable.

▼ ***La ligne et les points blancs donnent l'ouverture pour un réglage de l'objectif à 70 et 200 mm.***

Zooms grands angulaires

Si vous souhaitez réaliser toutes sortes de clichés, depuis les paysages jusqu'aux intérieurs, en passant par les photographies documentaires et les scènes de foule, vous ne trouverez pas mieux que le zoom grand angulaire.

▲ Le zoom grand angulaire est un choix idéal pour les photographies de paysages. Son grand angle de champ vous permet de balayer un vaste panorama et vous offre en même temps une importante profondeur de champ, qui permet aux sujets de l'avant-plan et de l'arrière-fond de conserver une bonne netteté.

Le zoom grand angulaire est un des objectifs les plus indispensables qui soient. Si vous ne disposez pas de téléobjectif, vous pourrez toujours vous approcher de votre sujet afin d'effectuer un bon cadrage. Cependant, rien ne vaut un grand angulaire. Par exemple, lors d'une partie de campagne, il vous permettra de capturer l'ensemble des participants. Avec un objectif à plus grande focale, vous ne prendriez au mieux qu'une seule personne.

Quelques problèmes

Le problème avec un grand angle, c'est qu'en utiliser un seul ne suffit pas. Un objectif qui se révélera parfait pour photographier des gens ne permettra pas de créer la sensation d'espace et de volume que vous pourriez obtenir avec une optique à longueur focale plus courte. Par ailleurs, les grands angulaires les plus importants déforment la perspective à un point tel qu'ils ne peuvent êtyre en aucune manière employés pour des prises de vues qui doivent conserver un aspect naturel.

La solution réside dans les zooms grands angulaires, qui rassemblent une large gamme de longueurs focales dans une seule optique. Aucun zoom ne vous donnera cependant jamais toutes les longueurs focales dont vous aurez besoin.

▼ Un zoom grand angulaire moyen, comme le 24-50 mm représenté en bas, à gauche, est bien adapté au reportage et au portrait en situation. Un 24-50 mm, comme celui qui figure en bas, à droite, est parfait pour les vastes panoramas, où il accroît la perspective.

24–50mm f3·3/4·5

20–35mm 3·5/4·5

Zooms grands angulaires à moyenne longueur focale

24-50 mm

24-40 mm

24-35 mm

Si vous êtes un utilisateur novice d'objectifs grands angulaires, alors il vous faudra vous rabattre sur une optique à moyenne focale pour vous initier à cet art difficile.

Une partie de ces objectifs, ceux qui affichent une longueur focale de 50 mm, multiplient par deux les capacités des objectifs standard. Une autre possède une longueur focale beaucoup plus courte. Faites l'acquisition d'une de ces optiques, en même temps que vous achèterez un télézoom à moyenne longueur focale (voir page 33). Ainsi équipé, vous serez en mesure de couvrir toutes les longueurs focales dont vous aurez besoin.

Une optique à longueur focale de 35 mm se révélera idéale pour prendre des portraits en situation, par exemple un écrivain assis à son bureau. Elle permet de ne pas exagérer la perspective, en ne déformant pas, par exemple, les mains du sujet et toutes les parties les plus proches de l'objectif. Elle offre aussi la possibilité de travailler dans un espace restreint, contrairement à une optique standard.

Journalisme et événements sociaux

Les zooms à moyenne longueur focale sont aussi bien adaptés au reportage, au journalisme et à des événements sociaux tels que les mariages et les soirées. Par rapport à une optique standard, ces équipements possèdent une profondeur de champ importante. Les optiques de 75 à 80° ont un angle de champ assez grand pour effectuer des prises de vues panoramiques ou tenir dans l'objectif, par exemple, tous les convives rassemblés autour d'une table de restaurant.

◀ Cette photographie d'un bateau sur un canal a été prise avec un zoom à longueur focale moyenne 24-50 mm placé sur 50 mm. Avec un tel réglage, vous êtes en mesure d'attirer l'attention sur la poupe colorée du bateau et de donner à l'ensemble du sujet une perspective naturelle.

▲ Passer à une longueur focale de 35 mm accroît de façon importante l'angle de champ. De cette manière, le photographe est en mesure de couvrir l'ensemble du sujet et d'inclure dans le cliché des immeubles environnants ainsi qu'une partie des berges du canal.

◀ Pour ce cliché, le photographe a réglé l'objectif à la longueur focale la plus faible, tout en dirigeant son appareil vers le bas. De cette manière, il est en mesure d'introduire sur sa photographie des détails comme ce plot d'amarrage. Courte longueur focale et faible ouverture de diaphragme permettent de produire une large profondeur de champ.

Zooms très grands angulaires

18-28 mm

21-35 mm

20-35 mm

Les zooms très grands angulaires, dont la longueur focale se situe en dessous de 24 mm, sont beaucoup plus chers que ceux qui ont une longueur focale moyenne, mais ils sont également très souples d'emploi. A leur réglage le plus important, ils présentent des possibilités identiques à celles des optiques moyenne et offrent les mêmes applications. Cependant, à des longueurs focales moins élevées, ils disposent d'un angle de champ beaucoup plus large et permettent de réaliser des clichés à l'impact graphique considérable.

Cet impact résulte essentiellement de la capacité de telles optiques à exagérer l'impression de profondeur d'une photographie. Ils autorisent aussi une profondeur de champ importante qui confère une très bonne netteté à l'ensemble d'un cliché.

Cet effet est particulièrement visble lorsque l'on photographie avec des objectifs de dimensions similaires. Ceux qui sont les plus proches de l'appareil appa-raissent très grands sur la photographie finale, tandis que ceux qui se trouvent à quelque distance sont moins volu-mineux. Tout cela est fort intéressant pour la photographie créative.

Lorsque vous prenez des gens, pensez à réaliser un cliché qui respecte les porportions naturelles. Mais, en certaines circonstances, le recours à un zoom très grand angulaire demeure la seule solution viable.

Si vous souhaitez par exemple faire le portrait d'un coureur automobile, à l'occasion d'un rallye, un appareil équipé d'une telle optique, placé sur le tableau de bord, vous permettra de saisir et votre sujet et certains détails de la voiture. Avec un grand angulaire à focale fixe, il serait presque impossible d'obtenir un tel résultat, du fait de l'exiguïté de l'habitacle. Avec un zoom, vous pourrez opérer les réglages nécessaires en toute facilité.

▶ ***Un zoom très grand angulaire est idéalement adapté aux prises de vues dans un espace réduit. Son angle de champ étendu permet de prendre l'ensemble d'une scène, même en se trouvant très près du ou des sujets concernés.***

Scintillement et paresoleil

La complexité d'un zoom très grand angulaire et le grand angle de champ qu'il couvre font que ce type d'objectif présente une certaine propension à des phénomènes de scintillement. Cependant, une longueur focale variable fait qu'un paresoleil pourra être efficace au réglage le plus faible, alors qu'il ne le sera pas au réglage le plus grand.

Néanmoins, un paresoleil efficace demeure un accessoire essentiel pour les zooms grands angulaires. Certaines optiques plus chères que les autres disposent d'un tel équipement intégré. Les meilleurs paresoleil ont une forme trapézoïdale, d'autres, moins effiacaces, sont rectangulaires ou arrondis.

Choisir un zoom

Virtuellement, tous les zooms grands angulaires permettent de couvrir les longueurs focales les plus courantes, soit 28-35 mm. Votre choix dépendra de la préférence que vous accorderez à une optique de cette catégorie à grande longueur focale, qui restitue une perspective plus naturelle, ou de l'intérêt que vous porterez à un objectif à très courte longueur focale, qui vous donnera un important impact graphique et vous offrira un plus grand angle de champ.

Avec un zoom grand angulaire, travailler en utilisant la longueur focale la plus faible peut engendrer des problèmes. Une optique de 18 mm déformera beaucoup plus les objets qu'un objectif de 21 mm. Cette remarque ne s'applique pas aux zooms de 35 ou de 40 mm qui ne produisent que de légères modifications.

Comme avec tous les zooms, il existe des problèmes de taille, de poids, d'ouverture maximale et de distance de grossissement. Mais les différences en ces matières entre les zooms grands angulaires de différentes longueurs focales sont moins importantes que dans le cas des téléobjectifs à zoom. Attendez-vous néanmoins à payer plus cher pour un objectif à grande ouverture.

▼ Amener un zoom grand angulaire à sa longueur focale la plus faible permet de mettre en valeur les lignes de perspective. Employer un tel réglage pour photographier des sujets accentue l'impression de profondeur.

Étirement

RETOUR AUX BASES

Les objectifs grands angulaires de toutes catégories, pas seulement les zooms, ont une fâcheuse propension à étirer les objets situés dans les coins d'une image. Ce phénomène résulte de l'angle sous lequel les rayons lumineux provenant de ces objets frappent le film. L'effet est accentué avec des objets aux formes régulières, telles que les cercles ou les formes rectangulaires ou carrées.

Une solution simple consiste à ne pas disposer d'objets de la sorte dans les coins d'un cadrage que vous effectuez. Tenez compte de ce conseil lorsque vous photographiez de près.

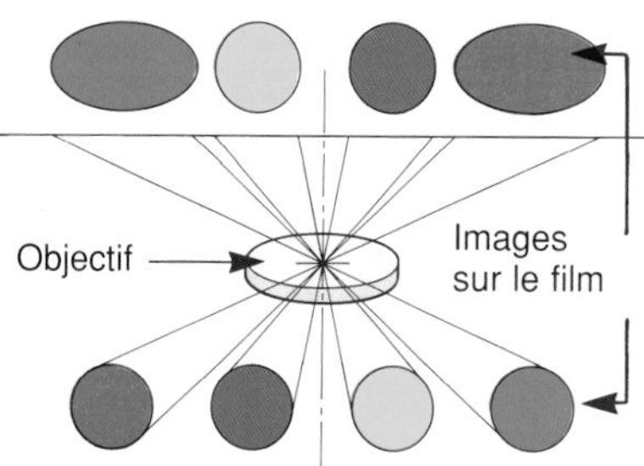

▼ Un objectif de 20 mm possède un grand angle de champ, aussi peut-il couvrir, dans ce cas précis, les boules de billard situées dans le coins du cadrage effectué par ce photographe. Mais les rayons lumineux frapperont le film sous un angle accentué, engendrant une déformation des boules sur l'image finale.

Trop près !

Sur la plupart des zooms grands angulaires, la fonction macro se révèle d'une utilité réduite. Sous serez contraint d'amener l'objectif si près de l'objet à prendre, afin de lui conférer une taille respectable dans le cadrage, que les ombres de l'appareil et de l'optique recouvriront le sujet. Pour prendre un cliché de près, utiliser un téléobjectif à zoom ou un macro à longueur focale fixe.

Objectifs à grande ouverture

Les photographes de mode ne jurent que par eux, les photographes sportifs ne peuvent vivre sans eux et les reporters photos les utilisent sans cesse. Ce sont les objectifs à grande ouverture, utiles certes, mais très coûteux.

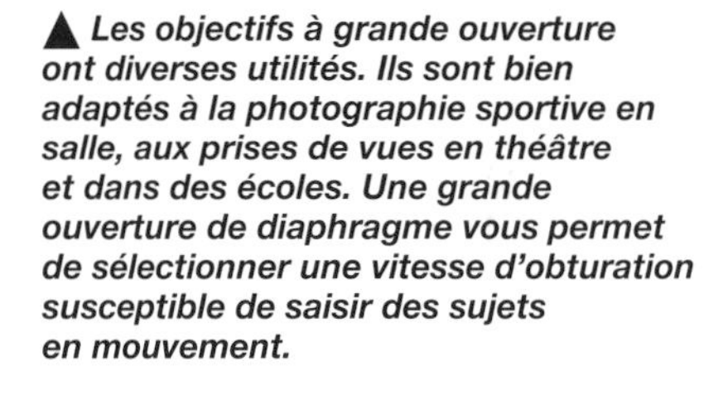

▲ ***Les objectifs à grande ouverture ont diverses utilités. Ils sont bien adaptés à la photographie sportive en salle, aux prises de vues en théâtre et dans des écoles. Une grande ouverture de diaphragme vous permet de sélectionner une vitesse d'obturation susceptible de saisir des sujets en mouvement.***

Les photographes inexpérimentés se posent souvent des questions à propos des objectifs à grande ouverture. Une optique de ce type présente-t-elle des avantages supérieurs à ceux d'un objectif à petite ouverture ? Faut-il utiliser des films rapides si l'on y a recours ? Quand en a-ton besoin et quel prix coûtent-elles ?

Lorsque l'on s'intéresse de plus près aux objectifs à grande ouverture, on se rend vite compte que les choses ne sont pas aussi claires qu'il n'y paraît. Avec les films rapides modernes, l'achat d'une optique de cette catégorie ne semble pas très important, jusqu'à ce qu'on décide de combiner films rapides et objectifs à grande ouverture. Mais tout cela coûte de l'argent, aussi faut-il bien peser dans quelle mesure on a besoin d'un tel matériel.

Rapide ou lent

Un objectif de 50 mm avec une ouverture de f1,8 n'est pas généralement considéré comme une optique à grande ouverture, parce que la plupart des objectifs standard ont des caractéristiques plus importantes.

Il est possible d'utiliser des objectifs de ce type à des ouvertures de diaphragme correspondant à l'ouverture minimale des optiques à faible ouverture. Quoi qu'il en soit, ces équipements sont conçus pour être employés au maximum de leurs capacités.

Un objectif à grande ouverture coûte considérablement plus cher.

▶ ***Un téléobjectif à grande ouverture — 300 mm f2,8 — offre un gain de lumière supérieur par rapport à une optique de 300 mm f4. Elle permet la photographie sportive en salle et la photographie d'action. Un gain de lumière supplémentaire se révèle d'une très grande utilité lorsqu'il s'agit de capturer des sujets en mouvement.***

▼ ***Un objectif à grande ouverture standard - 50 mm f1,2 - procure un gain de lumière significatif par rapport à un 50 mm f1,8 un peu moins performant. Ce gain de lumière permet de faire la différence dans une prise de vue faite à l'intérieur, avec un faible éclairement.***

50 mm f1.8

50 mm f1.2

300 mm f4

300 mm f2.8

Le champ

Un des principaux avantages que procure un objectif à grande ouverture réglé sur son ouverture de diaphragme la plus grande est de réduire la profondeur de champ. Cette possibilité se révèle d'une très grande utilité lorsque vous souhaitez attirer l'attention sur un sujet particulier d'une image, en rendant flou l'arrière-fond.

Les photographes de mode utilisent souvent des optiques de ce type — comme le 85 mm f1,4 ou le 105 mm f1,8 — à leur ouverture maximale afin de bien mettre le sujet d'un de leurs clichés en valeur par rapport à l'arrière-fond. Si le sujet en question est légèrement éclairé par une lumière venant de l'arrrière, une impression tridimensionnelle peut même se dégager d'une photographie.

Lorsque vous photographierez des événements sportifs, vous pourrez être éventuellement confronté à un arrière-fond chargé. Si votre budget vous le permet, faites comme les professionnels, achetez un 300 mm f2,8 ou un 600 mm f4.

▶ ***Les objectifs à grande ouverture sont très utiles pour le portrait, lorsque vous souhaitez attirer l'attention sur les yeux du sujet photographié par exemple. Un 85 mm f1,4 ou un 135 mm f2 vous permettra de faire la mise au point sur le regard de votre sujet et de gommer l'arrière-fond.***

▼ ***Si vous souhaitez rendre flou un arrière-fond peu intéressant, choisissez un objectif à grande ouverture et réglez-le à son ouverture maximale. Plus grande sera l'ouverture, plus flou sera l'arrière-fond.***

Voir dans le noir

Un autre avantage d'avoir recours à un objectif à grande ouverture se rapporte à la clarté que vous pourrez obtenir dans votre viseur. Sur la plupart des appareils photographiques modernes, le diaphgrame reste ouvert à sa capacité maximale pendant la mise au point, jusqu'au moment où l'obturateur est déclenché. C'est seulement à cet instant que l'ouverture sélectionnée se produira.

Plus importante est l'ouverture maximale d'un objectif, plus grande sera la lumière qui se produira dans le viseur. Cette particularité est intéressante lorsque la lumière ambiante est faible, mais aussi si vous employez un appareil autofocus, dont le miroir dirige une partie de la lumière sur ses capteurs spécialisés.

Lumière basse

Un objectif à grande ouverture n'est pas seulement utile lorsque vous souhaitez réduire la profondeur de champ. Il se révèle aussi d'une exceptionnelle utilité lorsque vous opérez en faible lumière, car de grandes ouvertures de diaphragme autorisent de plus rapides vitesses d'obturation. Cette particularité vous permettra d'optimiser la lumière disponible, là ou d'autres seront contraints d'employer un flash ou des films rapides.

Une grande ouverture de diaphragme est bien adaptée aux photographies documentaires ou de reportage, quand on est obligé de travailler en faible lumière, avec des films moyens ou lents. Grâce à cette caractéristique, vous pourrez capturer des sujets en mouvement ou réduire les effets d'un bougé de l'appareil.

▲ *En vous permettant de photographier dans des conditions de lumière très faible, les objectifs à grande ouverture sont idéalement adaptés au reportage ou aux clichés de voyage. Ils vous offrent aussi la possibilité de bien restituer l'atmosphère d'une scène que vous prenez.*

Qu'est-ce que l'ouverture du diaphragme ?

RETOUR AUX BASES

L'ouverture du diaphragme permet de contrôler l'intensité de la lumière qui atteindra l'émulsion. Mais elle ne mesure pas une surface donnée, elle se réfère au contraire à un rapport précis entre la longueur focale d'une optique donnée et la diamètre de l'ouverture.

Seule cette méthode permet de rendre constantes les ouvertures d'un objectif à un autre. Si vous sélectionnez l'ouverture f8 sur une optique de 500 mm, l'ouverture sera plus importante qu'avec un chiffre identique sur un 50 mm. Cependant, dans les deux cas, l'intensité de la lumière qui atteindra l'émulsion sera la même.

Plus grande est la focale d'un objectif, meilleur sera la magnification du sujet considéré et mieux la lumière sera répartie sur l'image.

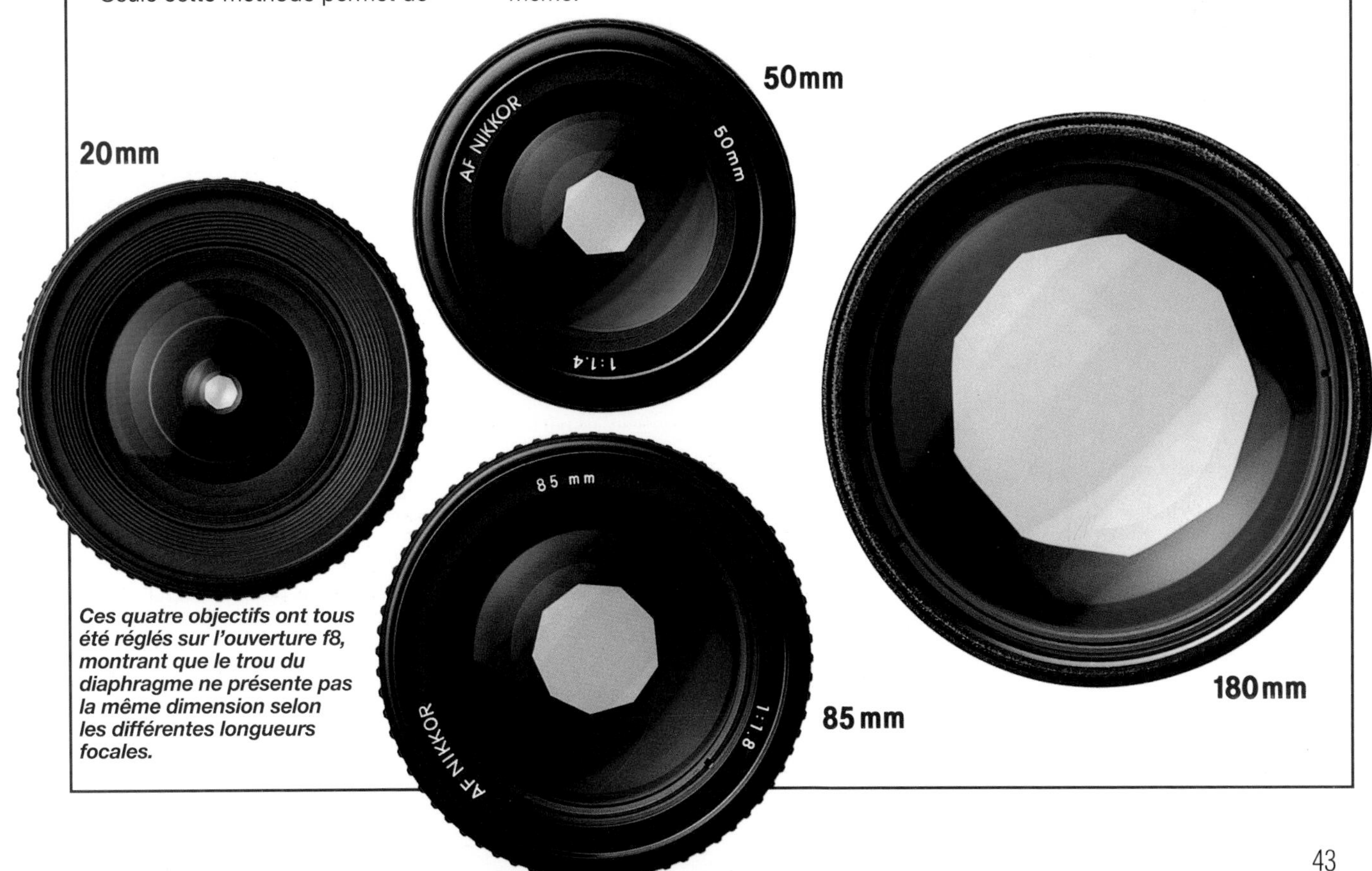

Ces quatre objectifs ont tous été réglés sur l'ouverture f8, montrant que le trou du diaphragme ne présente pas la même dimension selon les différentes longueurs focales.

Capturer une action

Les photographes sportifs comptent sur les objectifs à grande ouverture pour capturer des sujets en mouvement rapide. Avec de telles optiques les bougés d'appareils ne constituent même plus un problème, notamment pour les reportages, où des vitesses d'obturation élevées sont nécessaires.

Si vous souhaitez saisir un joueur de football en train de se ruer, ballon au pied, vers les buts adverses, ou en train d'effectuer une tête, ou bien fixer sur la pellicule un joueur de tennis en train de servir, vous devrez avoir recours à une vitesse d'obturation d'au moins 1/500e de seconde. Un objectif à grande ouverture vous permettra d'employer de grandes vitesses d'obturation sans avoir ainsi recours à un film rapide.

▶ ***Pour ce cliché, le photographe a employé un téléobjectif de 400 mm f2,8. Grâce au recours à une grande ouverture, il a pu sélectionner une vitesse d'obturation élevée, qui lui a permis de prendre cette scène spectaculaire et de rendre flou l'arrière-fond afin de mieux la mettre en valeur.***

Soupesez vos objectifs

La seule manière de fabriquer des objectifs à grande ouverture consiste à accroître le nombre et la taille des éléments qui forment la partie frontale de l'optique. Cependant, cette façon de procéder augmente aussi la taille et le poids de l'objectif et aboutit à un prix beaucoup plus élevé.

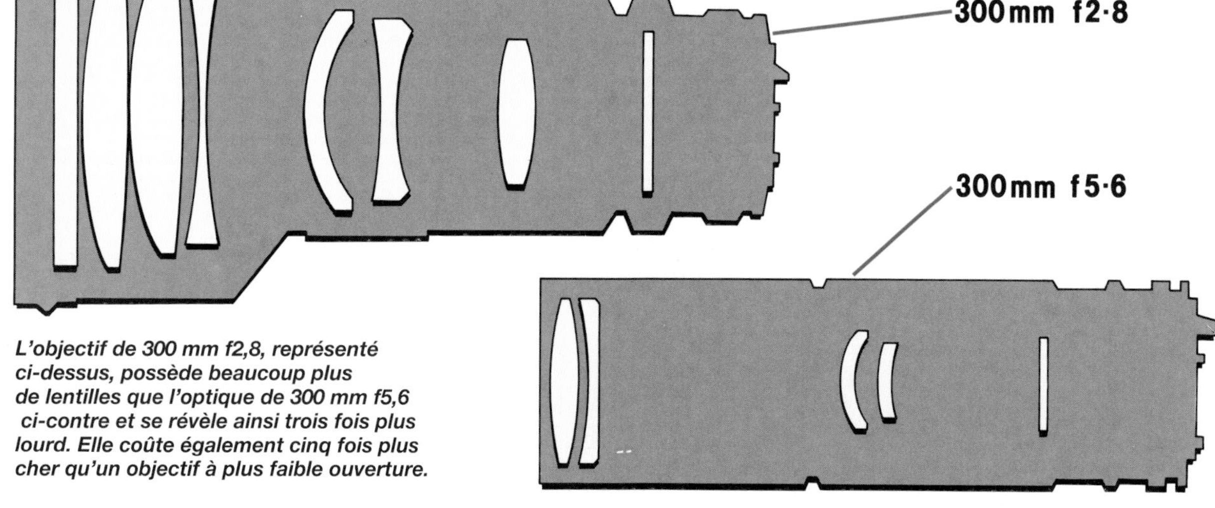

L'objectif de 300 mm f2,8, représenté ci-dessus, possède beaucoup plus de lentilles que l'optique de 300 mm f5,6 ci-contre et se révèle ainsi trois fois plus lourd. Elle coûte également cinq fois plus cher qu'un objectif à plus faible ouverture.

Lumière solaire, lumière directe

Imaginez une journée ensoleillée et sans nuage. Les rayons du soleil qui frappent le sol correspondent au plus fort type de lumière qui soit : la lumière solaire directe.

La lumière solaire directe crée de vifs contrastes entre zones de lumière et zones d'ombre et ne permet pas de réaliser des effets photographiques subtils. Les parties ensoleillées d'une photographie présentent des reflets blancs et durs alors que les ombres sont épaisses et dessinent nettement les contours d'un sujet. Les détails à l'intérieur des zones d'ombre sont presque invisibles.

La manière dont l'ombre s'étend progessivement sur un objet souligne parfaitement le relief de celui-ci, la frontière nette entre ombre et lumière n'apparaissant plus. Par exemple, un ballon de football finit par sembler n'avoir plus que deux dimensions.

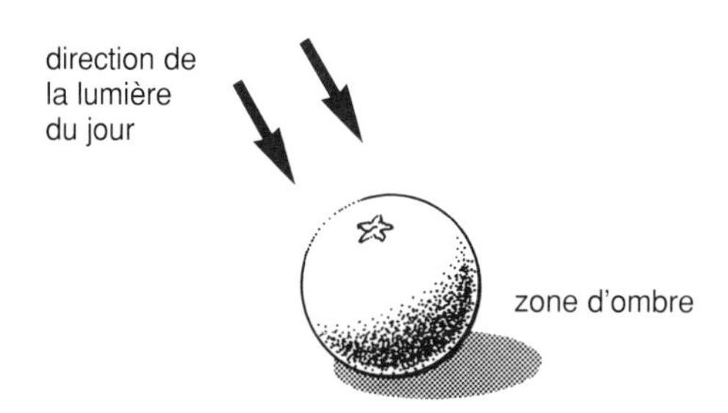

Une lumière solaire particulièrement forte crée de profondes zones d'ombre et des reflets blancs.

▼ PHOTOGRAPHIER DES BÂTIMENTS
Un éclairage direct est très souvent idéal pour photographier des bâtiments. Le tout est de saisir le moment où ombre et lumière s'équilibrent parfaitement. Ici, les très forts contrastes entre zones d'ombre et de lumière ambiante soulignent les détails architecturaux. Les ombres portées de fin d'après-midi auraient au contraire rendus flous tous ces détails.

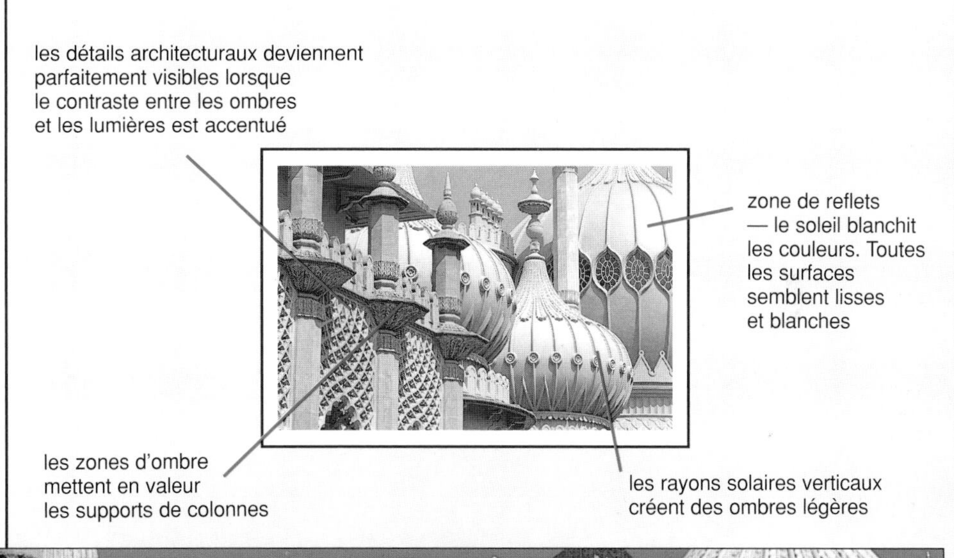

Lumière directe et angle d'incidence

L'angle d'incidence du soleil fait souvent toute la différence dans une photographie. Le matin ou le soir, au lever ou au coucher du soleil, les ombres sont longues ; à midi, elles sont très courtes.

Presque partout dans le monde, les ombres dépendent également des saisons. C'est ainsi qu'en hiver, comme le soleil brille plus bas dans le ciel, les ombres sont plus longues.

▶ Les rayons du soleil frappent la balle de golf un peu au-dessus et à 45° environ par rapport à l'axe optique. Une des moitiés de la balle est d'une blancheur aveuglante alors que l'autre moitié est plongée dans l'ombre.

aucun détail dans la zone à l'ombre

les couleurs ressortent sur la zone éclairée

aucun détail de la balle de golf n'apparaît dans la zone de reflets

la zone intermédiaire entre ombre et lumière révèle parfaitement la forme et la texture de la balle de golf

Matières et formes

La lumière directe a tendance à faire ressortir les formes et la texture d'un sujet et même la plus petite bosse ou le plus petit creux forment alors un contraste important avec les ombres les plus profondes.

La texture d'un sujet que révèle la lumière directe peut à son tour créer des motifs décoratifs intéressants grâce aux très forts contrastes apparaissant entre les zones de lumière et d'ombre.

Ombres et reflets

En plein soleil, les reflets peuvent être si brillants que les couleurs et les textures d'un sujet sont perçues par l'œil comme complètement blanches. Avant de prendre une photographie en lumière directe, veillez à bien contrôler les reflets et les ombres et à exploiter au mieux les formes, les motifs et les dessins qu'ils créent.

Note : Ombre et temps de pose

Un trop fort contraste produit par un éclairage direct peut surexposer une photographie. Si l'œil humain peut en effet discerner nombre de détails dans une gamme de couleurs variant du plus foncé au plus clair, il n'en va pas de même avec les pellicules photographiques nettement moins sensibles.

Il faut donc toujours veiller à régler correctement le temps de pose afin de restituer le mieux possible les reflets ou les ombres d'une scène car il est très difficile d'obtenir les deux à la fois. Soit les zones de reflets sont surexposées, soit les zones d'ombre dominent et masquent tous les détails d'un sujet. Cependant, pour créer des effets artistiques, vous pouvez délibérément décider d'accentuer les zones d'ombre ou au contraire rendre les reflets encore plus brillants.

◀ Le photographe a décidé de sacrifier tous les détails au premier plan pour obtenir une exposition correcte de la place centrale. En raison du fort contraste entre les zones d'ombre et les zones de lumière, on devine seulement les arcades à l'arrière-plan et le personnage debout sous ces arcades. Ce contraste très accentué permet de mieux restituer l'ambiance d'un lieu ensoleillé en l'opposant à l'apparente fraîcheur des zones d'ombre. Si le photographe avait choisi de montrer tous les détails des arcades, le reste de la photographie aurait été très surexposé.

◀ DÉCOR INHABITUEL
Sur cette photographie, les ombres sont formées par une passerelle métallique courant au-dessus d'un appartement. Les rayons du soleil tombant à la verticale produisent en effet des ombres visibles sur les murs du bâtiment, ombres formant un motif esthétique assez inhabituel.

▶ DIRECTION DE LA LUMIÈRE
Lorsque ce cliché a été pris, le soleil était assez bas dans le ciel et éclairait donc les dunes latéralement. Si la photographie avait été prise à midi, alors que les rayons du soleil frappe la terre à la verticale, il n'y aurait eu que très peu de zones d'ombres sur cette photographie et les dunes seraient apparues comme plates et sans relief.

Des reflets et des ombres

ÉCLAIRAGE VERTICAL
Lorsque les rayons du soleil frappent le sol à la verticale, les surfaces situées sous les lèvres du vase sont plongées dans l'obscurité. Quelques-uns des détails du motif en relief du vase sont particulièrement visibles.

ÉCLAIRAGE ARRIÈRE
Avec un éclairage venant de l'arrière, seuls les bords de cette urne sont normalement visibles, tous les autres détails étant plongés dans l'ombre. Pour éviter de ne photographier qu'une silhouette, il faut régler correctement le temps d'exposition, au risque de surexposer le ciel et de le faire apparaître presque blanc et non pas bleu.

ÉCLAIRAGE TANGENTIEL OU LATÉRAL
Quand le soleil est très bas dans le ciel, les sujets photographiés ne reçoivent qu'un éclairage de côté qui a essentiellement pour effet de souligner les lignes courbes d'un motif.

L'éclairage d'un portrait

Dans un portrait, l'élément le plus important est, évidemment, le visage. Tout doit donc lui être subordonné et il faut apporter un soin particulier à son éclairage et au rendu correct de la peau. Par beau temps clair, le soleil, selon sa position par rapport au sujet, crée des conditions d'éclairage différentes.

1 ÉCLAIRAGE AU ZÉNITH

Lorsqu'il se trouve au zénith, vers le milieu de la journée, le soleil donne une lumière "froide" et brutale qui, en raison des ombres profondes qu'elle dessine sous les sourcils, sous le nez et même sous les pommettes, ne convient absolument pas au portrait.

2 CONTRE-JOUR OU ÉCLAIRAGE ARRIÈRE

Ce type d'éclairage, par l'auréole de lumière qu'il dessine sur la chevelure et autour du visage du sujet, représente certainement l'éclairage idéal pour un portrait. Encore faut-il compenser les ombres par l'emploi d'un réflecteur ou en utilisant un flash d'appoint.

3 ÉCLAIRAGE DE FACE

Cet éclairage, donné par le soleil lorsqu'il se trouve derrière le photographe, engendre une image plate, sans aucun modelé. Il provoque en outre un éblouissement qui se traduit par une expression crispée et tendue du visage du modèle.

VÉRIFIEZ !

Rappelez-vous qu'un éclairage direct :

- ❑ crée des zones d'ombre ou au contraire des reflets très brillants.
- ❑ peut être utilisé de manière artistique pour restituer les détails d'un sujet.
- ❑ peut surcharger une photographie de détails.
- ❑ peut être utilisé pour rehausser les contrastes.
- ❑ n'est pas adapté lorsqu'on veut apporter une note de douceur à un portrait.

4 ÉCLAIRAGE LATÉRAL

Il correspond à la position du soleil lorsque ce dernier forme un angle d'environ 20 à 90° avec l'axe de prise de vue et permet, grâce aux ombres qu'il fait apparaître sur le visage, de souligner le relief du sujet. Combiné avec un réflecteur (mur clair, journal, sable, neige...) pour "alléger" les ombres, cet éclairage convient parfaitement au portrait.

1

2

3

4

Lumière diffuse

Beaucoup de photographes croient que l'on ne peut réaliser une bonne photographie que par beau temps, lorsque le soleil brille. En réalité, un temps légèrement couvert et un soleil voilé permettent également de faire de bons clichés et suppriment certains des problèmes causés par un soleil trop éclatant.

Lorsque l'intensité du soleil se trouve réduite par de petits nuages ou par une légère brume, la lumière diffuse qui en résulte ainsi que la légèreté des ombres atténuent fortement les contrastes préjudiciables à la réalisation d'un beau portrait.

L'effet directionnel de la lumière ne varie plus guère en fonction de l'angle de prise de vue, les visages présentent souvent un beau modelé et leurs détails apparaissent nettement sans être soulignés à l'excès. Les couleurs sont également moins saturées que par soleil brillant.

Il faut toutefois veiller à ne pas laisser au ciel une trop grande importance dans la composition de la photographie, car la présence d'un ciel blanc et la surexposition qu'il entraîne sur le cliché, créent un effet assez peu esthétique. Si vous utilisez un posemètre, pointez-le obliquement vers le sol pour éviter de sous-exposer le sujet principal.

▲ **PORTRAITS**
L'éclairage indirect est bien adapté à l'art du portrait. Comme il n'y a que très peu d'ombres, on peut en effet mieux discerner les détails d'un sujet.

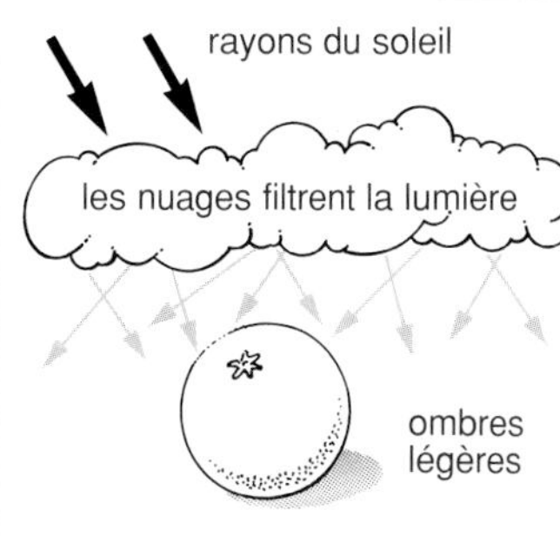

▼ **PAYSAGES**
Les ciels couverts produisent une lumière diffuse, parfaite pour restituer la tranquillité d'un paysage.

Lumière diffuse et couleur

Les couleurs perdent un peu de leur vivacité lorsque la lumière est diffuse car les reflets et les ombres sont plus atténués. Dans le cas d'une lumière solaire directe très vive, des ombres très épaisses se créent, les reflets sont très intenses et presque blancs et les couleurs sont éclatantes. Par temps couvert et pluvieux, les reflets se multiplient, donnant une teinte assez égale aux couleurs alors que les ombres s'atténuent. Ces conditions sont idéales pour prendre des photographies où l'on veut mettre l'accent sur la texture d'un sujet ou pour souligner un ensemble de couleurs. Imaginez par exemple la carrosserie d'une voiture rouge dans la lumière vive du soleil : la zone de reflets paraît blanche et la zone éclairée de la carrosserie est d'un rouge vif. Par temps nuageux, aucun reflet n'apparaît et l'ensemble de la carrosserie est d'un rouge uniforme. La différence est nettement perceptible.

À cause des nuages, une photographie prise avec une lumière diffuse paraît plus grise et plus sombre qu'une photographie prise en lumière directe. Une lumière diffuse atténue en effet les couleurs et fait ressortir aussi plus nettement les contrastes entre les couleurs.

▲ COULEURS VIVES
Sans pour autant supprimer les ombres et les reflets, les couleurs restent vives ainsi que les contrastes entre les couleurs. Un éclairage diffus ou indirect offre cet avantage de restituer les couleurs telles qu'elles apparaissent au photographe.

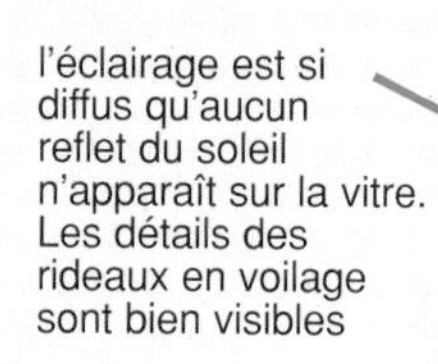

▼ TEXTURE ET DÉTAILS
Un ciel nuageux est idéal pour photographier un sujet complexe sans que des ombres ne viennent rendre flous les détails.

Attention au temps de pose

Lorsque le ciel est nuageux et couvert, les nuages agissent comme un filtre diffuseur pour les rayons du soleil.

Il faut alors faire attention à régler correctement le temps de pose avec le posemètre intégré à l'appareil. Si la photographie comporte un morceau de ciel, le posemètre vous donnera une mesure beaucoup trop faible. À l'exception du ciel, toute la photographie sera donc sous-exposée et très sombre.

La solution pour remédier à ce problème consiste à régler le temps de pose en dirigeant obliquement l'appareil photographique vers le sol.

▲ **CONTRASTE DE COULEURS**
Les contrastes entre le blanc et le rouge de la maison et la verdure alentour donnent tout son intérêt à cette photographie. Si ce cliché avait été pris par une journée ensoleillée, les contrastes entre le rouge et le vert auraient été moins nets — de multiples reflets auraient en effet rendus la photographie trop brillante. Avec une lumière diffuse, la verdure semble plus sombre et le contraste entre celle-ci et le rouge de la maison appararaît de manière beaucoup plus frappante.

▼ **CRÉER UN EFFET**
Tout l'intérêt de cette photographie provient de l'alignement géométrique des arbres, de la présence d'une couleur dominante et des détails des feuilles. Un éclairage direct aurait produit des ombres trop importantes.

Lumière diffuse et temps couvert

Lorsque le ciel est uniformément nuageux, l'effet directionnel de la lumière devient inexistant. L'absence complète d'ombres donne des images plates et un peu ternes mais d'une grande douceur et même d'un modelé délicat. Cette lumière, si elle est un peu "froide" pour réaliser des portraits, peut être "réchauffée" grâce à des filtres, une lumière d'appoint ou un flash qui lui apporteront quelques brillances supplémentaires, en particulier dans les yeux, ou accentueront le contraste du personnage avec le fond sur lequel il se détachera beaucoup mieux.

Quant à la brume et au brouillard, loin de constituer un obstacle à la prise de vues, ils contribuent souvent en estompant les formes et en adoucissant les tonalités, à créer une atmosphère poétique donnant à un sujet banal une valeur artistique.

VÉRIFIEZ !

Une lumière diffuse :

❏ signifie généralement un ciel couvert.

❏ est une lumière parfaite pour photographier des portraits et adoucir les contours d'un sujet.

❏ restitue généralement les couleurs telles qu'elles apparaissent à l'œil nu en leur donnant également un contraste supplémentaire.

légers reflets

ombre douce, grise plutôt que noire, avec des contours un peu flous

couleur et texture du sujet photographié bien visibles

▲ **ÉCLAIRAGE INDIRECT**
Une lumière diffuse répartit les reflets sur une plus large surface qu'un éclairage direct ne le ferait, atténuant ainsi la vivacité des couleurs. Les ombres sont douces et à peine visibles.

Éclairage direct et lumière diffuse

▲ **ÉCLAIRAGE DIRECT**
Un éclairage direct produit des ombres très épaisses. Il crée un contraste important entre les zones d'ombre et les zones de lumière.

▲ **LUMIÈRE DIFFUSE**
Les détails et les textures d'un objet sont particulièrement visibles avec une lumière diffuse.

▼ **UTILISER LES CIELS TRÈS NUAGEUX**
Généralement, on ne pense jamais à prendre une photographie par une journée très nuageuse. Pourtant, les gros nuages filtrent parfaitement les rayons du soleil à tel point que cette chaise sur la plage ne semble pas avoir d'ombre.

Photographier avec une lumière réfléchie

Lorsque la lumière du soleil frappe en biais une surface pâle ou brillante, elle produit une source de lumière secondaire appelée lumière réfléchie.

Un mur blanc, une plage ou une table en plastique claire sont de bons réflecteurs de lumière. Ils renvoient bien la lumière pour les photographies. Si la surface est d'une teinte sombre, le lumière n'est pas réfléchie. Un mur noir absorbe la majeure partie de la lumière.

Reflets sur l'eau

L'eau est le réflecteur de lumière le plus courant et le plus spectaculaire. Lorsque la lumière du soleil brille en effet sur l'eau, elle forme des milliers de petits reflets à la surface. Ces reflets sont si intenses qu'ils peuvent être éblouissants. Ils ne sont pas fixes et semblent trembler. Aussi, au lieu d'une zone éclairée de façon égale, votre sujet apparaît comme tacheté par les jeux de lumière sur l'eau.

Quand vous photographiez un sujet sur l'eau, faites cependant attention : les reflets sur l'eau sont en général beaucoup plus brillants que les objets à la surface, par exemple un bateau. En raison de la gamme étendue de brillance à laquelle sont soumis l'un et l'autre, choisissez si vous voulez mettre l'accent sur les détails du bateau ou les reflets sur l'eau. Il n'est pas possible d'obtenir l'un et l'autre en même temps.

▶ **REFLETS RÉFLÉCHIS**
Les bandes de lumière blanche qui apparaissent sur le corps et les bras du modèle sont produites par les rayons du soleil qui se reflètent dans l'eau.

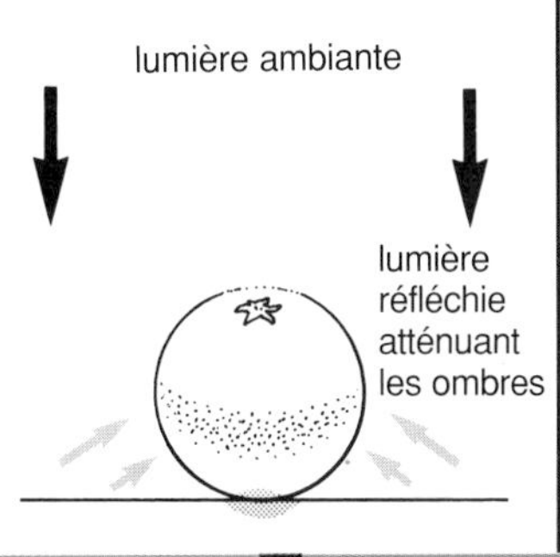

avec la distance, les reflets se mêlent et l'eau apparaît comme une étendue blanche

les reflets sur l'eau permettent de voir l'ombre des petites vagues

contours des objets plus précis

les reflets de la lumière sur l'eau éclairent la coque de la gondole

▼ **REFLETS SUR L'EAU**
Pour réaliser une jolie photographie de reflets sur l'eau, le photographe a choisi de ne prendre les gondoles qu'en silhouette et d'utiliser la lumière qui se réfléchit sur l'eau pour apporter une touche de luminosité à la coque de la gondole de droite.

Qu'est-ce que la lumière réfléchie ?

Angle d'incidence. La lumière peut frapper de biais un sujet sous n'importe quel angle, aussi vous pouvez résoudre le problème des ombres les plus dures en lumière directe en utilisant des surfaces naturellement réfléchies.

Imaginez par exemple une personne debout à côté d'un mur blanc : la lumière éclaire un côté du visage, alors que la lumière qui frappe en biais le mur illumine l'autre côté du visage.

Vous pouvez aussi demander à votre sujet de se tenir debout ou assis dans une zone de lumière. Si, par exemple, un enfant est étendu sur une plage de sable blanc, un peu de la lumière du soleil qui le frappe sera renvoyée du sable vers l'enfant, atténuant les zones d'ombre.

Intensité. La lumière réfléchie est plus intense lorsque la lumière solaire est directe. Si la lumière est diffuse, elle est d'autant moins réfléchie.

Couleur. La couleur de la surface qui reflète la lumière peut avoir un effet sur la couleur du reflet. Par exemple, si la lumière se réfléchit sur une serviette de bain jaune vif sur laquelle est allongé un baigneur, elle produit un effet jaune sur la photographie.

▼ UTILISER UNE SURFACE RÉFLÉCHISSANTE

Une couverture blanche réagit comme un réflecteur de lumière. La lumière se réfléchit ainsi derrière la petite fille assise avec son ours.

la lumière réfléchie par la couverture donne du relief aux membres de l'enfant

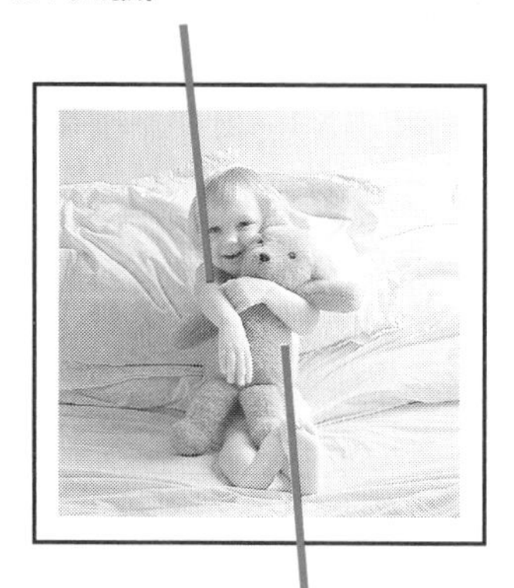

la douceur de la lumière venant de la fenêtre permet de mieux faire ressortir les détails, en particulier la texture de la fourrure

Éclairage direct et lumière réfléchie

▼▲ *Une simple nappe blanche permet de modifier une photographie. En se réfléchissant sur le visage du modèle, la lumière fait disparaître les ombres les plus dures et ajoute une certaine touche de couleur.*

▶ **LES MURS RÉFLÉCHISSENT AUSSI LA LUMIÈRE**
En plaçant le modèle à côté d'un mur de couleur claire, le photographe a fait en sorte que la lumière, en se réfléchissant, éclaire indirectement la robe de la jeune femme et donne un certain grain à la peau.

rayons du soleil

ombre

reflets

la lumière se reflète sur la zone d'ombre

▲ **LUMIÈRE FORTE**
Une lumière très forte peut se refléter sur un objet jusqu'à donner un certain éclairage à l'ombre même de cet objet, comme ici. La balle est en outre recouverte d'un revêtement réfléchissant donnant une teinte jaunâtre à l'ombre.

Lumière d'une fenêtre

La lumière pénétrant par une fenêtre convient parfaitement pour photographier toutes sortes de sujets. Cette lumière crée des reflets et des ombres douces qui mettent en valeur les formes et les détails. Elle convient aussi bien pour photographier des personnes que des objets.

Lumière directe pénétrant par une fenêtre. Si vous êtes assis à l'intérieur d'une pièce, observez un objet qui se trouve près de la lumière qui rentre par la fenêtre. Si le soleil pénètre directement à travers la fenêtre, il produit des ombres dures et de forts reflets sur l'objet. La lumière se comporte dans ce cas de la même façon que la lumière directe à l'extérieur par beau temps. Les ombres projetées et le cadre de la fenêtre lui-même peuvent créer des compositions intéressantes.

Lumière indirecte pénétrant par une fenêtre. Le type de lumière provenant d'une fenêtre le plus utilisé par les photographes est la lumière indirecte ou diffuse. Si la lumière passant à travers une vitre ne produit que des ombres douces sur un objet, il s'agit d'une lumière diffuse.

Lumière omnidirectionnelle

Les rayons du soleil s'éparpillent dans toutes les directions lorsque la lumière solaire est diffuse à l'extérieur. Toutefois, quand la lumière diffuse pénètre à travers un espace restreint comme une fenêtre, la lumière n'est dirigée que dans une seule direction. De fait, bien que ce soit un type de lumière diffuse parmi tant d'autres, il s'agit d'une lumière différente parce qu'elle se concentre dans une seule direction.

Le grand avantage de ce type de lumière est que vous n'avez pas à vous soucier des ombres dures parasites ou des contrastes extrêmes qui caractérisent généralement la lumière directe.

"Lumière du nord"

La lumière idéale pour réaliser un portrait est quelquefois appelée "lumière du Nord" parce que, dans l'hémisphère nord, les fenêtres orientées au nord ne reçoivent jamais d'éclairage direct et que la lumière qui pénètre par ces fenêtres est toujours une lumière diffuse. Dans l'hémisphère Sud, la situation est exactement l'inverse. La lumière entrant par une fenêtre est diffuse et douce.

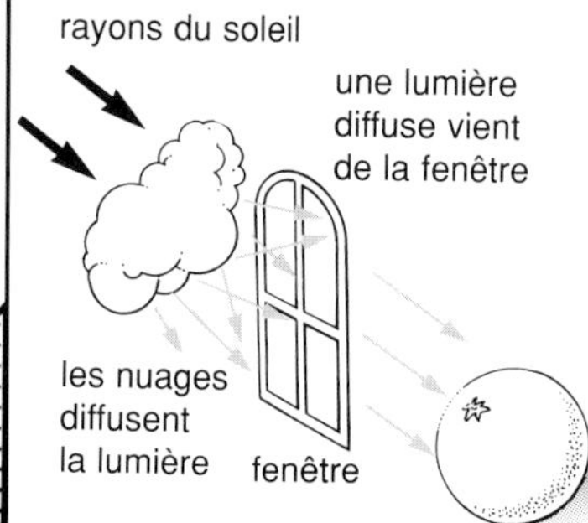

▲ **PORTRAIT AVEC UNE LUMIÈRE PÉNÉTRANT PAR UNE FENÊTRE**
Un rideau en voilage atténue et diffuse la lumière des rayons du soleil. Ce type d'éclairage latéral est idéal pour réaliser des portraits. Les détails sont soulignés par les ombres aux contours très doux qui contribuent à donner à cette photographie une ambiance de calme et de sérénité.

▲ SOULIGNER LES DÉTAILS
Une lumière provenant d'une fenêtre est parfaite pour souligner les détails d'un sujet. Bien que l'encadrement de la fenêtre soit particulièrement brillant, la partie droite de la photographie n'est pas complètement plongée dans l'ombre car une lumière diffuse pénètre dans la pièce par la fenêtre.

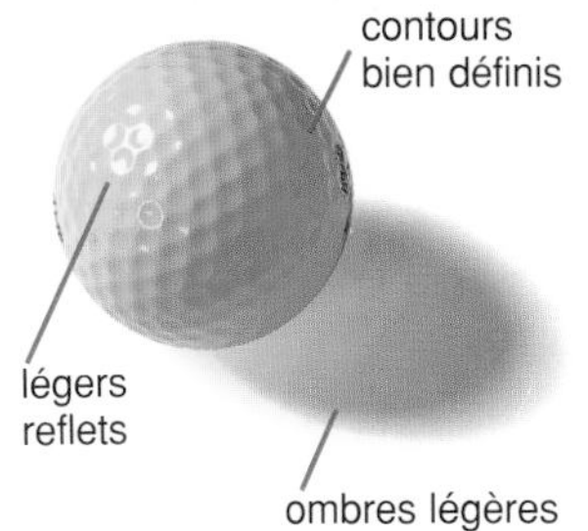

▲ LUMIÈRE DOUCE
La lumière diffuse entrant par une fenêtre donne des ombres et des reflets très légers aux objets. Ainsi, presque tous les petits creux sur le revêtement de la balle de golf sont visibles — une telle lumière est idéale pour bien fixer les détails.

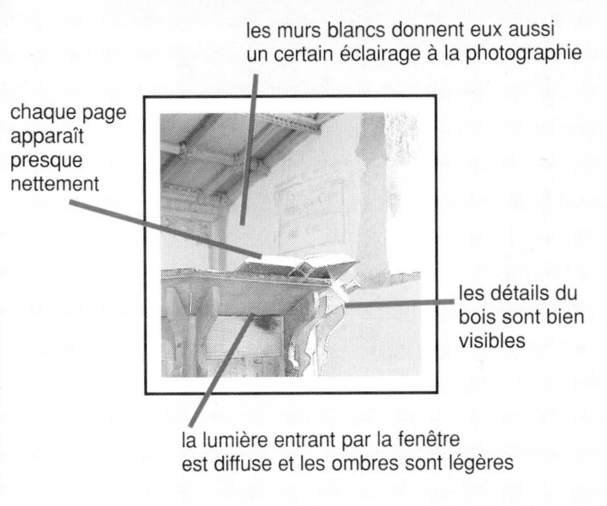

Lumière de sources diverses

Souvent, il y a plus d'une fenêtre ou d'une porte laissant entrer la lumière dans une pièce. Si la lumière brille dans une seule direction, elle crée des ombres dures. Mais si le sujet est aussi éclairé sous un autre angle, cela permet d'atténuer les ombres.

Veillez toutefois à ce qu'une seule source de lumière domine la scène. La seconde source de lumière atténuerait simplement l'ombre projetée par la première source. Des doubles ombres projetées par des sources de lumière d'égale intensité donnent souvent à une photographie un aspect irréel.

L'utilisation de plusieurs sources de lumière provenant de plusieurs fenêtres permet de résoudre un problème important. La lumière indirecte venant d'une fenêtre est parfois si faible qu'il vous faut utiliser une vitesse d'obturation très lente afin d'obtenir la meilleure exposition. Si vous prenez un portrait, cela sera peut-être difficile pour votre modèle de rester immobile pendant un long temps de pose.

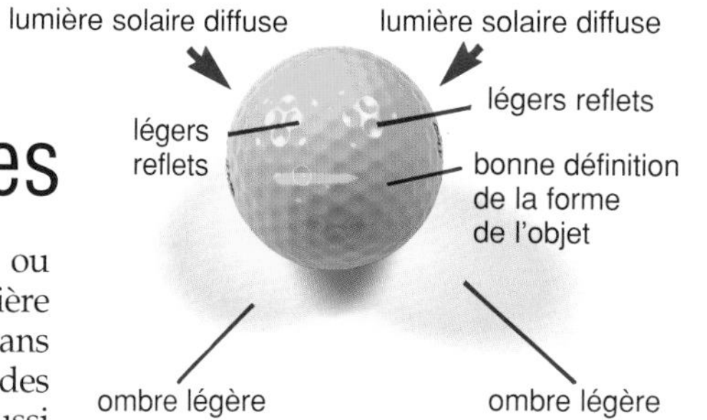

▲ **LES OMBRES DISPARAISSENT**
Quand une lumière diffuse éclaire un objet sous différents angles, les ombres et les reflets disparaissent presque complètement.

VÉRIFIEZ !

Pour tirer profit au mieux de la lumière du jour, rappelez-vous que :

❏ un éclairage indirect provenant d'une fenêtre crée des ombres et des reflets légers.
❏ une lumière réfléchie peut apporter un éclairage léger à la face normalement non éclairée d'un objet.
❏ seules les surfaces légèrement colorées réfléchissent la lumière. Les couleurs sombres l'absorbent.

▼ **SOURCES DE LUMIÈRE MULTIPLES POUR SCÈNES D'INTÉRIEUR**
La lumière du jour éclaire de manière indirecte cette scène d'intérieur. En utilisant deux sources de lumière diffuse provenant de directions opposées, le décor paraît éclairé par une lumière d'une intensité également répartie.

Modifier la lumière du jour

Il existe plusieurs façons de modifier la lumière du soleil afin d'améliorer vos photographies. Pour y parvenir, il faut d'abord savoir quel est le type de lumière disponible.

Le temps est-il beau et ensoleillé, avec une lumière directe et des ombres noires soulignant les contours d'un sujet ? Ou alors le temps est-il nuageux, avec une lumière si diffuse qu'il n'y a pratiquement pas d'ombre ? Si vous utilisez la lumière du jour pour éclairer une scène d'intérieur, d'où provient la lumière ? Vient-elle de plusieurs directions ?

Lorsque vous avez répondu à ces questions, vous savez si vous avez besoin de modifier la lumière et, si tel est le cas, comment. L'on peut utiliser des réflecteurs, des filtres absorbants, des filtres diffuseurs et des flash .

▶ UTILISER UN FLASH AVEC LA LUMIÈRE DU JOUR
Le flash permet de modifier la lumière du jour. Si le sujet principal est dans l'ombre ou si une lumière diffuse rend la scène un peu terne, le flash souligne les détails qui autrement ne seraient pas apparus sur la photographie. Il permet également, comme ici, de faire jaillir une étincelle dans les yeux du modèle.

Lumière réfléchie et réflecteurs

Pour photographier un portrait en intérieur avec une lumière directe provenant d'une fenêtre, il est préférable de disposer d'un réflecteur afin de faire disparaître les ombres les plus importantes.

Utilisés aussi bien en photographie qu'au cinéma, les réflecteurs servent à renvoyer une lumière diffuse et douce sur les ombres lorsque celles-ci présentent une densité excessive.

Réflecteurs naturels et artificiels

Les réflecteurs peuvent être classés en deux grandes catégories : les réflecteurs naturels (murs clairs, sable, neige) et les réflecteurs artificiels.

Parmi cette dernière catégorie, les miroirs ou surfaces de métal finement polies, sont les réflecteurs les plus efficaces, mais la grande "dureté" de la lumière qu'ils renvoient en limite l'emploi à l'éclairage de petits objets situés dans l'ombre.

Les réflecteurs les plus courants sont les réflecteurs argentés qui peuvent être confectionnés à partir d'une feuille de carton ou de contre-plaqué parfaitement plan sur laquelle on colle du papier argenté, de préférence mat.

Le recours à un réflecteur argenté permet de gommer les ombres qui provoqueraient trop de contraste. Cependant, dans des prises de vues comme les portraits, ce matériel risque de conférer aux visages des teintes trop froides. Aussi faut-il leur préférer, dans ce cas précis, des réflecteurs dorés, qui donnent une lumière beaucoup plus chaleureuse. Dans tous les cas, un photographe averti devra rechercher l'éclairage le plus doux possible, diffus ou indirect, en évitant de trop accentuer les contrastes. C'est ainsi qu'il sera en mesure d'obtenir les meilleurs résultats.

Comment placer le réflecteur ?

La position du réflecteur par rapport au sujet est importante : la meilleure position, pour un portrait, est de le tenir à la hauteur de la tête du sujet ou légèrement plus haut et à 45° environ. D'autres éléments peuvent aussi servir de réflecteurs : une feuille blanche ou un écran de projection blanc mat. Mais, comme ils réfléchissent la lumière incidente dans toutes les directions, il faut les placer assez près du sujet.

Réduire les contrastes en déplaçant l'appareil

Lorsqu'un sujet est très coloré, qu'il s'agisse d'un portrait d'intérieur ou d'une nature morte, il est possible quelquefois de réduire les contrastes entre les couleurs en rapprochant l'appareil photographique du sujet de façon à limiter les reflets.

Utiliser des réflecteurs

SANS RÉFLECTEUR
Sans réflecteur, la lumière éclairant latéralement le modèle produit de profondes zones d'ombre sur le visage de la jeune femme. Parce qu'elle est à la fois directe et latérale, la lumière souligne excessivement le grain de la peau.

AVEC UN RÉFLECTEUR ARGENTÉ
Pour faire disparaître les ombres trop accentuées, le photographe a placé un panneau réflecteur de couleur argent sur le côté du visage du modèle opposé à la direction de la lumière. Comme le réflecteur de couleur argent est brillant, la lumière se reflète sur le visage du modèle en lui donnant une teinte un peu froide.

AVEC UN RÉFLECTEUR DORÉ
L'utilisation d'un panneau réflecteur de couleur or donne à cette photographie un effet chaleureux et éclaire le visage du modèle.

Lumière diffuse

Vous pouvez atténuer des ombres dures et des reflets importants créés par une lumière directe en diffusant celle-ci. En photographie d'intérieur, il est assez simple de diffuser une lumière. Si le soleil brille à travers une fenêtre, placez simplement un rideau en voilage ou un drap de coton blanc devant la fenêtre. Si vous collez du papier-calque ou du papier sulfurisé sur une vitre, vous pourrez aussi diffuser la lumière directe.

Il est plus difficile de diffuser la lumière du soleil à l'extérieur, bien qu'avec l'aide d'une autre personne, il soit toujours possible de tendre un drap.

▶ ÉCLAIRAGE DIRECT
La lumière arrivant directement par la fenêtre située derrière le modèle produit une zone d'ombre très importante au premier plan masquant la plupart des détails des bras et des jambes de la jeune femme.

▼ LUMIÈRE DIFFUSE
En tirant un rideau de voilage devant la fenêtre, le photographe a rendu la lumière plus diffuse. Il a également légèrement fait pivoté le modèle, de façon à ce qu'il y ait moins de contrastes entre les zones d'ombre et de reflets.

Note : Lumière absorbante

Seules les surfaces légèrement colorées ou brillantes réfléchissent la lumière, les surfaces mates, comme un tableau noir, l'absorbent. Cela peut être utile lorsque la lumière est diffuse et que l'on veut accentuer les zones d'ombre ou donner plus de contraste.

Flash d'appoint

En lumière naturelle, le contraste d'éclairement d'un sujet est fonction de l'état du ciel (clair, voilé ou couvert) ; de l'importance de la portion de ciel éclairant les ombres ; de la présence de réflecteurs naturels (murs clairs, sable, neige, nuages blancs) ; et de la hauteur du soleil et de son orientation par rapport au sujet. Il est possible de contrôler ce contraste d'éclairement lors de la prise de vues en "éclairant" les ombres à l'aide du flash de l'appareil photographique, dit flash d'appoint dans ce cas. Le seul problème est de déterminer la quantité de lumière d'appoint nécessaire.

Pour donner une impression de soleil, on peut utiliser un flash dont la lumière, venant d'en haut, doit éclairer obliquement le sujet sous un angle d'environ 45° avec l'axe de prise de vues et avec une puissance double de la lumière ambiante.

L'emploi du flash en lumière du jour avec des films en couleurs rapides permet également d'améliorer la qualité de certains contre-jours en gros plan.

▲ FAIRE RESSORTIR UN DÉTAIL
En utilisant un flash d'appoint, les détails de la gargouille apparaissent nettement. Sans le flash, la statue aurait été beaucoup plus sombre.

VÉRIFIEZ !

Comment modifier la lumière du jour ?
❑ Éclairez les zones d'ombre au moyen de réflecteurs ou avec un flash d'appoint.
❑ Donnez du contraste et du relief au sujet photographié.
❑ Donnez du contraste et du relief au sujet photographié.

◄▲ ACCENTUER LES COULEURS
Lorsque le ciel est gris, l'utilisation d'un flash d'appoint redonne des couleurs au sujet. Cette photographie semble également plus nette parce que l'éclair du flash produit des petits reflets brillants.

Photographie de nuit

La prise de vues de scènes nocturnes est souvent considérée par les photographes comme délicate en raison du niveau d'éclairement relativement faible.

Pourtant, les possibilités de prises de vues de nuit sont d'autant plus variées que l'émulsion photographique, contrairement à l'œil qui atteint très rapidement son seuil de sensibilité maximum, est douée de la faculté d'accumuler la lumière produite par une pose prolongée. C'est ainsi que l'on peut photographier de nuit des vitrines, des reflets, des enseignes lumineuses, des monuments, des rues éclairées, des phares de voitures, des fêtes foraines, des feux d'artifice, etc.

Le choix de la pellicule à utiliser est relativement peu important car aucun des deux types de pellicules les plus courants (lumières du jour et artificiel) n'est parfaitement équilibré pour la diversité des lumières que l'on rencontre la nuit. Il s'agit plutôt de restituer l'atmosphère de la vie nocturne que le rendu exact des couleurs. Il est tout de même préférable d'employer une pellicule "lumière artificielle" en combinaison avec un filtre du type Kodak Wratten n° 85 ou 85B.

Photographier de nuit

Pour restituer le maximum de détails lorsque l'on prend une photographie de nuit, il faut mesurer la lumière du point le plus brillant de la scène à photographier, noter cette mesure et la vitesse d'obturation à laquelle elle correspond et régler ensuite la vitesse de façon à ce qu'elle soit trois fois plus lente. On peut également se servir d'un posemètre manuel ou du système mesurant la luminosité "à travers l'objectif" intégré à l'appareil photographique.

Si vous utilisez un flash, il faut réduire la vitesse d'obturation et ne pas oublier de charger l'appareil avec une pellicule très sensible. Ainsi, pour photographier une ville de nuit avec un flash, utilisez une pellicule de 400 ASA et réglez le temps de pose à 1/60 s.

un objectif grand-angulaire permet de prendre une vue panoramique de la ville

un temps d'exposition suffisamment long restitue le mouvement des nuages

▼ QUAND L'HORIZON S'ALLUME

Photographier une scène au crépuscule, lorsqu'il n'y a plus qu'une faible lumière éclairant l'horizon, offre l'avantage de ne prendre que les silhouettes des immeubles. L'utilisation volontaire d'une pellicule adaptée à la lumière du jour donne une teinte verte aux lumières allumées dans les appartements, lumières qui se reflètent de manière très esthétique dans l'eau.

Lumière et sujet

Parmi les sujets les plus photogéniques la nuit, figurent les rues, routes et autoroutes. Par les traces et les traits colorés qu'ils laissent sur la pellicule, les phares ou les feux arrière d'automobiles en marche peuvent servir de prétexte à des photographies très originales.

Ce sujet, qui nécessite des poses de plus ou moins longue durée, varie selon l'intensité de la circulation, la durée de la pose et l'angle de prise de vues. Le nombre et l'intensité des traces colorées produites par les véhicules sont fonction des conditions d'exposition : les traces seront d'autant plus importantes que le temps de pose aura été plus long — et l'ouverture de diaphragme correspondante plus petite.

Pour prendre ce genre de photographie, il est préférable de s'installer sur un point de vue élevé afin de mieux percevoir les "serpents lumineux" laissés par les voitures. Si la circulation n'est pas assez importante pour obtenir un effet suffisamment esthétique, il est également possible de masquer l'objectif et de ne le découvrir qu'au moment du passage des véhicules afin d'éviter toute surexposition excessive des lumières fixes situées dans le champ de prise de vues, que ce soient les réverbères ou les lumières des immeubles.

▲ **UNE ÉTINCELLE DANS LA NUIT**
Le reflet sur le visage de l'enfant de la lumière produite par le cierge magique atténue le contraste entre la source lumineuse et le sujet.

▼ **SERPENTS DE LUMIÈRE**
Avec un temps d'exposition de 15 secondes, cette photographie restitue sous forme de longs serpents lumineux les phares blancs et les feux arrière rouges des voitures.

Prendre ses précautions

La photographie de nuit demande un peu plus de préparation que la prise de vue de jour.

Comme on voit moins clair, assurez-vous de conserver à portée de main tout ce dont vous aurez besoin.

Sortez au préalable les pellicules de leurs emballages et n'utilisez qu'une seule sorte de pellicule pour éviter toute confusion.

Les temps d'exposition étant souvent très longs, munissez-vous d'un trépied ou d'un support fixe quelconque suffisamment pratique, se pliant et se dépliant très facilement.

Une petite lampe de poche peut également être utile ainsi qu'une montre à cadran lumineux pour mesurer les temps de pose.

Feux d'artifice

Pour photographier un feu d'artifice, le choix de la pellicule a relativement peu d'importance. Vous pouvez cependant opter pour une pellicule "lumière artificielle" de type A ou B, assurant plus d'éclat aux couleurs chaudes et une meilleure pureté aux blancs. Une grande importance doit être apportée au premier plan, personnages, plan d'eau, arbres, monument illuminé. Au cas justement où un monument éclairé se trouve dans le champ de prise de vue, la pose devra être prolongée, entre deux tirs successifs, afin d'enregistrer des détails suffisants.

N'oubliez pas de vous munir d'un pied pour votre appareil photographique et d'un déclencheur souple.

La mise au point est relativement simple : orientez l'appareil vers la partie du ciel où explosent les fusées, réglez sur l'infini et déclenchez l'obturateur.

Ce genre de photographie permet toutes les fantaisies : vous pouvez ainsi placer des filtres colorés devant l'objectif pour modifier les couleurs des fusées ou employer des objectifs à prismes pour multiplier les images. Vous pouvez également imprimer de légères vibrations à l'appareil durant le temps de pose. Les trajectoires des fusées ressemblent alors à des lignes ondulées ou en dents de scie du plus bel effet.

▲ GRAND SPECTACLE
Un très long temps d'exposition a permis de photographier tous les feux d'artifice tirés au-dessus de la statue de la Liberté, le photographe plaçant un capuchon sur son objectif entre chaque feu.

Photographier au clair de lune

Les photographies prises à la clarté de la lune produisent toujours un effet magique mais elles sont aussi assez difficiles à réaliser. Les temps de pose doivent en effet être très longs, même avec des films à émulsion rapide, car l'intensité de la lumière est en moyenne quinze fois moins importante que celle de la lumière du jour. Une étendue d'eau, de neige ou de sable peuvent néanmoins vous apporter un meilleur éclairage car la lumière se réfléchit sur ces surfaces. Choisissez donc un temps de pose suffisamment long et ne vous découragez pas si les premiers résultats sont décevants.

Photographier la lune seule est moins difficile. Réglez alors votre appareil sur un temps de pose raisonnablement court.

Surimpression

Certaines des meilleurs photographies représentant la lune sont des montages utilisant la technique dite de la surimpression : la lune est dans ce cas photographiée avant ou après l'arrière-plan. Un téléobjectif très puissant — 400 mm et plus — donnera à la lune une taille respectable sur la photographie.

Il est important de bien composer votre image et de laisser suffisamment d'espace dans le champ de prise de vue afin de cadrer correctement la seconde image. Appuyez sur le déclencheur, cadrez votre seconde image en évitant qu'elle ne se chevauche avec la première et prenez votre photographie.

▲ CLAIR DE LUNE
Photographier un clair de lune est souvent plus efficace lorsque la scène comporte une étendue d'eau. Ici, le photographe a choisi une vitesse d'obturation relativement courte pour éviter que la lune n'apparaisse déformée en raison de son déplacement dans le ciel.

VÉRIFIEZ !

Pour photographier la nuit :

- ❑ réglez votre appareil sur un temps de pose suffisamment long
- ❑ tirez profit des surfaces réfléchissantes
- ❑ donnez des effets à votre photographie en prenant des images de circulation routière ou encore des feux d'artifice
- ❑ utilisez un téléobjectif très puissant et la technique de la surimpression pour réaliser des photographies spectaculaires de clair de lune

◀ EN ROUTE VERS LA LUNE
Pour réaliser cette image étonnante, le photographe a utilisé la technique de la surimpression, photographiant la route puis la lune séparément. Le scintillement orangé sur la route résulte de la sous-exposition volontaire de cette scène.

Un studio improvisé chez vous

Un studio à domicile vous permettra de découvrir un monde nouveau où vous pourrez tout à loisir contrôler mieux la lumière et les effets de fond. Une telle installation vous sera très utile pour les portraits et les natures mortes.

Un studio provisoire est facile à mettre en place et vous permettra de faire du meilleur travail, vous laissant libre de créer toutes les photographies que vous souhaiterez.

Choisir l'endroit

Choisissez une pièce que vous ne fréquentez guère et dont les murs ont une couleur neutre - blanc, gris ou crème. La lumière réfléchie par des murs trop colorés pourrait entraîner en effet un phénomène de saturarion.

Le pièce en question devra être aussi éloignée que possible de la rue, de manière à éviter les vibrations dues au trafic automobile, qui pourraient faire bouger votre appareil photographique.

La lumière

Si vous souhaitez utilioser la lumière naturelle, choisissez une pièce avec de grandes fenêtres. Les pièces situées au nord sont idéales parce que les niveaux de lumière et l'orientation des ombres y demeurent presque constants. Si la pièce est orientée au sud, recouvrez les vitres des fenêtres d'un papier qui permettra d'adoucir la lumière.

Sans doute utiliserez-vbous plus simplement une lumière artificielle que vous pourrez contrôler plus facilement, mais vous aurez besoin d'une pièce que vous pourrez assombrir facilement. Un rideau épais fera l'affaire, mais si vous n'en avez pas du caron épais sera adapté. La pièce ne devra pas être entièrement sombre, sauf si vous désirez vous en servir de chambre noire.

▼ ***Un studio vous permettra de prendre des photographies n'importe quand, sans avoir à tenir compte du temps et des conditions de lumière auxquels vous serez soumis à l'extérieur. Le fond, les réflecteurs et les lumières doivent être impérativement mobiles.***

Les dimensions d'un studio

Longueur. La pièce doit être suffisamment longue pour placer l'appareil photographique à une distance raisonnable du sujet, tout dépendant de la longueur de focale que vous utilisez. Par exemple, pour faire un portrait en pied avec un objectif de 105 mm et une pellicule en 35 mm, vous devez éloigner d'une distance de 6 m votre appareil du sujet. Si votre modèle est assis, vous pouvez raccourcir cette distance.

Largeur. La pièce idéale doit comporter suffisamment d'espace libre de chaque côté du champ de prise de vues afin d'y installer les projecteurs.

Hauteur. Un plafond assez bas peut restreindre votre angle de prise de vues et gêner l'installation des projecteurs. Si possible, choisissez une pièce haute de plafond de façon à pouvoir placer un projecteur au-dessus de votre modèle sans risquer de lui brûler les cheveux ! Et de façon également à pouvoir prendre des photographies en vue plongeante.

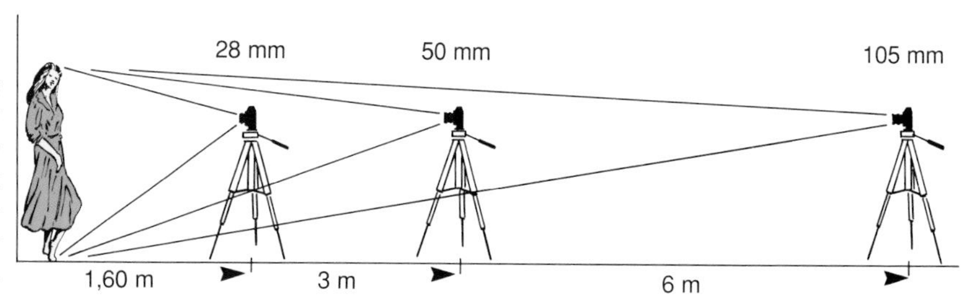

▲ ***Trois exemples de prises de vues en studio. La distance entre le sujet et l'appareil photographique varie en fonction du type d'objectif utilisé. Regardez dans le viseur avant de prendre le cliché et assurez-vous que vous cadrez bien l'ensemble du sujet. Avec un objectif grand-angulaire, appelé plus communément "grand angle" de 28 mm de longueur focale, faites attention de ne bien cadrer que votre sujet.***

Aménager un studio improvisé

Aménager le studio prend un certain temps. Commencez par ranger les meubles dans un coin de la pièce.

Le sol doit être bien dégagé et propre. La surface doit être la plus plane et la plus stable possible afin que le trépied de l'appareil photographique et les projecteurs tiennent bien debout — l'idéal est le carrelage ou le parquet. Si une moquette ou un tapis recouvre le sol, disposez de grands panneaux de bois pour donner une base stable au sujet à photographier.

L'arrière-plan. Plutôt que d'acheter du papier spécial pour toile de fond photographique, matériel qui est assez cher, utilisez une couverture ou encore du papier mural. Pour photographier un sujet de petite taille, habillez le dos d'une chaise afin de constituer un bel arrière-plan. Pour un sujet plus important, fixez la couverture ou le rouleau de papier au mur ou encore sur un tableau posé sur deux chaises ou accroché avec des clous.

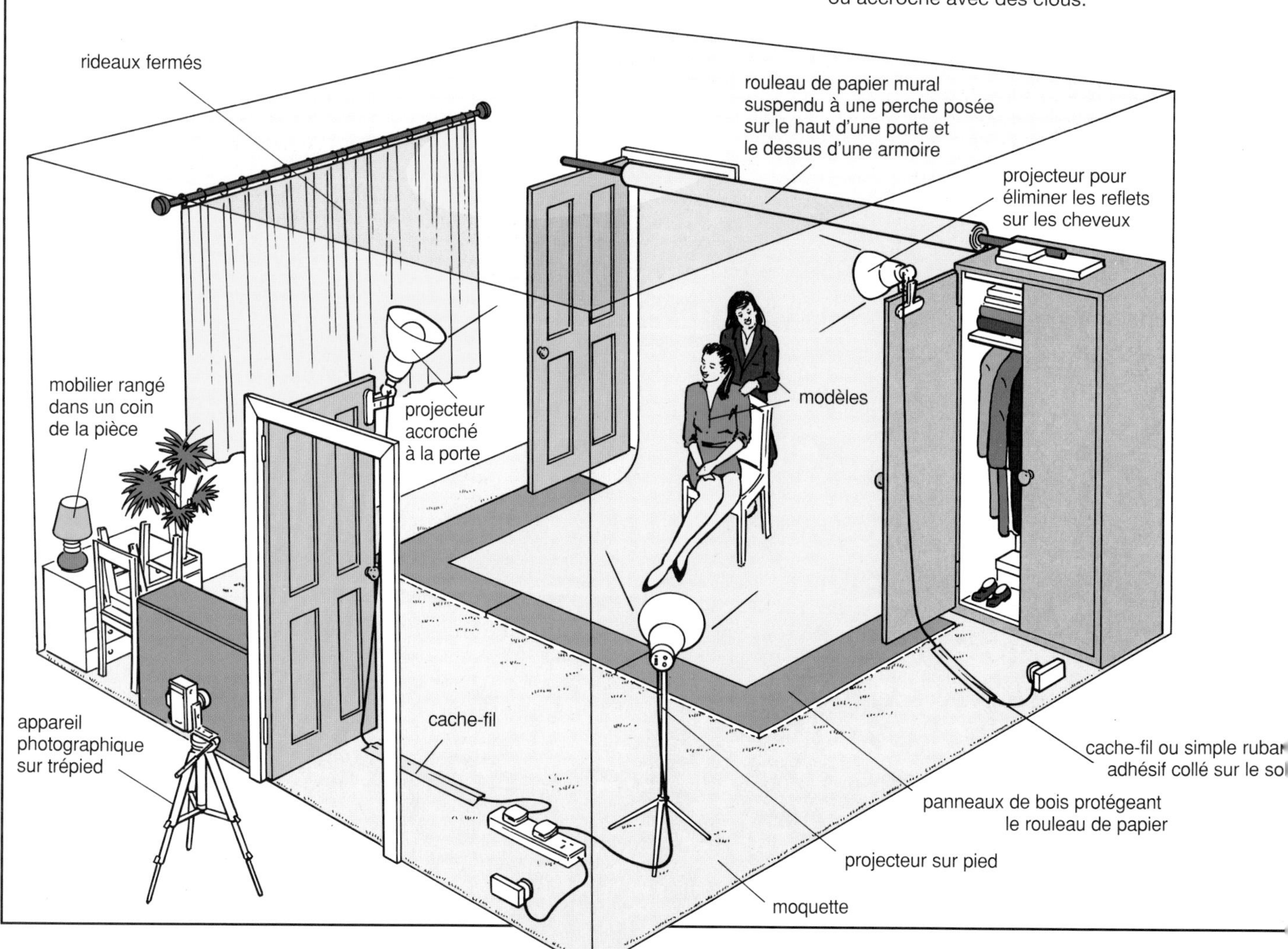

Quelques précautions

❑ Faites attention de ne pas laisser traîner sur le sol des fils dans lesquels vous pourriez vous prendre les pieds.
❑ Isolez tous les appareils électriques.
❑ Achetez une rampe de prises femelles équipée de fusibles afin de ne pas surcharger les câbles électriques avec des prises multiples.
❑ Une fois terminée la séance de prises de vue, débranchez tous les appareils électriques et attendez qu'ils refroidissent avant de les manipuler.

AMÉNAGEMENT SIMPLE
Pour une prise de vue très simple, vous avez juste besoin d'une lampe de bureau, d'un réflecteur et d'une grande feuille de papier. Si le sujet à photographier est très petit, calez l'arrière-plan avec des piles de livres.

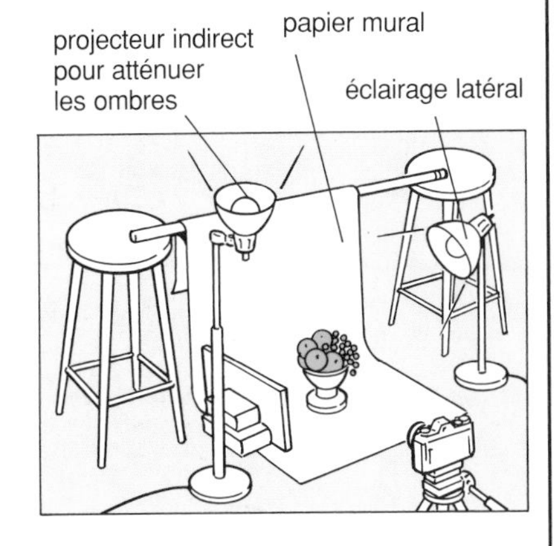

TOILE DE FOND SUSPENDUE
Si vous désirez photographier le sujet avec une vue plongeante, vous pouvez suspendre votre toile de fond sur un manche à balai posé sur deux tabourets.

Éclairage artificiel

Les lampes à incandescence ou les lampes quartz-halogènes ne fonctionnent efficacement que si elles sont montées dans des projecteurs spécialement conçus à cet usage.

Flash de studio. L'éclair est provoqué par la décharge brusque de l'énergie électrique emmagasinée dans un condensateur, à l'intérieur d'un tube empli d'un gaz rare, le xénon. Pour que l'éclair jaillise, il faut ioniser le xénon, c'est-à-dire le rendre conducteur du courant, par une brève impulsion électrique fournie par un circuit d'allumage ou de synchronisation.

Flash portables. Très utiles, ils sont moins puissants que les flash de studio généralement montés sur pied. Pour visualiser leur effet et savoir comment et où les placer, on peut, avant de les faire fonctionner,

▲ *Flash amovibles*

utiliser une simple lampe de bureau afin d'avoir une idée de la zone qui sera éclairée lors du déclenchement du flash.

Lampes d'ambiance. Elles sont placées dans de larges réflecteurs peints en blanc, ayant la forme d'une calotte sphérique. L'ampoule est pourvue d'un cache-lampe se fixant directement par ressorts sur le ballon de la lampe et masquant la lumière directe du filament. Sur d'autres modèles de projecteurs d'ambiance, la diffusion de la lumière est obtenue grâce à un écran diffuseur de matière plastique translucide ou de tissu en fibre de verre.

Projecteurs spots. Ils permettent de diriger vers le sujet un faisceau de lumière très concentré. Un spot se présente comme un boîtier métallique contenant une ampoule sphérique vissée culot en bas. À l'avant du projecteur, on trouve le système optique, une lentille de Fresnel ou une lentille plan-convexe. Les spots de 100 à 1000 W fonctionnent avec des lampes épiscopiques ; sur les spots de 2 000, 5 000 et 10 000 W, la lampe est

▲ *Un projecteur à lampe photoflood est utilisé avec un réflecteur-parapluie*

dépourvue de miroir. Le filament de la lampe peut être centré, approché ou éloigné de la lentille grâce à une douille réglable commandée par un bouton moleté situé à l'arrière du boîtier. Un spot donne un éclairage dirigé avec des ombres aux contours bien nets. Pour éclairer le sujet, un seul spot suffit, complété par des projecteurs d'ambiance et d'autres projecteurs pour réaliser des effets sur le sujet ou sur le fond.

"Floods" et lampes quartz-halogènes. Elles ne se montent que sur des matériels d'éclairage spécialement conçus pour cet emploi. Pour certaines utilisations — photographie à faible distance en particulier — on se sert d'une torche quartz-halogène munie d'une poignée. Ce modèle a été à l'origine spécialement prévu pour le cinéma amateur. Plusieurs modèles portables sont alimentés en courant basse-tension (24 V) par une batterie d'accumulateurs cadmium-nickel.

Avec ce type de lampe, il est conseillé de monter — en plus du réflecteur métallique ou plastique monté normalement sur le projecteur — un réflecteur plus large, comme un grand panneau blanc en carton ou en polystyrène. On peut également utiliser une feuille de papier d'aluminium pour donner une lumière plus crue.

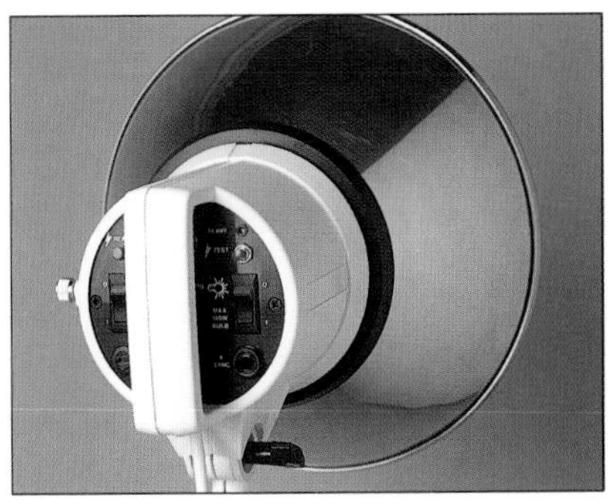

▲ *Arrière du boîtier d'un flash de studio*

Lumière douce

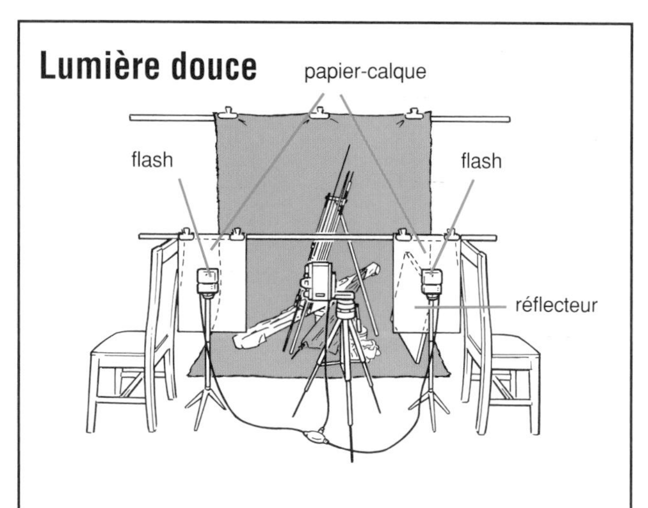

Pour atténuer l'éclairage d'un sujet à photographier — en particulier une nature morte —, installez deux flash de chaque côté de l'appareil photographique et placez à 50 cm au moins devant eux des feuilles de papier-calque.

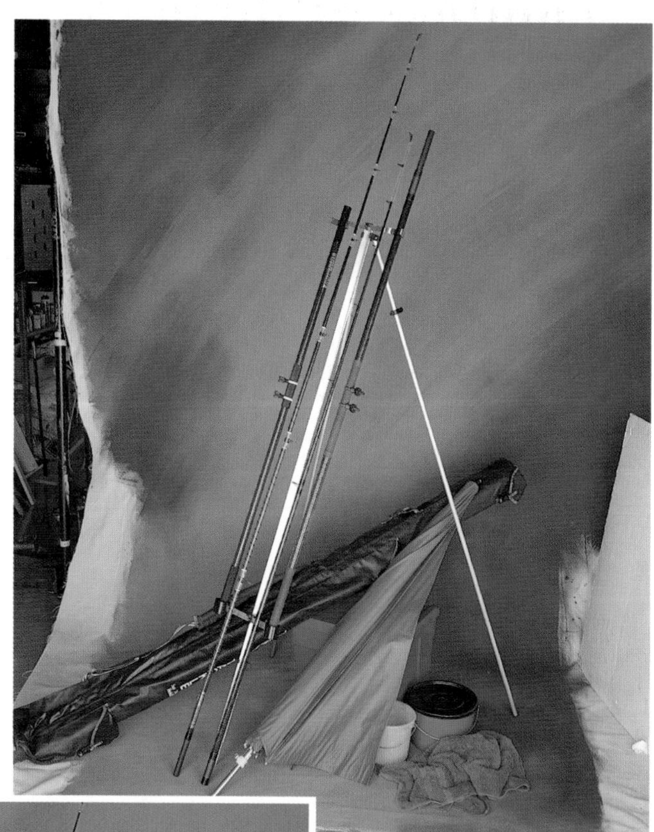

▲ ***Pas besoin de disposer d'un studio luxueux pour réaliser d'excellentes prises de vues : rappelez-vous que c'est ce qu'il y a sur la photographie qui compte et non pas le studio qui l'entourait lorsqu'elle a été prise. Les décors, les accessoires et même les réflecteurs improvisés ou "bricolés" disparaissent quand on presse le bouton du déclencheur.***

Ce dont vous avez besoin :

Plutôt que d'acheter des équipements neufs de photographie en studio, achetez du matériel d'occasion ou réalisez vous-même les équipements dont vous avez besoin.

Équipement de base :

- ❑ **Trépied**
- ❑ **Projecteur et pied de projecteur**
- ❑ **Rallonges électriques et rampe avec fusibles de prises femelles**
- ❑ **Ruban adhésif isolant**
- ❑ **Cache-fil**
- ❑ **Couvertures permettant de masquer une fenêtre**
- ❑ **Rouleau de papier ou couverture unie pour servir de toile de fond**
- ❑ **Réflecteurs**
- ❑ **Crochets, agrafes et pinces pour fixer les réflecteurs**
- ❑ **Câble permettant de synchroniser les flash**

Équipements supplémentaires :

- ❑ **Filtre Kodak Wratten 80A**
- ❑ **Déclencheur souple**
- ❑ **Carte grise neutre**
- ❑ **Niveau à bulle**
- ❑ **Réflecteur-parapluie de studio**

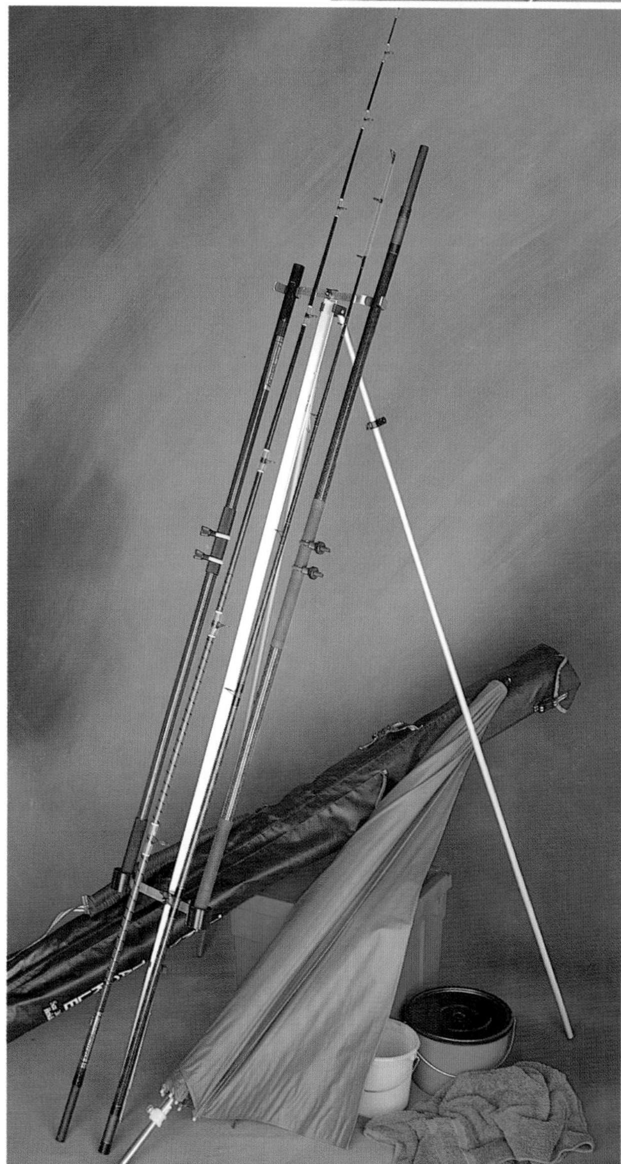

Choisir la bonne pellicule

Utilisez une pellicule normale si vous prenez des photographies de jour ou avec un flash. Si vous vous servez d'un projecteur à lampe photoflood, achetez une pellicule spéciale ou placez un filtre bleu Kodak Wratten 80A devant votre objectif pour éviter d'avoir une dominante de couleur orange sur les photographies prises avec une pellicule adaptée à la lumière du jour.

Lumière artificielle

De nombreux photographes professionnels utilisent à la fois des projecteurs à lampe à incandescence et des flash. En réalité, il est possible de se contenter de l'un des deux matériels seulement car les lampes à incandescence coûtent un peu moins cher que les flash électroniques et fournissent un éclairage aussi efficace que les flash, sinon meilleur.

▲ ***Un ensemble de projecteurs à lampe à incandescence ou à lampe photoflood est relativement bon marché et ne coûte guère plus cher qu'un flash de studio. Ces projecteurs sont également d'un emploi beaucoup plus souple qu'un simple flash.***

En théorie, le concept de lumière artificielle comprend toutes les sources d'éclairage créées par l'homme pour se substituer à la lumière naturelle ou la compléter. Dans le domaine photographique, cette notion désigne un type d'éclairage bien précis.

La lumière artificielle peut être produite par des lampes à filament incandescent — lampes domestiques, lampes survoltées du type Photoflood ou Photolita, lampes quartz-halogènes et spots de studio — ou par des lampes flash — flash éclair ou flash électronique —, ou encore par des lampes à tubes fluorescents, plus rares en photographie.

De nombreux amateurs manifestent encore une certaine hésitation et des préjugés face à ces types de lampes qui leur semblent souvent chères et d'une utilisation complexe. Pourtant, la complexité n'est qu'apparente et les prix ont considérablement baissé depuis une vingtaine d'années.

Le seul problème pour quelqu'un qui débute dans la photographie en studio est peut-être de faire un choix entre éclairage à lampes à incandescence et éclairage par flash.

Par rapport aux lampes flash, les lampes à incandescence offrent de nombreux avantages. Non seulement elles sont moins chères, mais aussi, elles sont d'une utilisation plus facile. Tout d'abord, elles fournissent un éclairage constant : on peut donc se rendre compte immédiatement de leur effet et effectuer des réglages très précis de luminosité sur l'appareil photo-graphique au moyen du posemètre généralement intégré aux appareils modernes. Mais surtout, les projec-teurs à lampe à incandescence sont adaptés à certaines prises de vues.

▶ ***Tous les portraits des grandes stars d'Holywood des années 1930 et 1940 ont été réalisés avec des projecteurs à lampe à filament de tungstène, comme cette photographie de Vivien Leigh. La qualité de la lumière fournie par ces projecteurs est encore aujourd'hui appréciée par la plupart des grands photographes-portraitistes.***

Types de lampes à incandescence

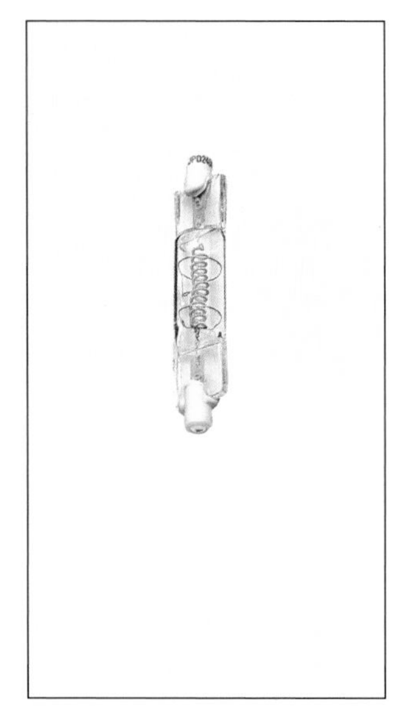

Position des broches

Les lampes quartz-halogènes à filament de tungstène sont de deux types : les lampes simples à deux broches et les lampes à deux doubles broches. Les premières doivent être fixées en position verticale, les secondes, en position horizontale. Il est important pour votre sécurité et pour la durée de vie des lampes que vous veilliez à les mettre correctement en position.

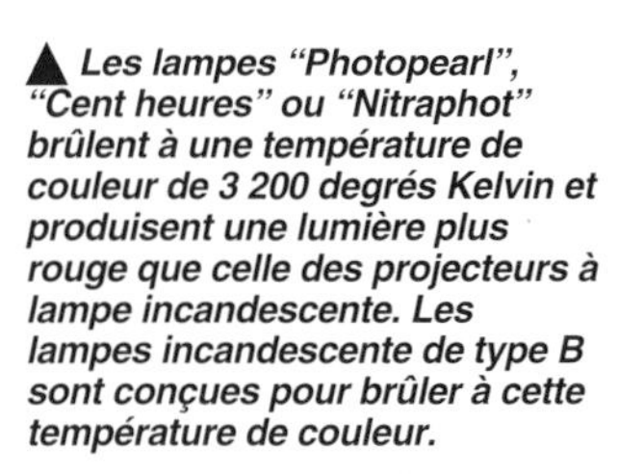

▲ ***Les lampes "Photopearl", "Cent heures" ou "Nitraphot" brûlent à une température de couleur de 3 200 degrés Kelvin et produisent une lumière plus rouge que celle des projecteurs à lampe incandescente. Les lampes incandescente de type B sont conçues pour brûler à cette température de couleur.***

▲ ***Les projecteurs à lampe incandescente ne coûtent pas très cher. Les variations de couleur dans la lumière qu'ils fournissent sont négligeables depuis la commercialisation de pellicules donnant des couleurs plus chaudes. Pour atténuer ces variations de couleur, on peut également utiliser des filtres spéciaux.***

▲ ***Les lampes quartz-halogènes produisent une lumière plus forte et durent plus longtemps que les lampes incandescentes classiques. Il faut cependant être extrêmement vigilant en manipulant ces lampes et ne pas toucher avec les doigts le quartz de la lampe.***

Elles sont constituées d'un filament de tungstène à l'intérieur d'une ampoule étanche emplie d'un gaz rare (argon, krypton ou xénon). Il existe trois grands types de lampes à incandescence.

Les lampes Photopearl, d'un aspect identique aux ampoules domestiques, fournissent un flux moyen de 20 lumens (lm) par watt et possèdent un filament qui, légèrement survolté, est porté à une température de couleur (Tc) de 3 200 °Kelvin. Leur durée de vie varie entre 30 et 100 heures. Le modèle 1 000 W est muni d'un culot à vis Goliath ; la lampe de 500 W peut être du modèle à miroir incorporé et s'utiliser alors sans réflecteur indépendant.

Les lampes photofloods, souvent appelées plus communément des "floods", très survoltées, ont une température de couleur de 3 400 °K. Le flux lumineux atteint 32 lm par watt, soit 16 000 lm pour le modèle 500 W. Leur durée de vie est limitée à 3 heures environ ; les lampes photofloods de 250 et 500 W existent également à miroir incorporé. Les Photopearl comme les "Floods" présentent des inconvénients : elles sont fragiles et encombrantes, leur Tc diminue assez rapidement par vieillissement et le filament de tungstène s'évapore en recouvrant la face intérieure du ballon de verre d'un dépôt jaunâtre.

Les lampes quartz-halogènes — ou **lampes QI** (Quartz-Iode) — sont des lampes à filament de tungstène très compact placé dans un tube de silice contenant des particules d'iode (un halogène). Le principe de fonctionnement des lampes quartz-halogènes est le suivant : le filament de tungstène, porté à très haute température par résistance électrique (3 200 à 3 400 °K) se sublime lentement, c'est-à-dire qu'il passe directement de l'état solide à l'état gazeux, comme pour une lampe ordinaire, mais, contrairement à celle-ci, au lieu de se déposer sur la face intérieure du ballon, le tungstène vaporisé se combine à la vapeur chaude d'iode. Les vapeurs mélangées de tungstène et d'iode sont alors attirées vers le point le plus chaud de la lampe, le filament lui-même, que le tungstène régénère continuellement. Ce type de lampe offre de nombreux avantages : le ballon de silice reste toujours transparent, la Tc et le flux lumineux demeurent constants jusqu'à la rupture du filament, la durée de vie est augmentée (de 75 à 2 000 heures). Elles sont cependant fragiles et ne doivent pas être manipulées à mains nues, de légères traces de sueur pouvant provoquer l'éclatement ultérieur de la lampe lors de la mise sous tension.

RETOUR AUX BASES

Qu'est-ce qu'une lampe incandescente à filament de tungstène ?

Une lampe à incandescence à filament de tungstène est une source de lumière incandescente. Cela signifie qu'elle produit de la lumière lorsqu'elle chauffe. Il existe différents types de lampes incandescentes, mais elles fonctionnent toutes selon le même principe.

La lampe comporte une ampoule transparente abritant un filament en tungstène lui-même relié à un branchement électrique. Lorsque l'électricité est allumée, le courant passe dans le filament en tungstène et chauffe celui-ci. En chauffant, le filament émet une lumière brillante. Certaines lampes incandescentes possèdent un filament enroulé en spirale ; d'autres, au contraire, ont un filament droit. Les lampes avec un filament en spirale diffusent une lumière très intense.

▲ ***Les photographes de mode et les photographes spécialisés dans la photo de charme utilisent des lampes incandescentes pour apporter un aspect plus chaleureux à leur sujet. Cette photographie a été prise avec un flash de studio.***

Température de la couleur

Les lampes à incandescence produisent une lumière plus chaude et d'une teinte plus orangée que les lampes de flash ou que la lumière solaire. Elles fournissent donc une température de couleur plus basse. C'est pourquoi, lorsque l'on prend une photographie avec ce type de lampes et avec une pellicule équilibrée pour la lumière du jour, les clichés ont une dominante de couleur orangés.

La meilleure façon d'obtenir de bons résultats avec un éclairage à lampe à incandescence est donc de charger son appareil photographique avec un film conçu pour des photographies sous un éclairage " lampe à incandescence de type B". Ce type de pellicule convient également aux éclairages produits par des lampes Photopearl ou des lampes quartz-halogène.

Quant aux lampes floods, elles donnent une lumière légèrement bleutée. Il est donc nécessaire d'utiliser un filtre 81A ou d'un type équivalent pour "réchauffer" quelque peu les couleurs.

Contact avec la peau

L'un des désavantages des lampes quartz-halogènes, c'est que leur ampoule en quartz est extrêmement sensible à la sueur des mains, qui l'altère et réduit leur durée de fonctionnement. C'est pourquoi on ne doit jamais manipuler et toucher une lampe quartz-halogène à mains nues et il faut toujours conserver la lampe dans une pochette plastique avant de la fixer sur le projecteur.

Quel éclairage choisir ?

Il existe plusieurs types de projecteurs à lampe à incandescence utilisables tant par les amateurs que par les professionnels. Toutefois, ces lampes sont moins nombreuses que les flash de studio disponibles sur le marché.

Les types les plus courants de lampes à incandescence sont des simples lampes complétées par un réflecteur parabolique poli ou peint. Des versions plus sophistiquées comportent des réflecteurs interchangeables qui vous permettent de bouger l'ampoule vers l'avant ou vers l'arrière à l'intérieur du réflecteur. L'avantage d'un tel système est qu'il vous permet de contrôler avec précision la quantité de lumière projetée.

D'autres versions comportent une lampe placée à l'intérieur d'un spot, un réflecteur courbe placé derrière la lampe et un cache percé dune ouverture.

Lorsque vous achetez un projecteur à lampe à incandescence, choisissez plutôt un projecteur doté d'un boîtier en plastique résistant à la chaleur. En effet, les lampes à incandescence deviennent très chaudes lorsqu'on les utilise et l'on peut facilement se brûler en manipulant les boîtiers métalliques des vieux projecteurs. Le plastique résistant à la chaleur résoud ce problème.

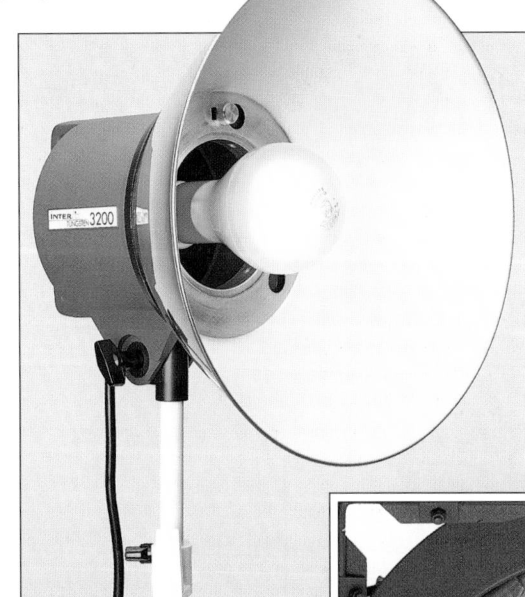

▲ ***Ce projecteur à lampe incandescente est le modèle préféré des photographes amateurs. Il utilise des lampes de 500 W et peut être équipé de réflecteurs. C'est un bon instrument pour quelqu'un qui débute dans la photographie en studio.***

▼ ***Les photographes professionnels utilisent des projecteurs à lampe quartz-halogène. Ce modèle est plus robuste que le modèle généralement adopté par les photographes amateurs et il a une puissance de 800 W. Cependant, il coûte trois ou quatre fois plus cher.***

◀ ***Les projecteurs à lampe incandescente sont bien adaptés pour réaliser des photographies de natures mortes. Si vous chargez votre appareil avec une pellicule très sensible, il est préférable d'utiliser un trépied.***

Attention, ça brûle !

Pour éviter de vous brûler en manipulant un vieux projecteur à lampe incandescente encore équipé d'un boîtier et d'un réflecteur en métal, fixez une poignée en bois à l'arrière du projecteur.

Lampes à incandescence et accessoires

S'équiper de deux projecteurs à lampe à incandescence permet de se familiariser avec les bases de la photographie en studio. En y ajoutant quelques accessoires, vous pourrez alors vous lancer plus à fond dans la photographie artistique.

▼ ***Quelques fabricants vendent les projecteurs à lampe incandescente sous forme de kits. Cette formule est intéressante car le kit comprend tous les types de projecteurs et les accessoires dont vous pouvez avoir besoin pour débuter dans la photographie en studio.***

▶ ***Des volets coupe-flux peuvent être fixés sur les projecteurs pour contrôler la direction et la répartition de la lumière. Sur la photographie ci-contre, le photographe a positionné les volets de façon à donner l'impression que le sujet était éclairé par des rayons de soleil.***

L'un des avantages de se doter de projecteurs à lampe à incandescence et non pas de lampes flash est un avantage financier. Les projecteurs à lampe à incandescence coûtent en effet moins cher que les lampes flash. Avec la différence de prix, vous pourrez alors acheter divers accessoires très utiles, comme des pieds de projecteurs, des réflecteurs de différentes tailles, des porte-filtres.

Par ailleurs, les projecteurs à incandescence vous permettant d'explorer presque toute la gamme des techniques d'éclairage photographique et de prendre des sujets très variés. Mais vous atteindrez très vite les limites de votre art si vous ne disposez pas de certains accessoires absolument nécessaires, comme un porte-filtre, un objet très simple mais particulièrement utile pour fixer devant la lampe une lame optique de verre ou de gélatine destinée à équilibrer la température de couleur d'une lampe à incandescence.

De la même manière, les perches-girafes pour fixer une lampe, les pieds, les volets coupe-flux, les réflecteurs simples et les réflecteurs-parapluies vous seront d'un grand secours pour contrôler l'orientation, l'intensité et la qualité de la lumière.

Quelques accessoires pour un meilleur éclairage

Réflecteurs. Ils peuvent être de différentes formes et de différentes tailles et sont destinés à altérer l'intensité et la qualité de la lumière, vous permettant ainsi de choisir entre un éclairage dur et un éclairage doux. Faites attention : certains réflecteurs sont adaptés à certains types de lampes à incandescence seulement.

Parapluie-réflecteur. Cet objet est très utile pour adoucir la lumière d'une lampe à incandescence. Il existe également des réflecteurs-parapluie translucides.

Volets coupe-flux. Il s'agit de pièces de métal ou de plastique articulées que l'on fixe sur les côtés du réflecteur ou du boîtier d'un projecteur à lampe à incandescence. En les ouvrant ou en les fermant, on peut ainsi contrôler la quantité de lumière fournie par le projecteur.

Nez optique. Cet accessoire est destiné à limiter le faisceau de lumière projeté et à lui donner une certaine forme grâce à une fente aménagée dans le "nez" qui permet d'introduire des caches métalliques découpés selon des formes variées et avec lesquels on peut projeter une image nette ou floue sur le fond, derrière le sujet.

Porte-filtre. C'est un simple cadre en métal fixé sur le pied du projecteur ou sur le réflecteur, que l'on place devant la lampe et dans lequel on introduit des lames optiques de verre ou de gélatine.

Pied de projecteur. Ils permettent de déplacer facilement le projecteur. Ils doivent être légers, repliables ou télescopiques, pratiques et très stables. Il existe également des pieds-supports à roulettes pouvant être placés à la hauteur désirée selon l'inclinaison requise. Les grands studios sont équipés d'une rampe de réflecteurs — une herse — suspendus au plafond.

Filtres-diffuseurs. Ils peuvent être confectionnés à partir de simples feuilles de papier-calque ou de bandes de gaze. Placés devant la lampe, ces filtres-diffuseurs réduisent la brillance de la lumière sans affecter sa qualité ou sa couleur de température.

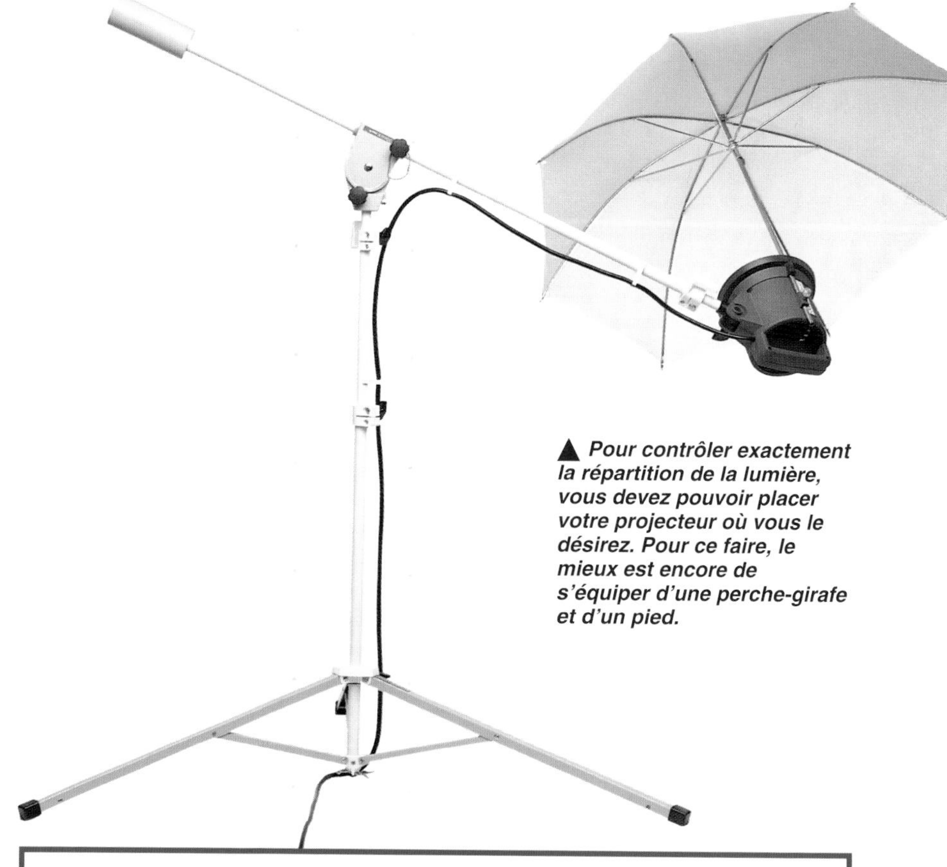

▲ ***Pour contrôler exactement la répartition de la lumière, vous devez pouvoir placer votre projecteur où vous le désirez. Pour ce faire, le mieux est encore de s'équiper d'une perche-girafe et d'un pied.***

Les réflecteurs

Les réflecteurs, quelque soit leur type, affectent la qualité de la lumière éclairant un sujet. Les réflecteurs recouverts d'une peinture métallisée brillante donnent une lumière beaucoup plus crue que ceux qui sont recouverts de peinture blanche mate. Les réflecteurs d'un diamètre étroit concentrent la lumière sur un point précis, à la différence de ceux qui possèdent un diamètre plus large. Les grands réflecteurs équipés d'un cache devant la lampe donnent quant à eux une lumière indirecte très douce. C'est ce type de réflecteur qui est généralement adopté par la plupart des photographes spécialisés dans la photographie de charme.

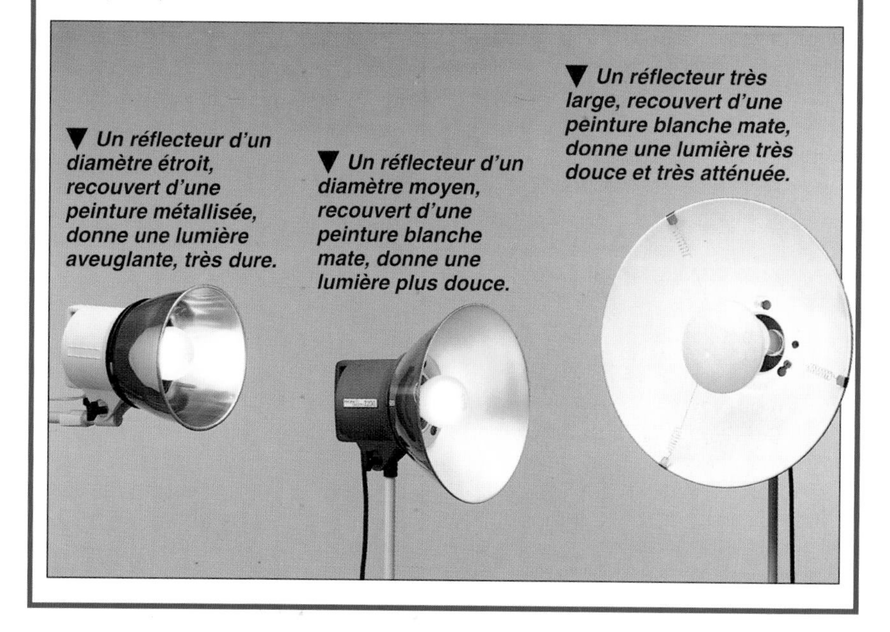

▼ ***Un réflecteur d'un diamètre étroit, recouvert d'une peinture métallisée, donne une lumière aveuglante, très dure.***

▼ ***Un réflecteur d'un diamètre moyen, recouvert d'une peinture blanche mate, donne une lumière plus douce.***

▼ ***Un réflecteur très large, recouvert d'une peinture blanche mate, donne une lumière très douce et très atténuée.***

◀ *Un réflecteur-parapluie translucide est souvent utilisé pour adoucir la lumière des projecteurs à lampe incandescente afin de donner moins de relief à un portrait ou de rendre plus perceptibles les détails d'une nature morte.*

▼ *Pour filtrer la lumière d'un projecteur à lampe incandescente, équipez-vous d'un porte-filtre. Celui-ci vous permet de placer des filtres photographiques devant la lampe. Sinon, utilisez des pinces pour attacher ces filtres.*

▶ *Le meilleur moyen de contrôler la direction et la répartition de la lumière produite par un projecteur est de l'équiper de volets coupe-flux.*

▼ *On peut également réaliser un filtre avec du papier calque ou de la gaze. Il est toujours préférable de fixer les filtres aux volets coupe-flux plutôt que directement devant la lampe. Le filtre dure plus longtemps et la diffusion de la lumière est plus régulière.*

Photographier avec des projecteurs à lampe à incandescence

Avant de manipuler pour la première fois un projecteur à lampe à incandescence, vous devez suivre certaines recommandations. Tout d'abord, les projecteurs à lampe à incandescence dégagent de la chaleur et ne sont donc pas forcément adaptés pour photographier tous les types de sujets sensibles à la chaleur.

Mesurer le temps de pose ne représente pas vraiment le point le plus important — ni le plus délicat — avec ce genre d'éclairage car toutes les pellicules actuelles sont étalonnées à la même vitesse pour servir aussi bien avec un éclairage naturel qu'avec un éclairage artificiel. Mais si vos photographies sont tout de même sous-exposées — ce qui peut arriver avec des émulsions fabriquées dans les pays d'Europe de l'Est ou en Chine —, ajoutez une demi-division à votre réglage de temps de pose.

Quelques conseils

Exception faite des projecteurs à lampe à incandescence très sophistiqués et très chers qui équipent les grands studios professionnels, les projecteurs classiques peuvent produire une lumière présentant certains défauts, comme une profondeur de champ trop sombre ou des zones floues sur les sujets. Pour remédier à ces petits problèmes :

❑ Chargez votre appareil avec une pellicule à émulsion rapide. Vous pourrez alors diminuer l'ouverture du diaphragme pour donner plus de profondeur de champ et augmenter la vitesse d'obturation afin d'éviter que de légers tremblements de l'appareil photographique ne créent des zones floues sur le sujet.

❑ Choisissez de préférence une pellicule couleur adaptée à un éclairage artificiel. Vous n'aurez pas besoin d'ajouter des filtres de couleur.

❑ Utilisez toujours un trépied stable pour y fixer votre appareil photographique.

Pour améliorer la qualité d'une image, vous devez également être en mesure de diminuer la brillance de la lumière projetée sur le sujet. Dans ce but :

❑ Rapprochez ou éloignez les projecteurs du sujet.

❑ Équipez vos projecteurs de lampes de différentes intensités.

❑ Placez un filtre-diffuseur devant les lampes des projecteurs.

❑ Utilisez des filtres neutres pour réduire la brillance de la lumière projetée sur le sujet.

▲ ***Un porte-filtre vous permet d'utiliser différents types de filtres afin d'altérer la lumière du projecteur. Avec un peu d'imagination, vous pouvez même réaliser des photographies très colorées. Pour prendre ce cliché, le photographe a choisi une vitesse d'obturation très lente.***

Consignes de sécurité

RETOUR AUX BASES

Un projecteur à lampe incandescente est bon marché et simple d'utilisation mais il peut aussi être très dangereux si l'on ne respecte pas quelques règles de sécurité :

❑ Éloignez les matériaux inflammables des projecteurs.

❑ Pour faire des portraits, placez un grillage métallique de protection devant la lampe du projecteur — si la lampe éclate, le verre ne blessera pas votre modèle.

❑ Utilisez des réflecteurs-parapluies ininflammables.

❑ Ne branchez pas une lampe photographique à filament de tungstène dans une douille prévue pour une ampoule domestique. Même si les culots des ampoule sont les mêmes, les douilles des lampes domestiques ne sont pas conçues pour supporter la chaleur dégagées par une lampe photographique et peuvent fondre.

❑ Ne touchez pas la lampe, le boitier ou le réflecteur lorsque la lampe est branchée, vous pourriez vous brûler. Équipez-vous plutôt d'un projecteur dont le boîtier est en plastique résistant à la chaleur, moins conducteur que les boîtiers métalliques.

❑ Ne dévissez pas les lampes quand elles sont chaudes, vous pourriez abîmer le filament.

❑ Faites attention de ne pas endommager votre installation électrique domestique en branchant des projecteurs à lampe incandescente trop puissants.

❑ Immédiatement après l'avoir utilisée, ne rangez pas une lampe à filament de tungstène dans son emballage carton. La chaleur qu'elle dégage encore, même très faible, pourrait provoquer un incendie.

Utiliser un flash amovible en studio

Lorsque l'on prend des photographies au flash en studio, il est primordial de toujours contrôler la luminosité. En séparant le flash de l'appareil photographique, on gagne alors en souplesse d'emploi et en créativité.

La manière la plus simple et la plus pratique d'utiliser un flash, c'est bien sûr de le fixer sur l'appareil photographique — ou de se servir du flash intégré sur les appareils modernes. Il s'agit là de la manière la moins intéressante car un flash dans le plan de l'appareil donne un éclairage plat et brutal et engendre souvent des ombres désagréables ou un phénomène dit des "yeux rouges".

Flash en extension

Utiliser un flash en extension consiste à placer le flash hors du plan de l'appareil photographique grâce à un câble prolongateur, ce qui donne des possibilités d'éclairage beaucoup plus intéressantes. La position idéale du flash est alors légèrement au-dessus du sujet, dans un plan formant un angle de 30° environ avec l'axe de prise de vues de l'appareil photographique, sans oublier d'installer, face au flash, un réflecteur qui permet d'éclairer les ombres. Il est également possible de l'utiliser sans réflecteur afin de créer un éclairage doux et modelé plus naturel que celui diffusé par le réflecteur, la lumière se réfléchissant sur les murs de la pièce renvoyant ainsi sur le sujet une lumière douce et diffuse qui donnera aux ombres plus de légèreté.

"Bounce flash" ou flash indirect

La technique du flash indirect dite également "bounce flash" revient à éclairer indirectement le sujet par la lumière d'une lampe-flash réfléchie sur une surface claire — murs, rideaux, plafond, réflecteurs, etc. Son principal avantage, en particulier pour les portraits, est de

◀ ***Utiliser un flash amovible permet de créer des zones de reflets et d'ombre très importantes. Ici, le photographe s'est servi d'un flash amovible pour donner un aspect très contrasté à son portrait.***

Boîtier "esclave"

Même si vous possédez un appareil photographique équipé d'un flash intégré, il est préférable de vous acheter aussi un flash d'appoint. Il est possible de synchroniser le flash et l'appareil photographique avec un câble et un adaptateur si votre appareil photographique ne dispose pas de prise pour y brancher le câble de synchronisation.

Vous pouvez également vous équiper d'un boîtier "esclave" afin de mettre à feu les flash supplémentaires à distance, sans fil. Le boîtier "esclave" est muni d'une photocellule provoquant l'ignition du flash.

Flash fixé

Flash fixé sur l'appareil photographique

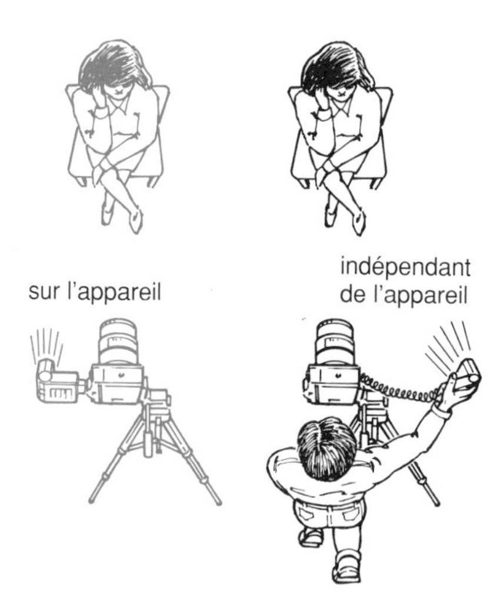

Un portrait réalisé avec un flash fixé sur l'appareil photographique a très peu de relief : le visage paraît aplati par la lumière frontale et une zone d'ombre se forme derrière le sujet. Tenir le flash à une distance redonne de l'expression au visage.

Flash indépendant

Flash indépendant de l'appareil

Flash indirect

Position 1

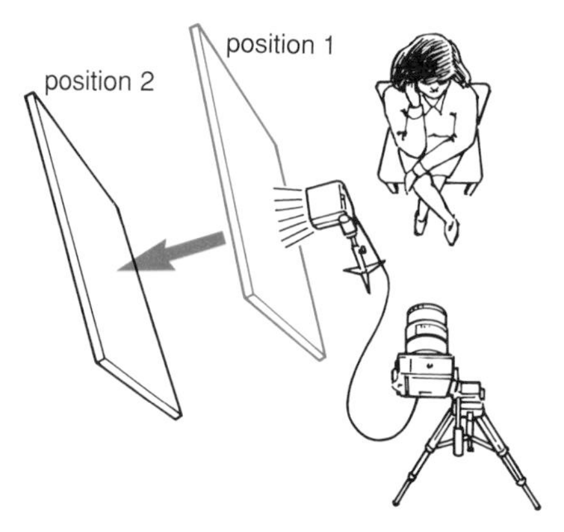

Placer le flash juste devant un réflecteur accroît l'effet du flash mais la lumière éclairant le sujet est toujours très dure (position 1). En éloignant le flash du réflecteur, on accroît davantage l'effet du flash et la lumière éclairant le sujet est beaucoup plus douce et atténuée.

Position 2

donner une lumière douce et diffuse.

La lumière est également mieux répartie en profondeur et l'on obtient des résultats quasiment parfaits si l'on oriente le flash obliquement vers le plafond en le tenant à un mètre de ce dernier environ. Veillez cependant, d'une part, à ne pas orienter le flash juste au-dessus du sujet pour ne pas créer des ombres dures sous les yeux, le menton et le nez du sujet, d'autre part, à ce que la couleur du plafond, si elle est trop marquée, n'entraîne des dominantes parasites sur la photographie. Autrement dit, le flash indirect ne doit être utilisé que sur des surfaces d'un blanc mat, sauf si vous désirez donner des effets spéciaux à votre photographie.

La bonne exposition dépend des dimensions de la pièce et de la distance aller et retour parcourue par la lumière. Généralement, on ouvre le diaphragme de deux à trois divisions par rapport à l'ouverture correcte normalement utilisée pour photographier le même sujet sous un éclairage direct.

Flash et filtre diffuseur

Position 1

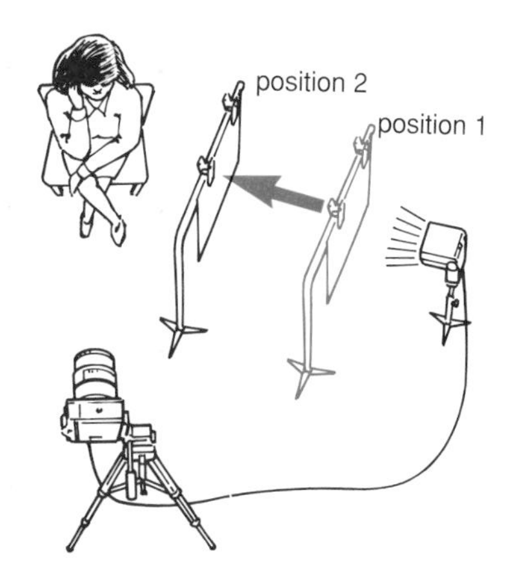

Un filtre diffuseur produit le même effet qu'un réflecteur — vous pouvez d'ailleurs utiliser l'un ou l'autre, à votre guise. Placez le filtre diffuseur très près du flash et assez loin du sujet pour obtenir une lumière assez crue (position 1). Éloignez le filtre diffuseur du flash et rapprochez-le du sujet pour obtenir une lumière plus douce (position 2).

Position 2

Ajouter un flash

En ajoutant un flash vous pouvez réaliser toute une gamme d'effets. Avec une simple prise en "Y", vous pouvez en effet coupler deux flash. Essayez plusieurs positions pour trouver exactement la luminosité que vous désirez obtenir. Un flash supplémentaire placé derrière la tête de votre modèle donne un brillant particulier à la chevelure de celui-ci.

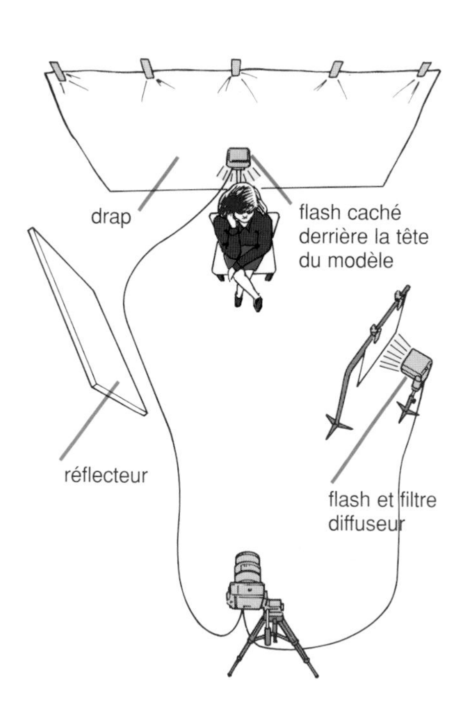

Éclairage doux

Un flash supplémentaire permet d'adoucir l'éclairage. Vous pouvez également utiliser un filtre diffuseur placé devant le flash principal afin d'atténuer l'éclair du flash et diriger un second flash vers un réflecteur pour faire disparaître les ombres. Il faut évidemment synchroniser les deux flash en les reliant au moyen d'une prise en "Y".

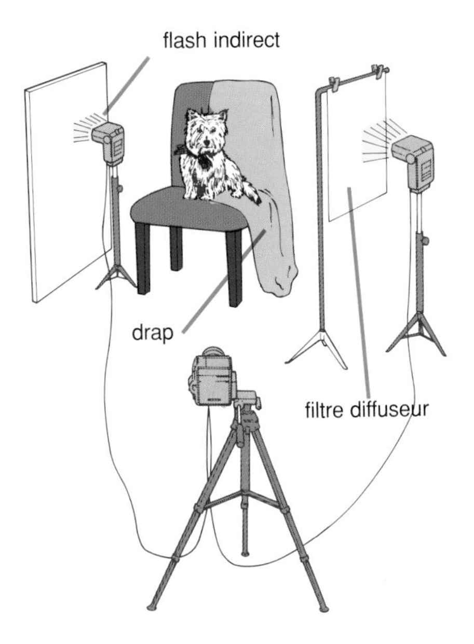

▶ ***Pour réaliser cette photographie, un flash et un filtre diffuseur ont été utilisés en combinaison avec un flash indirect fournissant une lumière d'appoint qui fait disparaître les ombres. Lorsqu'on photographie des bêtes, il est préférable que quelqu'un se tienne derrière le photographe afin de capter l'attention de l'animal et d'éviter qu'il ne regarde le flash.***

Nature morte

Un dispositif identique, comprenant deux flash amovibles peut aussi être utilisé pour photographier une nature morte. Comme vous disposez de temps entre chaque prise de vue, vous pouvez ainsi essayer plusieurs types d'éclairage. Par exemple, il est possible d'éclairer un arrière-plan afin de faire ressortir les contours des objets composant une nature morte.

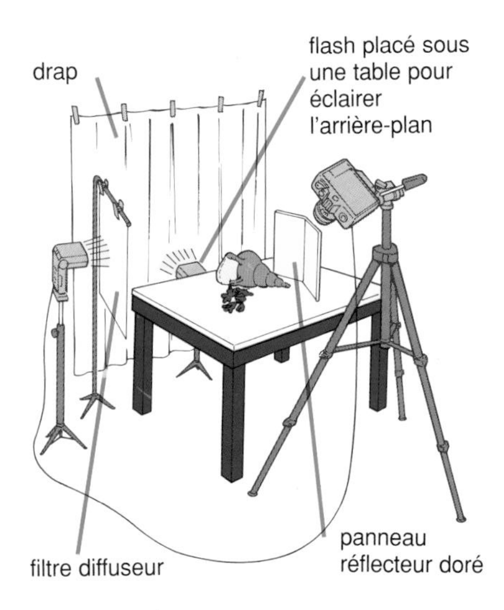

▶ ***Pour prendre cette nature morte, le photographe a placé un flash sous la table et l'a dirigé vers l'arrière-plan afin de créer un halo de lumière qui, souligne les forme du coquillage.***

Où placer le sujet

Pratiquez un peu la photographie et vous vous apercevrez très vite que vous aurez acquis une sorte de sixième sens qui vous permettra de placer du mieux possible votre sujet.

Chaque photographie a besoin d'un sujet, autrement le regard s'y promènerait en vain sans avoir aucun point sur lequel se fixer. Aussi, avant même de composer un cliché, demandez-vous avant tout ce que vous souhaitez y faire figurer et pourquoi vous le prenez.

Qu'est-ce qui vous a fait choisir la scène que vous avez cadrée dans l'objectif ? Avez-vous un sujet précis en tête ? Qu'est-ce que vous voulez exactement fixer sur la pellicule ?

Lorsque vous aurez apporté des réponses à toutes ces questions, vous pourrez penser à la composition et sur ce que donnera un sujet placé au centre du cliché ou sur les côtés.

Sujet au centre

La plupart du temps, la plupart des gens placent le sujet au centre du cliché. C'est là en effet que le regard se porte naturellement et il est vrai qu'il s'agit du point le plus important d'une photographie. Cette solution permet de bien équilibrer une image.

Une telle solution s'applique parfaitement bien à des objets symétriques, tels qu'un immeuble classique ou l'avant d'une automobile ou d'un avion. Mais vous devrez alors prendre bien garde à placer le sujet en question bien au centre. Une petite erreur et c'en sera fini de votre bel agencement.

Cependant, prendre systématiquement des photographies avec des sujets centraux peut être lassant au bout du compte. Pour éviter l'effet statique ainsi produit, nombre de photographes préfèrent décentrer le sujet, évitant ainsi la répétition.

▲ **SUJET SYMÉTRIQUE**
Lorsqu'il a pris le Taj Mahal, le photographe l'a placé au centre du cliché, choisissant ainsi la meilleure solution pour mettre en valeur la beauté et la parfaite symétrie des formes de ce monument.

▶ **PORTRAIT**
Les portraits de personnes assises sont souvent pris avec le sujet placé au milieu du cadrage. Cette façon de procéder permet de gommer les détails du fond et de faire converger le regard au centre du cliché. Pour éviter que l'image apparaisse par trop statique, le photographe a demandé au personnage de tourner légèrement la tête vers la droite.

La règle des tiers

En photographie comme en peinture, on applique les mêmes règles de composition artistique, dont la règle des tiers.

Un moyen assez facile de réaliser une belle composition artistique consiste en effet à tracer deux lignes verticales imaginaires divisant l'image en tiers, puis à placer le sujet à photographier sur l'une de ces lignes dites lignes fortes.

Image dynamique

Que vous travailliez en format paysage ou en format italien, il est toujours possible de tracer ces deux lignes imaginaires. Utlisez alors ces lignes fortes comme des guides mais n'en soyez pas esclave : le sujet n'a pas besoin d'être placé très précisément sur l'une de ces lignes, il peut être cadré un peu à droite ou un peu à gauche, l'effet sera toujours meilleur que si vous le centrez bien au milieu de la photographie.

Cette règle des tiers vous permet également de mettre votre sujet en situation, de le placer dans un contexte. Un sujet centré doit généralement remplir toute l'image pour donner un certain impact à la photographie alors qu'un sujet décentré met aussi en valeur le décor dans lequel il se trouve.

▲ **SUJET CENTRÉ**
On peut parfaitement réaliser une bonne photographie en cadrant le sujet au centre du viseur mais il est également souvent très intéressant de cadrer le sujet sur l'une ou l'autre des deux lignes verticales imaginaires qui séparent en trois parties une photographie.

◀ **SUJET DÉCALÉ**
Cadrer un sujet dans le premier tiers d'une photographie permet de mieux embrasser le paysage restant et évite ainsi que les yeux du spectateur ne se fixent sur le centre du cliché sans voir ce qu'il y a autour.

▶ ***Quelque soit le format d'un cliché, il est toujours possible d'y appliquer la règle des tiers afin de donner un sens artistique à la photographie et de mettre le sujet en scène.***

Note

Cadrer

Le meilleur moyen pour trouver comment cadrer au mieux un sujet est de confectionner des caches.

Pour ce faire, découpez deux morceaux de carton en forme de L et placez les sur vos photographies ou sur des photographies de magazines. En bougeant les caches, vous verrez alors que la même image peut prendre des aspects différents selon que le sujet principal est cadré au centre ou non.

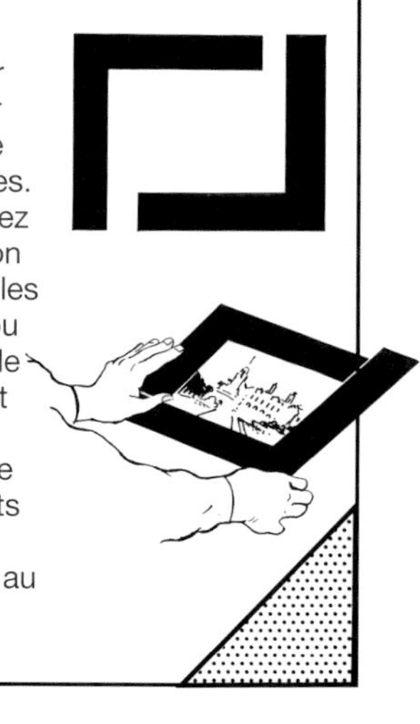

Les quatre points forts

Aux deux lignes imaginaires verticales d'une image, vous pouvez également adjoindre deux autres lignes, horizontales cette fois, divisant toujours la photographie en tiers. Les points d'intersection de ces quatre lignes forment ce que l'on appelle les quatre points forts d'une image.

Ces points constituent des emplacements parfaits pour y placer votre ou vos sujets.

Si vous voulez en outre équilibrer au mieux votre photographie, placez votre sujet principal sur l'un de ces quatre points et votre sujet secondaire sur le point qui lui est diagonalement opposé. L'effet artistique est garanti !

tout en se déplaçant vers les deux personnages, l'œil du spectateur est occupé par les reflets sur la mer

le jaune du maillot de bain est rendu encore plus éclatant par le bleu de la mer

l'un des points d'intersection de la grille imaginaire est placé sur la tête de la jeune femme

▲ POINT D'INTERSECTION
En cadrant la tête ou les yeux d'un sujet sur l'un des quatre points d'intersection d'une grille imaginaire posée sur une photographie, on peut réaliser une vue très artistique.

▼ CADRAGE EN DIAGONALE
Cadrer le sujet principal sur l'un des points d'intersection de la grille et le sujet secondaire sur le point d'intersection diagonalement opposé équilibre une photographie. Les yeux de la personne passent en effet des chaises de plage aux deux personnages.

la ligne d'horizon n'apparaît pas sur la photographie

les reflets sur l'eau et l'écume éclairent le premier plan

les couleurs du tissu de la chaise de plage et du maillot de bain conduisent progressivement les yeux du spectateur à s'intéresser au sujet principal

Composer un paysage

Les règles des tiers et des quatre points forts s'appliquent à tous les types de photographies et pas seulement aux portraits. Lorsque vous regardez un paysage, vous pouvez ainsi le soumettre aux mêmes règles.

Il suffit alors de placer un détail caractéristique dans un paysage — une maison isolée blanche à toit rouge, par exemple — sur l'un des quatre points forts pour obtenir un effet artistique maximum.

Lorsque l'on cadre un paysage campagnard, un point fort de ce genre est particulièrement important car il permet d'attirer l'œil du spectateur et de le conduire ensuite tout autour de l'image.

les teintes foncées de l'herbe et du feuillage font ressortir la couleur blanche de la maison

la ligne d'horizon est placée sur l'une des lignes horizontales divisant la photographie en trois parties

des rayons de lumière réfléchis par les nuages éclairent la maison

▶ POINT DE CONVERGENCE
Il suffit seulement d'une petite note brillante dans un paysage pour attirer l'œil. C'est ainsi qu'en plaçant la maison sur l'un des points d'intersection d'une grille imaginaire, on en fait le premier détail que remarque le spectateur. L'œil se déplace ensuite vers les collines, puis les montagnes avant de revenir vers les arbres.

▲ DÉCENTRER UN SUJET
Au lieu de cadrer un sujet au centre d'une photographie, comme on le fait généralement, essayez plutôt de le décentrer afin de lui donner un peu plus d'espace.

▶ *Parce que le ballon et le château sont tous les deux placés sur les lignes fortes verticales divisant la photographie en trois parties, celle-ci semble équilibrée. La forme aplatie du château produit également un contraste intéressant avec l'arrondi du ballon.*

Des sujets en mouvement

Une autre raison de décentrer un sujet qui se déplace, c'est qu'il a rarement l'air au bon endroit, au milieu de la photo. Ce n'est pas seulement une question d'équilibre. Un sujet en mouvement a besoin d'un espace vers lequel se diriger.

Non seulement un espace devant lui implique le spectateur, mais il donne aussi une impression de dynamisme et suggère une orientation. C'est pourquoi les photographes de sports choisissent souvent de décentrer leur modèle et laissent un espace sur le côté de l'image vers lequel il se déplace. Ce n'est pas la peine de beaucoup décentrer le modèle pour obtenir cet effet, mais vérifiez toujours qu'il se dirige vers l'espace ouvert. Un modèle qui quitte le champ donne une impression toute autre.

VÉRIFIEZ !

Quand vous placez votre sujet,

- ❏ vérifiez l'effet produit quand il est au centre.
- ❏ Regardez s'il paraît plus dynamique sur une troisième ligne verticale.
- ❏ Demandez-vous si un élément pourrait équilibrer la composition.
- ❏ Envisagez de choisir un élément important comme point de convergence.
- ❏ Faites des essais avec un format vertical et horizontal.

▲▶ DÉCENTREZ UN SUJET EN MOUVEMENT
Quand votre modèle bouge, prévoyez un espace vers lequel il se dirige, sur l'image. Si vous vous approchez trop de lui (à droite), il a l'air à l'étroit. De plus, vous ne restituez pas la fluidité du mouvement.

Remarquez que le centre de gravité de l'athlète est situé sur une des trois lignes et qu'une partie de ses cheveux est hors champ : tout ceci renforce une impression de vif mouvement.

Le point de convergence

Trop souvent, une photographie n'a pas d'impact parce que le regard n'est pas attiré vers un élément particulier. Mais en prévoyant ou en mettant en valeur un point de convergence, vous attirez l'attention du spectateur.

Quand une scène n'a pas de sujet principal évident ou comporte trop d'éléments, prévoyez un point de convergence pour fixer le regard. En général, un point de convergence occupe seulement une petite partie de l'image, mais doit créer un contraste avec le cadre afin d'être remarqué instantanément.

Le point de convergence le plus simple sur une photo est un objet isolé, vu à une certaine distance contre un fond simple. La position de ce point de convergence est capitale dans de telles compositions.

Si vous placez un objet au centre de l'image, il a tendance à paraître assez terne et statique. En le décentrant, vous lui donnez beaucoup plus d'impact. Mais évitez de le mettre trop près du bord de la photo, sinon vous serez obligé de justifier sa position.

La couleur vous aide à déterminer quelle partie de la photo sera mise en valeur. Par exemple, une tache rouge sur une photo à dominante verte peut donner une importance inattendue à un petit élément de la vue.

▼ LA RÈGLE DE TROIS
La beauté austère et graphique de ce paysage n'aurait aucun intérêt sur le plan visuel, si l'arbre, soigneusement décentré, ne servait pas de point de convergence.

Attirer le regard

Quand il n'y a pas de point de convergence évident à faire ressortir, soit par un contraste de tons, soit en l'isolant, on peut attirer le regard par plusieurs autres moyens. Des paysages, des vues urbaines et des assortiments d'objets semblables sont mis en valeur, en particulier par les techniques suivantes.

Une mise au point sélective

Quand vous regardez une image, vous remarquez immédiatement la différence entre les zones nettes et les parties floues. Ainsi, quand vous photographiez un assortiment d'objets semblables, vous obtenez souvent un effet plus frappant si l'un ou plusieurs d'entre eux sont nets et les autres flous. Cela aide à donner un point de convergence à la photo.

Un téléobjectif a moins de profondeur de champ que des focales plus courtes. Cela permet d'attirer l'œil d'éléments flous vers d'autres nets. Avec d'autres objectifs, vous pouvez diminuer la profondeur de champ en choisissant une grande ouverture.

Jouer avec la pose

La pose peut jouer un rôle semblable à celui de la mise au point. Vous pouvez jouer avec la pose pour mettre en valeur un petit élément, en particulier.

Par exemple, si vous photographiez une vue où la couleur du ciel détourne l'attention d'un élément difficilement visible, vous pouvez sous-exposer le ciel. Vous mettez ainsi en valeur l'élément intéressant de la photo, que le spectateur repère facilement.

▲ **EN BOUTEILLE**
Le photographe a utilisé la profondeur de champ de façon créative pour mettre seulement en valeur deux bouteilles, qui créent un point de convergence.

Utiliser la lumière

On peut aussi créer un point de convergence grâce à la lumière. Par exemple, un petit faisceau lumineux qui filtre à travers une haute fenêtre ou la lumière isolée d'une lampe dans une ferme lointaine attirent l'attention du spectateur.

Une tache de lumière qui illumine le plus haut bâtiment d'un village de montagne, en fin d'après-midi, ou le reflet du soleil sur un gratte-ciel en verre, dans une vue urbaine, créent des points de convergence, en raison du contraste entre la lumière et l'ombre. On peut obtenir un effet semblable à l'intérieur, avec un spot.

▶ **CRÉER UN EFFET LUMINEUX**
Attendre qu'un rayon de soleil perce les nuages peut prendre du temps, mais cela vaut vraiment la peine. Le rayon lumineux attire l'attention sur une petite zone de sapins. De plus, les arbres sombres et le temps orageux mettent encore plus en valeur le faisceau lumineux.

▶ **ATTIRER L'ATTENTION**
En sous-exposant le ciel, on minimise les détails des nuages et on attire l'attention sur l'horizon.

En sous-exposant le ciel, on attire l'attention sur la bande étroite de lumière, à l'horizon.

Les silhouettes des gnous resteraient sombres avec n'importe quel temps de pose.

Tout dans les yeux

On peut créer un ou plusieurs points de convergence par un moyen plus original, mais très efficace : il suffit de jouer avec le regard d'une personne.

Imaginez une scène où une femme regarde, les yeux baissés, un enfant, qui s'est tourné pour contempler avec envie une aire de jeux, au loin. L'œil suit le regard plongeant de la femme, puis le coup d'œil en arrière de l'enfant, avant de se fixer finalement sur l'aire de jeux.

▼ SUIVRE LE REGARD
Ici, le photographe attire votre attention en vous poussant à suivre à la fois le regard de l'homme et du garçon, sur toute l'image.

Deux points de convergence

Dès qu'une photo comporte plus d'un point de convergence, l'attention du spectateur s'éparpille. Dans ce cas, les objets doivent se distinguer les uns des autres par leur taille et leur position, afin que le regard se pose sur l'un des points de convergence au lieu de se déplacer sans cesse de l'un à l'autre.

Si vous considérez le centre de l'image comme un pivot, un gros objet près de lui contrebalancera un autre plus petit, situé près d'un bord opposé.

Si vous photographiez, par exemple, un petit et un grand yachts sur la mer, essayez de disposer les deux bateaux en diagonale sur votre image et le plus grand des deux plus près du centre. La différence de taille vous poussera à regarder le plus grand yacht, puis le plus petit, en utilisant l'espace entre les deux.

De même, le spectateur a du mal à savoir quoi regarder, lorsqu'une photo comporte deux points de convergence bien équilibrés, dans une position et d'une taille semblables. Ce "manque de résolution" crée une tension visuelle. Utiliser de temps en temps cette technique pour créer un effet de suspense dans une photo ou pour mettre encore plus en valeur la ressemblance entre deux objets identiques.

▲ L'ÉQUILIBRE ADÉQUAT
Dans cette vue, la différence de taille et de position entre la silhouette du garçon et le soleil couchant est essentielle. Elle vous pousse finalement à contempler le soleil, au lieu de regarder tantôt l'un, tantôt l'autre.

▼ UNE TENSION GÊNANTE
Malgré la composition symétrique, où les deux filles aux visages semblables occupent autant d'espace l'une que l'autre, on ne sait finalement pas laquelle regarder. Cela crée une "tension non résolue".

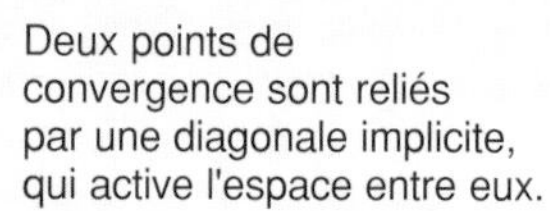

Perspective et angle de vue

Dans la vie quotidienne, vous considérez la forme, la profondeur et le volume des objets comme un fait établi. Mais en photographie, comment restituer un sujet tridimensionnel avec un morceau de papier plat ou un film?

La plupart des photos comportent des indices qui aident à déterminer la profondeur et la forme des objets dans la réalité. L'un des plus importants est la perspective, qui détermine l'impression de profondeur sur une photo. Si vous comprenez les lois de la perspective, vous ferez des photos qui auront l'air tridimensionnelles.

Évidemment, il n'est pas indispensable de suggérer la profondeur pour faire une bonne photo. Par exemple, des motifs abstraits de formes plates ou de couleurs donnent de superbes photos à deux dimensions.

Pourtant, une image plate serait décevante dans de nombreux cas. Ailleurs dans ce livre, nous examinerons les diverses sortes de perspective, de manière plus approfondie. Pour l'instant, nous allons essentiellement étudier la perspective et les angles de vue. Une fois que vous avez appris comment vous y prendre, essayez de mieux utiliser la perspective pour concevoir et composer vos photos.

▼ LA PHOTOGRAPHIE INTÉGRALE
Dans ce paysage, plusieurs éléments créent une très forte impression de distance. Plus vous connaîtrez les caractéristiques de la perspective et la façon de vous en servir, ensemble ou séparément, plus l'effet 3-D sera frappant.

L'ANGLE DE VUE
Votre angle de vue, proche ou lointain, en plongée ou en contre-plongée, a une incidence énorme sur la perspective d'une photo. Les quelques pages suivantes vous montrent comment un angle de vue bas exagère la perspective, tandis qu'une vue haute la réduit.

LA PERSPECTIVE LINÉAIRE
La perspective linéaire est un des plus simples moyens de créer une impression de distance. Ici, la route, la rivière et la clôture attirent l'attention sur l'arrière-plan, ce qui permet d'explorer toutes les parties de la composition.

LA PERSPECTIVE AÉRIENNE
Dans la photographie de paysages, la perspective aérienne contribue à créer une impression de profondeur. Dans cet exemple, les montagnes pâles paraissent très éloignées.

LA PERSPECTIVE DÉCROISSANTE
Des formes de taille semblables qui disparaissent au loin contribuent aussi à ajouter de la profondeur à une image. Voyez comment les poteaux de la clôture deviennent plus petits à mesure qu'ils s'éloignent. Comme vous connaissez la taille de la clôture, vous rétablissez vous-même l'échelle de tout le paysage.

Comprendre la perspective

Plusieurs éléments de base sont à votre disposition pour accentuer l'impression de profondeur dans vos photos :

La perspective linéaire permet d'indiquer facilement la profondeur. Elle montre comment les parallèles semblent converger vers l'arrière-plan. Songez à des rails de voies ferrées et à des lignes sur les routes : vous savez qu'ils sont partout à égale distance. Mais au fur et à mesure qu'ils s'éloignent de l'appareil, ils semblent se rapprocher et se rencontrer à l'horizon.

La perspective décroissante

Si vous regardez une rangée de maisons, elles paraissent de plus en plus étroites et de moins en moins profondes, au fur et à mesure qu'elles disparaissent au loin.

Lorsque les objets sont d'une taille identique ou semblable, on appelle cela la perspective décroissante.

Des sujets d'une taille reconnaissable comme des êtres humains, des animaux et des voitures contribuent aussi à établir une échelle, dans vos photographies.

La mise au point sélective

On peut exagérer la perspective sur une photo grâce à une mise au point sélective (différentielle). Une photo entièrement nette donne une moindre impression de profondeur qu'un cliché où le fond est flou. On suppose, en effet, toujours que des objets très nets sont à une autre distance que des éléments flous.

Les marques blanches sur la piste d'atterrissage et les bordures vertes attirent l'œil vers l'arrière plan.

L'impression de profondeur est accentuée par l'angle de vue central.

▲ **POINT DE CONVERGENCE**

Les lignes convergentes accentuent instantanément l'impression de profondeur. Les diagonales attirent l'attention vers les minuscules bâtiments à l'arrière-plan et créent aussi un effet de mouvement.

▶ **DES CIBLES QUI S'ÉLOIGNENT**

Les cibles qui disparaissent au loin sont d'une taille identique. Parce qu'elles dessinent une ligne qui attire le regard vers l'arrière, l'impression de distance est très forte.

▲ **DES JOURS BRUMEUX**
Une impression de profondeur considérable est due à la manière dont les montagnes deviennent plus pâles et plus floues, au fur et à mesure qu'elles s'éloignent de l'appareil photo. Les silhouettes au premier plan accentuent l'effet.

La perspective aérienne
Vous pouvez accentuer l'impression de profondeur dans des photographies de paysage grâce à la perspective aérienne. Pourtant, le terme est trompeur, car elle n'a rien à voir avec l'aviation ou une observation depuis les airs.

La perspective aérienne (atmosphérique) donne à des éléments très éloignés un aspect plus flou, plus bleu et plus clair que les mêmes objets vus de près. C'est un phénomène naturel dû à l'effet des gouttelettes d'eau dans l'atmosphère terrestre sur les ondes lumineuses qui parcourent de longues distances.

Les couleurs
Votre choix de couleurs peut avoir une incidence sur la profondeur apparente dans une photo. Les couleurs chaudes ont l'air de sortir d'une image, tandis que les tons froids semblent disparaître. Par exemple, un coquelicot rouge se détache sur un fond vert, ce qui accentue l'impression de profondeur entre eux.

▼ **UN SPORTIF EN VALEUR**
Le modèle principal, d'une grande netteté, se détache des autres joueurs de hockey flous, au premier et à l'arrière-plan.

Choisissez un angle de vue

L'angle de vue que vous choisissez est très important. Si vous modifiez, en effet, votre position, vous changez la perspective d'une vue. Vous pouvez apprendre beaucoup de choses sur les lois de la perspective en constatant comment la taille d'un objet change, suivant la distance et la hauteur qui vous séparent de lui.

Visualisez, par exemple, une fontaine devant un bâtiment. De loin, elle paraît petite et le bâtiment grand. Mais au fur et à mesure que vous vous approchez d'eux, la fontaine domine la vue, alors que l'édifice se remarque moins.

Des angles de vue originaux peuvent donner des photos avec un énorme impact. En faisant des photographies au niveau du sol, vers le haut (en contre-plongée) ou vers le bas (en plongée), on peut obtenir des résultats intéressants, même si les sujets sont ordinaires.

En général, des angles de vue bas et rapprochés exagèrent la perspective, tandis que des plans hauts et éloignés la minimisent. De plus, un objectif à grand angle accentue la profondeur des images en donnant l'impression que les éléments au premier plan sont plus grands et éloignés que les petits. Un téléobjectif crée l'effet inverse.

▲ **ANGLES DE VUE**
Un nouvel angle de vue et un autre objectif transforment radicalement l'échelle et la perspective. Bien que la tour Eiffel figure en entier sur la photo, le parterre de fleurs au premier plan attire tout autant l'attention.

▼ ***L'angle de vue rapproché et bas et l'objectif à grand angle donnent une meilleure impression de la hauteur de la tour.***

VÉRIFIEZ !

On peut créer une impression de profondeur grâce à :

❑ **la perspective linéaire** (les parallèles semblent converger vers un point)
❑ **la perspective décroissante** (le même objet paraît plus grand de près et plus petit de loin)
❑ **la mise au point sélective** (un élément très net ressort, tandis que tout ce qui est flou s'estompe)
❑ **la perspective aérienne** (les montagnes paraissent plus pâles au fur et à mesure qu'elles s'éloignent)
❑ **la perspective liée aux couleurs** (les tons chauds et vifs sortent de l'image, les couleurs froides régressent).

Une composition équilibrée

En photographie, le mot équilibre peut signifier beaucoup de choses : mais ce qui nous concerne ici, c'est l'art souvent oublié de composer des photos symétriques ou quasi symétriques.

Le secret d'une bonne composition réside en grande partie dans l'équilibre entre les divers éléments d'une image. Certaines compositions paraissent "bonnes", d'autres non. De plus, l'image ne doit pas nécessairement être déterminée par l'appareil : on peut la recadrer ou la transformer en un carré, un rectangle ou même un cercle. Mais nous y reviendrons à la page 119.

La symétrie

Les enfants adorent la symétrie, mais en acquérant des goûts plus sophistiqués, nous la trouvons souvent trop terne. Bien qu'elle puisse être excessive, cette aversion même pour la symétrie nous pousse à être frappés par une composition parfaitement équilibrée. Elle accentue, en effet, l'impact de la photo, tout en lui donnant une fraîcheur propre à l'enfance.

Les diagonales

Une photo complètement symétrique donne normalement une impression de calme et de stabilité. Mais en "inclinant" la composition et en ajoutant des diagonales, elle devient beaucoup plus dynamique. Ceci est probablement lié à la façon dont nous apprenons à lire : d'un côté à un autre et de bas en haut, suivant un modèle régulier. "Sauter" d'une partie de la composition à une autre ne se fait pas. Aussi, une diagonale rend la photo plus intéressante. Cette impression de mouvement et de dynamisme est sensible même quand le sujet est complètement immobile, comme dans la photo de ces cloîtres, ci-dessous.

Des éléments visuels de base

LA SYMÉTRIE
Les dimensions exactes de certains éléments, comme des bâtiments et des motifs, peuvent avoir l'air frappantes, s'ils sont placés symétriquement dans l'image. Dans cet exemple, la symétrie met en valeur les détails architecturaux des cloîtres.

DES FORMATS ORIGINAUX
Choisir un format approprié est une des décisions les plus importantes à prendre avant de faire une photo. Ici, un format carré aide à restituer la maçonnerie élaborée des cloîtres.

LES DIAGONALES
Les lignes font partie intégrante de toute composition et leur agencement influence l'ambiance de la photo. Ici, le photographe a intégré des diagonales pour créer un effet de mouvement dans cette vue.

◀ **SOUS LES ARCHES**
Ici, le format carré contribue à restituer les détails de l'architecture, dans toute leur précision. Une impression de dynamisme et de profondeur se dégage aussi de cette vue, grâce aux diagonales dessinées par les cloîtres.

Les compositions symétriques

Une photographie symétrique est une image dont une moitié recouvre exactement l'autre, si on la plie en deux, dans le sens horizontal ou vertical. Plus rarement, c'est une image qui est symétrique par rapport à un point central, comme une roue, et que l'on peut plier le long de n'importe quel axe pour obtenir deux moitiés égales. Ces compositions donnent une impression d'équilibre.

Mais il est rare de trouver une vraie symétrie dans la nature : la majorité des éléments symétriques sont fabriqués par l'homme, comme des édifices ou des voitures. Cela dépend aussi en grande partie de votre angle de vue et de la manière dont vous placez votre sujet dans l'image.

Si vous photographiez, par exemple, une maison géorgienne, avec une allée qui mène tout droit à une porte centrale, le meilleur angle de vue serait le centre exact du chemin. Il permettrait, en effet, de mettre en valeur l'architecture minutieuse. Un éclairage par l'avant contribue aussi à renforcer l'effet de symétrie, puisqu'aucune ombre ne déséquilibre la composition.

En raison de l'équilibre parfait des vues symétriques, l'œil se déplace moins sur la photo. C'est pourquoi les motifs font de bons sujets. Des formes qui se répètent, comme les sillons d'un champ, des briques, une grille en fer forgé ou une pile de barils de pétrole, donnent toutes des images symétriques.

▲ DES ARCHES DE TOUTE BEAUTÉ
Des bâtiments permettent de réaliser d'innombrables compositions symétriques. Parmi eux, figure le Taj Mahal, un des édifices les plus photographiés de tous. Le photographe a accentué davantage encore la symétrie en plaçant son appareil exactement au centre d'une arche qui donne sur l'édifice.

◀ UN MOTIF ABSTRAIT
Une symétrie parfaite, une photo que l'on peut plier le long de presque n'importe quel axe pour obtenir deux moitiés égales, est difficile à trouver. Alors, profitez-en. Dans ce motif abstrait d'une verrière, l'attention est attirée directement sur le centre de l'image.

Comment créer une composition symétrique

Il y a de nombreuses autres façons de prendre une photo symétrique, à part trouver un sujet parfaitement équilibré.

Des reflets sur des baies vitrées et sur des lacs et des bassins limpides créent des images inversées naturelles et donnent des clichés symétriques d'éléments asymétriques. Des miroirs permettent aussi d'obtenir le même effet artificiellement. On peut, par exemple, réaliser un portrait original en plaçant un miroir brillant près de son modèle, pour donner l'impression qu'on a à faire à des jumeaux identiques.

La surimpression permet de faire une photographie intéressante basée sur la symétrie, en surimposant deux images identiques sur une seule épreuve. Si vous voulez, par exemple, faire une photo symétrique de quelques fleurs, photographiez-les une fois de façon à ce qu'elles remplissent une moitié de l'image, puis rephotographiez le même sujet sur l'autre moitié du cliché.

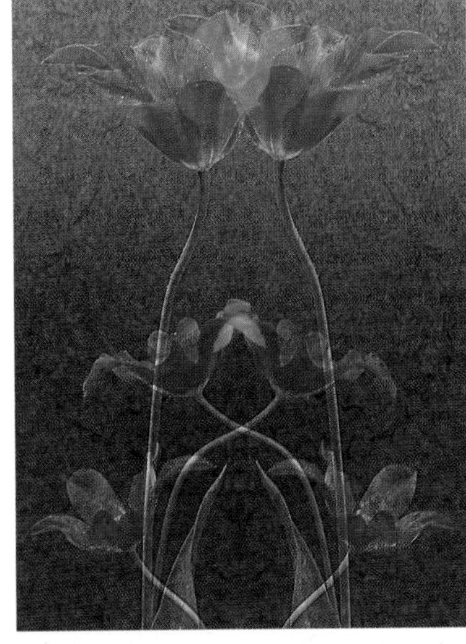

▲ **UNE IMAGE INVERSÉE**
Cette nature morte originale a été obtenue par surimpression. Après avoir pris une photo des fleurs, le photographe a tourné la composition pour faire une seconde photo, ce qui a donné une image inversée.

En plaçant soigneusement l'horizon au centre de l'image, on obtient une symétrie parfaite.

La grande profondeur de champ rend nets à la fois le sujet et son reflet.

▼ **LA MAGIE DU MIROIR**
Le photographe a utilisé un miroir pour créer cette image symétrique frappante du rocher d'Ayer dans l'arrière-pays australien. On peut recréer cet effet soit avec l'accessoire de Cokin, soit en tenant un miroir devant son objectif.

Briser la symétrie

La différence entre la symétrie et l'asymétrie est très ténue. Si vous cherchez à faire une composition symétrique, elle doit être exacte pour être réussie. Sinon, le mauvais alignement le plus infime se remarquera tout de suite.

Pourtant, les images symétriques risquent parfois d'être trop prévisibles, donc ennuyeuses. Dans ces cas, on peut créer un impact en brisant la symétrie par un détail. Par exemple, si vous photographiez un motif, essayez d'ajouter une tache de couleur, une petite zone de rouge ou d'orange qui capte le regard.

Des personnes attirent aussi beaucoup l'attention. Même si elles paraissent assez petites sur l'image, elles contribuent à briser la symétrie efficacement.

Les ombres rompent aussi l'équilibre parfait d'une composition. Si vous photographiez un gratte-ciel éclairé latéralement, les ombres projetées sur celui-ci altèrent la symétrie de l'architecture.

▲ L'OMBRE D'UN OISEAU
Cette photo a un grand impact, parce que l'ombre de l'oiseau sur le bâtiment ajoute une note surprenante à une vue par ailleurs statique. Même le ciel est polarisé de façon à être presque assorti à la couleur des fenêtres.

▲ UN PETIT CONSEIL
On peut souvent donner plus d'impact à une composition symétrique en la rompant d'une manière ou d'une autre. Ce motif diagonal, formé par des crayons, est brisé par la pointe du crayon orange.

VÉRIFIEZ !

Vous pouvez trouver des éléments symétriques :

- ❑ Comme des objets naturels, mais le plus souvent des créations de l'homme, tels des bâtiments et des jardins à la française.
- ❑ Dans des reflets naturels.

Vous pouvez créer un effet symétrique :

- ❑ À l'aide de miroirs qui donnent une image réfléchie de votre sujet.
- ❑ En faisant une surimpression sur la même image.

Mettre en valeur les contours et les formes

Souvent une photo est instantanément attirante, parce qu'elle restitue des contours, une forme, une texture ou un motif caractéristiques d'un sujet. Tous ces élements vous aident à identifier ce que vous voyez.

Dans la vie quotidienne, vous avez tendance à considérer les objets qui vous entourent comme immuables et à accepter leur forme et leur fonction. Mais que remarquez-vous quand vous examinez vraiment de près un objet ?

Essayez d'étudier un bol de fruits et faites une liste des contours, de la forme, de la texture et des inscriptions sur les divers éléments. Puis, décidez quel est leur caractéristique principale dans chaque cas : ce pourrait être la surface grêlée d'une orange, la forme allongée d'une banane ou le motif créé par une grappe de raisins.

Ces quatre caractéristiques visuelles ont un effet combiné sur l'apparence d'un objet. Mais vous pouvez aussi créer des compositions intéressantes en mettant en valeur un de ces éléments et en masquant tous les autres.

Dans les pages suivantes, nous allons étudier les moyens de saisir et de mettre en valeur les contours, la forme et la texture en fonction de l'angle de vue, de la distance focale et de l'éclairage.

▲ UNE ASSOCIATION IDÉALE

On peut utiliser isolément les contours, la forme, la texture et le motif pour réaliser une photo, ou ensemble, comme ici. Les contours lisses de la jeune femme répètent ceux des rochers derrière elle. De plus, le pourtour lumineux contribue à détacher sa silhouette sur le fond d'une tonalité semblable.

LA FORME

Si vous voulez rendre votre sujet réaliste, vous devez suggérer son aspect tridimensionnel. Sur cette photo, les contours du modèle et des rochers sont rendus visibles par les changements de tons.

LES CONTOURS

Un contour audacieux, à deux dimensions, est le moyen le plus simple d'identifier un sujet. Ici, le pourtour lumineux accentue les contours du modèle et du rocher tout proche.

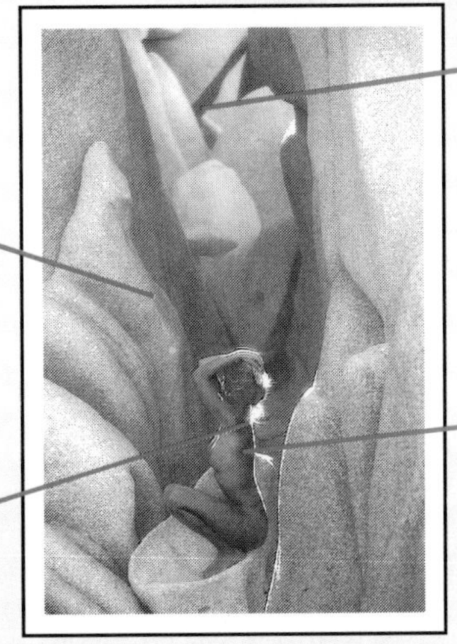

LE MOTIF

Quand les éléments d'une image se répètent, on obtient un motif. On peut en faire le thème d'une photo ou l'utiliser pour créer un fond intéressant, comme ici.

LA TEXTURE

Une autre façon de rendre des photos réalistes est de suggérer la sensation que l'on éprouverait en touchant un sujet. Ici, la peau douce du modèle et le fond lisse sont nettement perceptibles.

Regarder et voir

En apprenant à identifier les divers aspects d'un objet, on peut déterminer quel(s) élément(s) on souhaite mettre en valeur dans une photo :

Les contours délimitent un sujet en deux dimensions ou sa représentation sur une photo. Pour accentuer des contours et les rendre nets, il faut isoler un élément du fond. Songez à un ballon jaune dans un ciel d'un bleu profond ou la silhouette d'une personne.

La forme donne au spectateur de nombreux renseignements sur un sujet, parce que son volume tridimensionnel est aussi perceptible.

La texture est la surface visible d'un objet. Elle rend une photo intéressante en suggérant la sensation que l'on éprouve en le touchant. Visualisez la surface brilliante d'une nouvelle voiture ou l'aspect rugueux d'un tuyau en métal rouillé.

Le motif est la répétition d'objets, de contours ou de couleurs dans un ordre défini ou au hasard. Des contours, des textures et des formes qui se répètent créent tous des motifs réussis : songez à des champs en lopins, des ondulations sur l'eau, une pile de tuyaux de cheminée ou une rangée de soldats à la parade. Certains motifs existent spontanément, d'autres sont créés par l'homme.

◀ **ACCENTUER LES CONTOURS**
Une silhouette est la forme la plus simple qu'une image peut prendre. Comme l'image qui en résulte est graphique et à deux dimensions, son impact est basé sur les contours captivants des branches et du feuillage de l'arbre.

▶ **TROUVER UN MOTIF**
Les bois sont des endroits rêvés pour trouver des motifs, que ce soit pour prendre une vue d'ensemble ou photographier un arbre en particulier ou les nervures d'une feuille. Ici, les lignes verticales audacieuses des troncs de l'arbre attirent le regard vers le haut et vers le bas. Ainsi, chaque centimètre de l'image est examiné par le spectateur.

◀ **RÉVÉLER LA FORME**
L'éclairage est déterminant pour révéler la forme d'un élément. Ici, le volume de l'arbre est perceptible en raison des différences de tonalité dans le feuillage et de l'ombre projetée sur le sol.

▶ **SUGGÉRER LA TEXTURE**
La surface rugueuse de l'écorce est restituée de manière si réaliste sur la pellicule que l'on sait exactement la sensation éprouvée en passant la main dessus.

Mettre en valeur les contours

Les contours sont le moyen le plus simple et le plus important d'identifier un élément. Si vous regardez une photo d'un arbre où seuls ses contours sont apparents, vous l'identifiez immédiatement. Vous pouvez peut-être aussi déterminer le type d'arbre dont il s'agit et la saison pendant laquelle la photo a été prise.

Une fois que vous avez décidé de privilégier les contours d'un sujet, il vous faudra l'isoler, afin que ceux-ci soient nets. Il y a plusieurs moyens de le faire.

Les silhouettes

Une des façons les plus spectaculaires de révéler les contours d'un sujet, c'est de le présenter sous forme de silhouette. Une vraie silhouette élimine la forme, la couleur et la texture d'un sujet, si bien que le spectateur le perçoit par ses simples contours.

Les silhouettes se caractérisent par une simplicité qui capte le regard. Pour être sûr d'obtenir le maximum d'effet, choisissez un fond clair, de pair avec des contours simples et audacieux.

Les contrastes de tons

Un fond simple et contrasté définit nettement les contours de votre sujet. Par exemple, une voile rouge sur un ciel bleu est beaucoup plus frappante qu'une voile bleue.

Si votre sujet peut être déplacé ou si vous pouvez changer votre angle de vue, choisissez vous-même votre fond pour mettre en valeur de beaux contours.

Une mise au point sélective

Les fonds peuvent non seulement créer des contrastes de tons, mais aussi de netteté. Un sujet très net se détache bien sur un fond flou.

Une mise au point sélective est particulièrement pratique quand on ne peut pas changer d'angle de vue pour trouver un fond dégagé.

Une différence de tons suffit à détacher la jambe gauche de la jeune fille sur le fond sombre

Une mise au point sélective évite que le profil de la gymnaste ne disparaisse dans un fond encombré, d'un ton semblable.

◀ **UNE POSE GRACIEUSE**
Une mise au point sélective contribue à détacher les contours de la gymnaste sur un fond déconcertant. Pourtant, chaque détail reste visible pour situer le modèle dans son contexte.

▶ ***Les silhouettes mettent toujours les contours en valeur. Même si les seuls contours du faîte de la mine sont visibles, ils donnent des renseignements suffisants au spectateur.***

▶ **UN TON VIF**
Un fond bleu, tout simple, contribue à définir la couleur et les contours du toit. Le photographe a renforcé le contraste de tons à l'aide d'un filtre polarisant, qui a donné une nuance plus profonde au ciel bleu.

Éclairer les pourtours

Quand la source lumineuse se trouve essentiellement derrière votre sujet, mais aussi au-dessus de lui ou sur un côté, un étroit faisceau lumineux éclaire ses pourtours supérieurs et latéraux. Cette technique, appelée éclairage des pourtours, révèle quelques détails, mais elle met surtout en valeur l'ensemble des contours.

Elle est particulièrement adaptée si vous voulez détacher les contours d'un sujet sombre sur un fond foncé. Par exemple, si vous photographiez à l'intérieur un chat ou un chien noir, éclairé par derrière par la lumière provenant d'une fenêtre élevée, presque tous ses contours seront dotés d'un cerne lumineux.

▲ UN HALO LUMINEUX
Avec des rehauts réduits au minimum (en haut, à gauche), le joueur de tennis ne se détache pas nettement du fond. Mais un éclairage des pourtours (en haut, à droite) l'isole de la foule. Un étroit faisceau lumineux cerne le corps du joueur et illumine ses cheveux, en particulier.

Note

Un dessin abstrait

Des contours simples peuvent donner de belles photos abstraites. En vous approchant de votre sujet, vous pouvez éventuellement dissimuler son identité et créer un dessin graphique intéressant.

La juxtaposition de contours contrastés crée aussi des images abstraites frappantes. Les contrastes permettent d'attirer l'attention à coup sûr sur chaque contour. Choisissez des couleurs audacieuses pour créer encore plus d'impact.

VÉRIFIEZ !

On peut détacher son sujet du fond :

- ❑ En le transformant en silhouette, si bien que ses formes disparaissent.
- ❑ À l'aide d'une mise au point sélective (en créant un fond flou).
- ❑ En choisissant un fond au ton simple et contrasté.
- ❑ En éclairant les pourtours (par l'arrière) de votre sujet, afin qu'ils soient cernés de lumière.

Comment utiliser le mouvement

Vous pouvez restituer la nature même d'une action en une seule photographie, de nombreuses façons. Vous pouvez saisir sur le vif un mouvement, le transformer en une symphonie de couleurs.

Au début de la photographie, les modèles devaient rester immobiles pendant plusieurs minutes, pour que l'image soit nette. Le moindre mouvement aurait donné une photo floue.

De nos jours, de nombreuses personnes restent encore automatiquement immobiles devant un appareil photo, car ils ignorent qu'il est conçu pour prendre en compte les mouvements. Mais non seulement l'appareil photographique moderne saisit parfaitement un mouvement, mais il peut aussi l'accentuer et le mettre en valeur. Il peut même donner l'impression qu'un sujet bouge, quand il est immobile.

Plusieurs techniques permettent de restituer le mouvement sur une photo. On peut saisir sur le vif un mouvement, grâce à une grande vitesse d'obturateur ou à un flash électronique. Sinon, une pose multiple vous permet de restituer une série de mouvements sur une seule photo.

On peut aussi rendre son sujet flou pour donner une impression de vitesse. De plus, des procédés comme les panoramiques ou les zooms rendent aussi une image floue pour suggérer un mouvement.

▶ **SAISIR SUR LE VIF LE SUJET**
Le photographe a choisi une grande vitesse d'obturateur pour obtenir une image très nette de la jeune fille. Il a dû aussi anticiper attentivement le bon moment pour la cadrer au milieu de l'image.

◀ **SUGGÉRER LA VITESSE**
Un panoramique (qui consiste à tourner l'appareil pour suivre un sujet qui se déplace) a permis ici de faire une photo nette de la voiture sur un fond strié, tout en donnant une forte impression de vitesse.

▶ **DYNAMISER UNE IMAGE**
Changer la distance focale d'un zoom pendant la pose produit une série de lignes qui convergent vers les footballeurs. De plus, cela donne un certain dynamisme à une scène statique.

Saisir l'action sur le vif

Une manière spectaculaire de donner une impression de mouvement tout en préservant la netteté des détails, c'est de saisir sur le vif l'action. Plusieurs moyens vous permettent de saisir l'instant exact que vous voulez, sur pellicule.

Une grande vitesse d'obturateur

La technique la plus courante pour immobiliser un sujet est d'utiliser une grande vitesse d'obturateur. Plus un sujet se déplace vite, plus la vitesse d'obturateur doit être grande.

Par exemple, des sujets qui bougent assez lentement, comme des promeneurs, sont saisis sur le vif avec une vitesse d'obturateur de 1/125e de seconde. Quand on photographie des footballeurs en plein jeu, il faut passer à au moins 1/500e de seconde et pour des voitures de course à 1/1000e de seconde, au minimum.

La plupart des appareils reflex permettent de saisir des déplacements rapides, puisqu'ils sont dotés d'une vitesse d'obturateur maximale située entre 1/1000e de seconde et 1/8000e de seconde. Pour leur part, les compacts ont une vitesse maximale de 1/500e de seconde.

Songer à l'angle de vue

Non seulement la vitesse à laquelle un sujet se déplace a une incidence sur le choix de la vitesse d'obturateur, mais la distance qui vous sépare de lui doit aussi être prise en compte.

Par exemple, un cycliste qui passe à quelques mètres de vous, à toute vitesse, se déplace rapidement dans le champ. Vous aurez donc besoin d'une grande vitesse d'obturateur pour le saisir nettement. Mais un cycliste qui est à 50 mètres mettra beaucoup plus de temps pour traverser le champ : une faible vitesse d'obturateur suffit donc.

De même, vous devez prendre en considération le sens dans lequel votre sujet se déplace. Une femme qui court vers l'objectif ou s'en éloigne ne bouge pas beaucoup sur l'image : elle sera donc nette, à une vitesse d'environ 1/60e de seconde. Si elle se déplace parallèlement à l'objectif, il faut régler la vitesse sur 1/500e de seconde.

Une pause en plein mouvement

Une vitesse d'obturateur particulièrement grande n'est pas indispensable pour saisir sur le vif tous les sujets qui se déplacent à grande vitesse. Même avec une vitesse d'obturateur assez faible, on peut obtenir le même résultat, en saisissant un instant culminant.

C'est le moment où votre sujet paraît en mouvement, mais ne bouge pas en réalité.

Par exemple, si vous savez comment tel joueur de tennis se déplace ou si votre sujet répète à votre demande un mouvement plusieurs fois avant la prise de vues, cela vous aide à anticiper la pause.

▲ **DES EAUX CLAIRES**
Une grande vitesse d'obturateur, destinée à saisir sur le vif un mouvement, vous permet de faire des photos spectaculaires. Ici, le photographe a travaillé à 1/1000e de seconde pour obtenir une image parfaitement nette à la fois du sportif et de l'eau.

Compte-tenu de la grande vitesse d'obturateur, le photographe a dû choisir une grande ouverture de diaphragme: la profondeur de champ est donc réduite.

En raison de la forte luminosité, le photographe a pu choisir une grande vitesse d'obturateur, même avec un film lent.

◀ UN DÉPLACEMENT DE FACE
Comme le chien court vers l'appareil photo et non parallèlement à lui, le photographe a pu choisir une vitesse d'obturateur plus faible de 1/60ème de seconde pour obtenir une image nette.

Trouver le bon moment

Quelle que soit la technique adoptée pour saisir sur le vif un sujet en mouvement, songez à appuyer sur le déclencheur juste avant que celui-ci atteigne sa netteté maximale. Ceci permet de prendre en compte le court décalage entre le moment où on appuie sur le déclencheur et l'ouverture de l'obturateur, et d'obtenir à coup sûr une photo unique.

▲ UNE PAUSE NATURELLE
En anticipant exactement le moment où la fillette atteindrait le point le plus élevé de l'arc, le photographe a obtenu une image nette de son sujet avec une vitesse d'obturateur assez faible.

Recours au flash

En cas de faible luminosité, et de nuit, des conditions qui nécessitent une faible vitesse d'obturateur, on peut tout de même obtenir une image très nette avec un flash.

La durée du flash elle-même est très courte : elle varie, en effet, entre 1/500e de seconde et 1/30 000e de seconde, selon le type et la puissance du flash. Comme seul cet instant est saisi sur la pellicule, même le sujet qui se déplace à très grande vitesse peut ressortir nettement.

Pourtant, évitez de compter sur le flash pour saisir sur le vif un sujet en mouvement, si la luminosité est bonne. Si vous choisissez une faible vitesse d'obturation, vous obtiendrez une seconde image floue, saisie par la lumière ambiante.

Apprêtez-vous à faire des photos d'action en série, car la chance a toujours son rôle à jouer. Plus vous prendrez de photos, plus vous aurez de chances d'obtenir exactement l'effet recherché.

VÉRIFIEZ !

Voici un rappel des techniques qui permettent de saisir sur le vif un mouvement :

❏ Plus le mouvement est rapide, plus la vitesse d'obturateur doit être élevée pour obtenir une image nette.

❏ Saisir une pause dans un mouvement vous permet de travailler avec une vitesse d'obturateur plus faible.

❏ Si le sujet avance vers l'appareil photo ou s'en éloigne, on peut le saisir sur le vif avec une vitesse plus faible que s'il traverse le champ de vision.

❏ Utiliser un flash en cas de faible luminosité ou la nuit pour saisir sur le vif tout mouvement.

Le hibou a pris sa propre photo en brisant un faisceau invisible qui a déclenché l'appareil.

Un flash de forte puissance a permis au photographe de peu ouvrir le diaphragme pour obtenir une image d'une netteté maximale.

▲ EN VOL

Un flash est particulièrement pratique pour photographier des animaux qui se déplacent vite ou des oiseaux. Le photographe, qui a dû être très patient, a travaillé avec une vitesse de flash de 1/20 000e de seconde pour obtenir cette photo saisissante.

Note — Un film rapide

Pour obtenir des images de sujets en mouvement saisis sur le vif, il faut utiliser un film rapide de 400 ISO ou plus. En effet, plus le film est rapide, moins il a besoin de lumière. C'est donc une solution idéale si la luminosité est mauvaise et si on utilise des vitesses d'obturateur élevées.

Utiliser artistiquement le grain d'une photographie

Quel que soit le type d'appareil photographique que vous possédez, il est toujours possible d'exploiter le grain d'une photographie pour créer des effets artistiques.

Lorsque l'on exagère délibérément le grain d'une photographie, cela permet de mettre en valeur la forme d'un sujet, laquelle ressort alors beaucoup plus que ses détails, sa texture et ses couleurs.

Vous découvrirez rapidement que certains sujets se prêtent plus que d'autres à une photographie qui offre un certain grain. Une telle photographie soulignant l'atmosphère romantique et douce d'un sujet est particulièrement adaptée pour prendre des portraits ou des paysages bucoliques. Le grain peut également être utilisé pour faire ressortir le caractère triste et morne d'un paysage industriel.

Cette technique est aussi idéale pour transformer des sujets conventionnels en images abstraites attirant l'œil. En fait, l'utilisation du grain d'une photographie pour produire un effet artistique est uniquement affaire d'imagination. Aussi, le mieux est-il encore de faire des essais de cette technique avec différents types de pellicules.

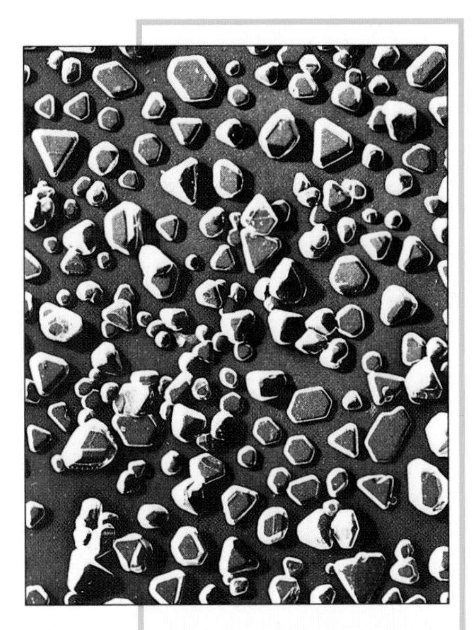

Qu'est-ce que le grain d'une photographie ?

La couche sensible à la lumière d'un film photographique est formée d'une émulsion de petits cristaux d'halogénure d'argent en suspension dans de la gélatine. Bien qu'ils soient microscopiques, le nombre et la taille de ces cristaux déterminent le grain d'une photographie. Les pellicules contenant de gros cristaux d'halogénure d'argent réagissent plus vite : on dit qu'ils sont rapides ; les films lents possèdent de petits cristaux. Les films sont classés selon leur vitesse sur l'échelle ISO (International Standard Organisation) : plus le nombre ISO est élevé, plus ils sont rapides.

Sur la photographie ci-dessus, prise avec un film 400 ISO, on distingue parfaitement les cristaux d'halogénure d'argent.

◀ ***Sur cette photographie, le grain est bien visible, en particulier sur le flanc de la baignoire. Il donne à l'image un caractère romantique. La gamme très restreinte de tons donne une impressions d'image presque monochromatique.***

Accentuer le grain

Il y a plusieurs manières de donner du grain à une photographie. Mais généralement, les photographes professionnels emploient simultanément plusieurs techniques.

Film rapide

La technique la plus simple consiste à charger votre appareil photographique avec un film très rapide — 1 000 ISO ou plus. En général, plus le film est rapide, plus le grain est apparent.

Cette méthode convient aussi bien pour les appareils compacts que pour les appareils reflex à objectifs interchangeables, mais si votre appareil photographique possède la qualification DX — ces deux lettres signifient que l'appareil est capable de régler automatiquement la sensibilité du film avec lequel on le charge — reportez-vous au manuel d'utilisation pour voir quelle est la rapidité maximale de film que l'appareil peut accepter.

Avec un film rapide, si l'éclairage est particulièrement intense, vous aurez peut-être des difficultés à éviter de surexposer vos photographies. Car, à l'origine, les films rapides sont destinés à être utilisés lorsque l'éclairage est très faible. Aussi, vous pourrez tout à fait vous en servir pour prendre des photographies de nuit.

Les films très rapides sont disponibles aussi bien pour des tirages papier — en couleurs et en noir et blanc — que pour des diapositives. Notez également que le grain apparaît plus nettement sur les photographies en noir et blanc que sur les photographies couleurs parce que, sur les clichés en noir et blanc, on distingue réellement les grains alors que, sur les clichés couleurs et les films Ilford XP2, on voit plutôt des zones colorées assez floues. Attention ! Pour vous procurer des films très rapides, il vous faudra passer une commande.

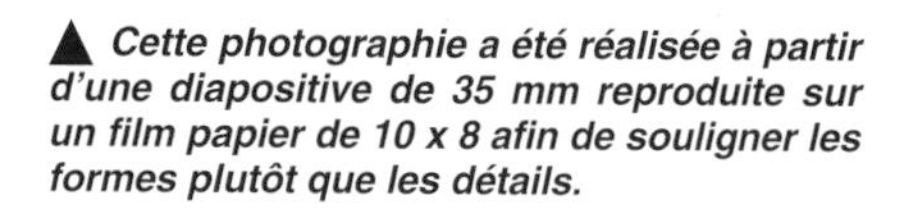

▲ *Cette photographie a été réalisée à partir d'une diapositive de 35 mm reproduite sur un film papier de 10 x 8 afin de souligner les formes plutôt que les détails.*

Agrandissements

Si vous voulez faire ressortir le grain d'une photographie ou d'une diapositive que vouls avez déjà fait développée, c'est assez facile. Il vous suffit simplement d'agrandir une petite partie de l'image. Vous pouvez effectuer vous-même cette opération ou demander un agrandissement à un photographe professionnel. Quant à la taille de l'agrandissement, tout dépend en fait de la rapidité du film, mais un agrandissement par 20 convient généralement.

Cette technique est bonne si vous n'avez besoin que d'une petite partie de la photographie originale pour réaliser un cliché présentant un caractère abstrait. Mais vous ne pouvez pas donner du grain à l'image tout entière à moins que vous ne désiriez un agrandissement important, de la taille d'une affiche ou plus grand encore.

◀ *Le sujet de cette photographie publicitaire est évident, mais le grain donne un côté presque abstrait à l'image.*

Plan focal

Lorsque vous prenez une photographie et que vous souhaitez en faire ressortir le grain, calez parfaitement le plan focal afin d'obtenir une image d'une grande netteté. Le plan de netteté ne coïncidant pas avec le plan focal risque en effet de produire un effet de flou sur le sujet et un résultat décevant quand vous aurez donné du grain à la photographie.

▲ ***Cette photographie a été réalisée avec un éclairage très faible, un filtre adoucissant les couleurs.***

Faire varier la vitesse du film

Une autre technique pour donner plus de grain à une diapositive couleurs ou à une épreuve papier en couleurs ou en noir et blanc consiste à augmenter la rapidité d'un film en réglant l'appareil sur une vitesse de film plus élevée que celle indiquée sur la bobine. Cette méthode ne s'adapte pas bien à de nombreux films papier couleurs mais peut être appliquée avec les pellicules Kodak Ektapress Gold 400 et 1600. Bien entendu, vous ne pouvez utiliser cette technique que si votre appareil photographique dispose d'un bouton permettant de régler la rapidité d'un film. La méthode ne peut donc s'appliquer sur la plupart des appareils compacts.

Pour donner plus de grain aux photographies prises avec un appareil photographique disposant d'un bouton de réglage manuel de la rapidité du film, augmentez de deux divisions le nombre ISO par rapport à celui qui est indiqué sur la bobine. Ainsi, un film 800 ISO est considéré par l'appareil photographique comme un film 3200 ISO.

Lorsque vous donnerez votre pellicule à développer, n'oubliez pas de dire à votre photographe que vous avez volontairement fait varier la rapidité du film et de combien. Pour plus de sécurité, collez une étiquette sur la bobine donnée à développer en y reportant toutes ces indications. Certains laboratoires refusent de développer des pellicules dont la rapidité a été modifiée. En revanche, les grands laboratoires profession-nels ont l'habitude de ce genre de pratique.

Copier

Il existe une autre méthode pour faire ressortir le grain sur une diapositive. Elle consiste à copier l'image d'une diapositive sur un film rapide. Vous pouvez effectuer vous-même cette copie si vous disposez du matériel ou demander à un laboratoire professionnel de le faire. La même technique peut être appliquée avec des pellicules papier. Mais n'oubliez pas, encore une fois, de prévenir le laboratoire auquel vous confiez vos films à développer, que vous avez volontairement fait une copie d'image, sinon, il risque de ne pas développer l'épreuve, pensant qu'il s'agit d'une erreur.

Evidemment, la qualité de l'image finale ne sera pas aussi bonne que celle de la photographie originale. Le contraste des couleurs sera également beaucoup plus accentué, mais ce n'est pas nécessairement un désavantage et cela peut, au contraire, donner une certaine note artistique à la photographie.

Diminuer la lumière

Si vous désirez utiliser un film très rapide avec un très fort éclairage, achetez un filtre neutre 4X ou 8X. Placé devant votre objectif, ce filtre diminue de deux à trois fois l'intensité de la lumière projetée sur la pellicule et vous permet ainsi de régler la vitesse d'obturation sur une valeur moyenne.

Choisissez l'importance du grain

Avec de la pratique, vous parviendrez très vite à trouver quelle est la technique qui vous donne le meilleur résultat. Vous découvrirez également à quel point le grain d'une photographie dépend étroitement de la rapidité du film utilisé. N'oubliez pas non plus que le grain d'une photographie varie d'un type de film à l'autre. Aussi, vous avez tout intérêt à faire des essais avec différentes marques de pellicules.

▶ ***La photographie originale a été prise avec une pellicule papier de 400 ISO. Le grain est à peine visible.***

▲ ***Ce détail de la photographie originale a été agrandi 20 fois. Le grain apparaît sur les surfaces d'un seul ton de couleur. Il est moins visible ailleurs.***

▲ ***La photographie a été prise avec un film de 1600 ISO mais en réglant l'appareil sur 3200 ISO. Le grain apparaît plus nettement alors que de nombreux détails de l'image originale disparaissent.***

▲ ***Avec un film de 3200 ISO, le grain est légèrement moins visible qu'avec un film de 1600 ISO et un réglage de l'appareil sur 3200 ISO.***

▲▶ ***L'image originale — ci-dessus — a été prise avec un film diapositive de 100 ISO. Pour en accentuer le grain, la diapositive a été copiée en laboratoire sur un film papier de 3200 ISO et un agrandissement a été réalisé. Sur la photographie finale — ci-contre — le grain est beaucoup plus visible et les couleurs sont moins saturées.***

Créer une surimpression

La prochaine fois que vous verrez un cliché où le photographe vous semblera avoir appuyé sur le déclencheur exactement au bon moment, observez-le de près, il peut s'agir d'une surimpression. Cette technique vous permettra d'étendre vos possibilités.

▼ *La surimpression vous permettra de composer des photographies fantaisistes. La présence de panneaux de bois à l'arrière-fond aurait pu cacher le "fantôme", rendant le cliché beaucoup moins intéressant. Aussi le photographe a-t-il bien pris soin de bien éclairer la tête et le torse du personnage. Pour que les panneaux de bois restent cependant bien visibles, les bras du "fantôme" sont plus transparents. Pour une photographie de ce type, il vous faudra procéder avec soin afin d'obtenir l'effet que vous souhaitez.*

Le terme de surimpression veut bien dire ce qu'il signifie, c'est-à-dire, effectuer deux expositions sur une seule image, en sorte que deux prises de vues différentes seront enregistrées sur la même photographie.

Il existe deux méthodes pour parvenir à de tels résultats : passer deux fois le même film dans l'appareil, ou bien effectuer ce qu'on appelle une surimpression sélective.

Une série d'images

Vous pouvez exposer un rouleau entier de film deux fois de suite sur tous les appareils de format 35 mm, même les compacts. Prenez tout d'abord une série de photographies, puis rembobinez le film et, enfin, prenez une seconde série de photographies.

Cette technique sera de loin la meilleure si vous souhaitez prendre des sujets éloignés aussi bien dans le temps que dans l'espace, parce que vous pourrez sortir le film de l'appareil entre les deux séries d'expositions. Rappelez-vous de bien marquer votre pellicule, de manière à ne pas oublier plus tard ce qui figure sur elle.

Si vous en êtes à la moitié de votre pellicule, inutile de prendre un rouleau entier de surimpressions. Faites quelques photographies, revenez au début et reprenez d'autres clichés. Seules les premières images se trouveront ainsi exposées à deux reprises.

Surimpression au coup par coup

Vous pouvez aussi créer des effets de surimpression sur seulement quelques photographies de votre film. Si vous possédez un boîtier multiobjectif ou un compact, où le rembobinage peut s'effectuer manuellement, maintenez enfoncé le bouton de rembobinage tout en remontant la pellicule. De cette manière, vous serez en mesure d'effectuer votre seconde exposition immédiatement après la première.

Bouton de surimpression

Une autre solution consiste à employer le bouton de surimpression de votre appareil. Consultez la notice afin de savoir s'il en possède un nombre de boîtiers modernes en ont.

Informez-vous aussi de la manière dont ils fonctionnent. Certains systèmes de surimpression agissent automatiquement, alors que d'autres doivent être ramenés à leur position normale, autrement ils continueront à prendre des photographies au même endroit de la pellicule.

▶ *Les compositions les plus courantes peuvent être relativement faciles à réaliser en utilisant la technique de la surimpression. Mais pour des combinaisons plus complexes, le photographe doit tout d'abord faire un schéma précis sur du papier calque des différents éléments qu'il souhaite voir figurer sur son œuvre. Il lui sera ensuite plus facile de positionner le poisson, la lune et la rivière.*

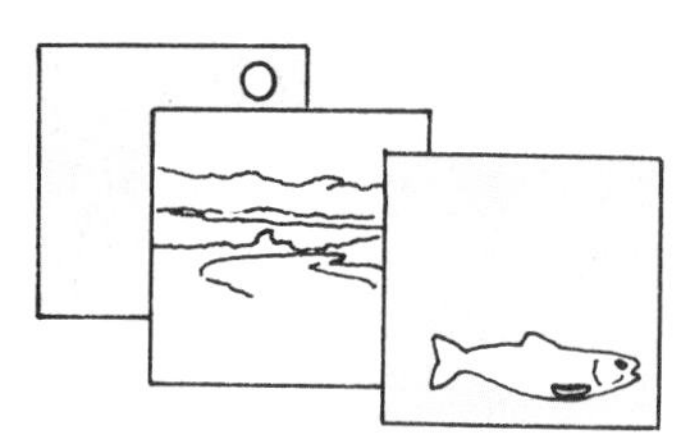

▼ *Avec des sujets aussi peu dociles que des chats, mieux vaut d'abord prendre l'image secondaire de votre composition, ici, la lune, avant de vous intéresser à l'objet principal de votre composition. Pour la lune, employez un objectif à angle de champ étroit.*

Marquer le film

Lorsque vous mettez en place votre film pour la première fois, mesurez bien la longueur de pellicule qui sort de la cartouche. Puis agissez comme si procédiez à un chargement normal. Muni d'un feutre, dessinez alors une marque très fine sur le film, en prenant soin de bien aligner cette dernière sur l'indicateur de chargement qui se trouve au dos de l'appareil.

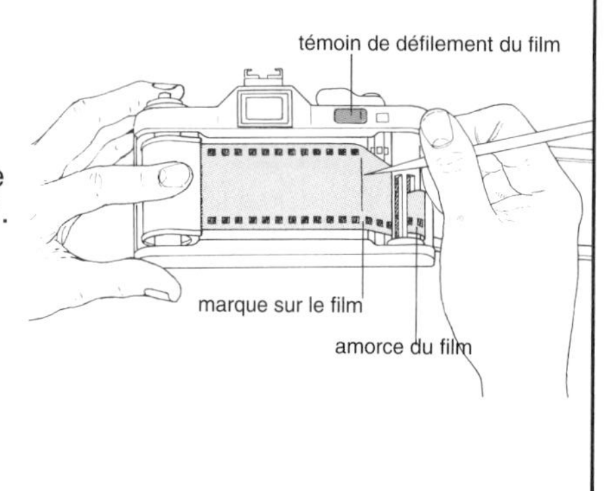

Aligner le film

Si vous désirez effectuer une série de surimpressions, il vous faudra aligner les images de votre film de façon très précise. C'est un travail qui n'est guère facile et réclame une certaine pratique.

Beaucoup de boîtiers disposent d'un indicateur de chargement au dos, qui vous permet de savoir où vous en êtes du déroulement de votre film. Vous pouvez utiliser cet indicateur pour effectuer l'alignement de votre pellicule.

Si vous n'en avez pas, ayez recours à un feutre qui vous permettra de faire des marques sur le film lui-même. Indexez la pellicule comme le montre le schéma qui figure en bas de cette page à gauche, pressez le déclencheur ou actionnez le levier d'armement.

Si votre appareil est motorisé, appuyez sur le déclencheur, ce qui vous permettra d'être certain que le mécanisme de déroulement du film aura fait un tour complet.

Chargement

Chargez votre appareil normalement et prenez vos clichés comme d'habitude. Lorsque vous serez parvenu à la fin de votre film et que vous l'aurez rembobiné, suivez les mêmes procédures de chargement qu'auparavant et assurez-vous de façon précise de l'alignement de votre pellicule en utilisant l'indicateur de chargement.

▲ ***La nuit offre de plus grandes opportunités pour réaliser une surimpression, l'arrière-fond noir permettant de mieux fondre la seconde image sur le première. Ici, le photographe, ayant eu fort peu de temps pour prendre la seconde photographie, a utilisé la technique de la surimpression pour faire une composition***

Récupérer un film

Si votre caméra est dotée d'un système de rembobinage automatique, l'amorce du film sera souvent complètement mangée par la cartouche. Achetez un récupérateur de film pour pouvoir l'en sortir.

Si vous êtes pris de court, improvisez en en fabriquant un, avec un morceau d'adhésif double face fixé à un découpage de carton. Introduisez-le par la fente de la cartouche d'environ 2 centimètres jusqu'au film. Puis faire tourner le rouleau dans le sens inverse des aiguilles d'une montre afin d'amener l'amorce au contact du double face. Tirez alors sur le carton et le film apparaîtra.

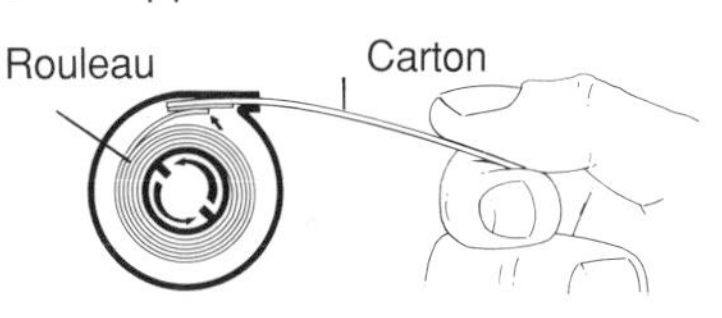

Actionner le bouton de débrayage de l'avance du film

1 TENDRE LE FILM
Après avoir pris une première photographie, tournez le levier d'armement situé sur le dessus de votre appareil, à gauche, dans le sens des aiguilles d'une montre ou dans la direction qu'indique la flèche qui lui est adjointe, jusqu'à ce que sentiez une légère résistance.

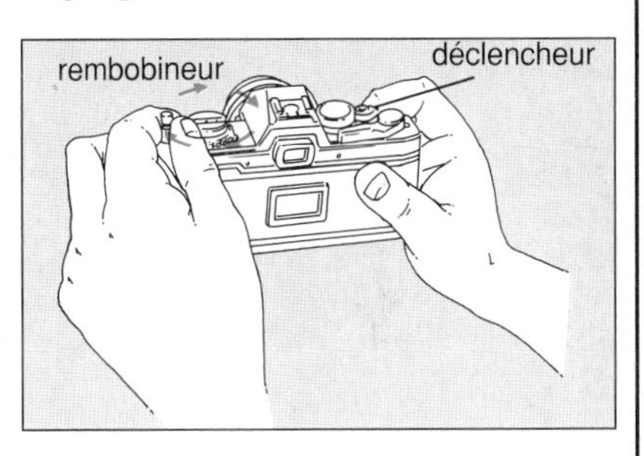

2 PRESSEZ LE BOUTON DE DÉBRAYAGE DE L'AVANCE DU FILM
Tout en maintenant le levier d'armement dans cette position, appuyez sur le bouton de débrayage de l'avance du film, situé à la base de votre appareil.

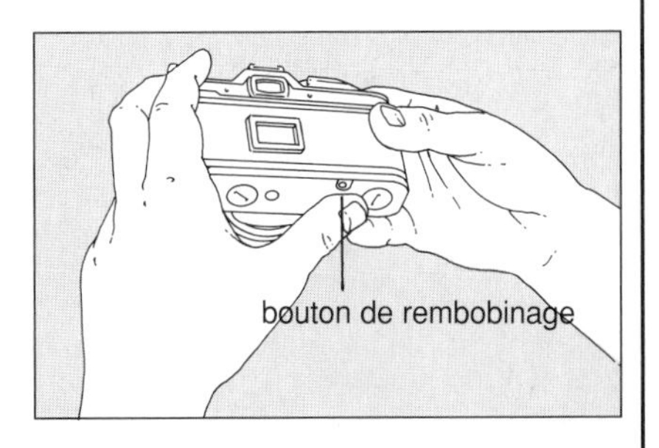

3 DÉCLENCHEMENT DE L'OBTURATEUR
Ce stade réclame un peu de pratique. Agissez sur le levier d'armement pour actionner le déclencheur sans faire avancer votre film. Vous êtes certain à présent d'avoir effectué une surimpression.

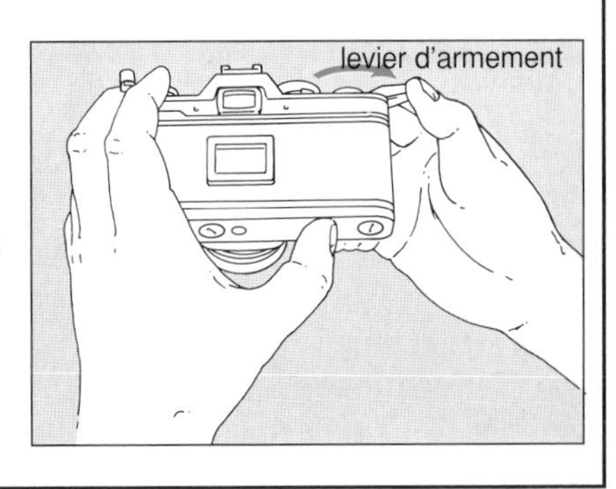

Régler l'exposition

En effectuant plus d'une exposition de la même image, vous accroissez le volume de lumière que reçoit la pellicule. Aussi vos photographies pourraient bien être surexposées. Le plus simple consiste à utiliser des films couleurs papier. Toute surexposition ou sous-exposition pourra être ainsi corrigée au moment développement.

Si vos deux images ont tendance à se chevaucher et que vous employez un film diapositive, sélectionner une plus faible ouverture ou une vitesse d'obturation plus élevée pour chaque exposition.

Il existe plusieurs méthodes pour modifier les réglages relatifs à l'exposition. Vous pourrez avoir recours au moins à l'une d'entre elles, à moins que vous n'employiez un appareil entièrement automatique.

Si vous ne pouvez changer ni l'ouverture ni la vitesse d'obturation de façon manuelle, employez le système de contrôle de correction de l'exposition pour modifier celle-ci.

▶ La surimpression est une technique à laquelle ont souvent recours les photographes publicitaires. Sur ce cliché réalisé en studio, l'artiste, après avoir effectué sa première exposition, a masqué la plus grande partie de l'image avec un carton de couleur noire, puis a effectué une seconde exposition, plus rapprochée celle-là, de la bouteille de vin.

▼ Pensez à la correction de l'exposition. Ici, le photographe a ajouté un cran de plus que ce que lui indiquait son posemètre de manière que les parties non colorées du vitrail apparaissent plus blanches. L'arrière-fond est sous-exposé afin de créer un effet de profondeur.

VÉRIFIEZ !

Les points à se rappeler

- ❑ L'indicateur de prises de vues d'un appareil enregistre le nombre d'expositions. Aussi tenez un compte séparé du nombre de prises de vues vous avez effectuées.
- ❑ Signalez à votre laboratoire que certains de vos clichés ont été soumis à une surimpression, de manière à éviter toute erreur.
- ❑ Si vous repassez deux fois l'ensemble de la pellicule dans votre appareil, vos prises de vues risquent de ne pas être parfaitement alignées. Aussi éloignez les sujets photographiés des coins de l'image.
- ❑ Si vous avez des doutes sur le positionnement d'un sujet que vous prenez deux fois, utiliser un trépied.
- ❑ Faites un schéma de la position exacte du sujet après avoir effectué votre première exposition. De cette manière, vous saurez comment positionner votre seconde exposition.
- ❑ Soyez préparé à affronter quelques échecs au début.

Modifier le cadrage

Modifier le cadrage d'un agrandissement permet dans beaucoup de cas d'accroître l'impact que vous souhaitez lui donner.Vous pourrez ainsi obtenir des résultats dont vous serez fier.

Certains photographes n'apprécient guère la technique du recadrage à l'agrandissement, estimant qu'il vaut mieux bien cadrer une image au moment où on la réalise. Il est vrai que lorsque l'on procède au tirage de l'ensemble d'un négatif, on parvient à une meilleure qualité de l'image que si l'on en sélectionne qu'une partie. Néanmoins, il est posible d'améliorer l'impact d'un cliché en procédant à un recadrage.

Armé de deux barettes en L (voir ci-contre), vous serez en mesure de déterminer quelle partie d'une photographie mérite d'être recadrée. Ayez en tête que, parfois, vous serez contraint de procéder au recadrage d'une importante partie de votre cliché afin de parvenir à une composition plus élaborée qu'à l'origine. Néamoins, souvent, vous n'aurez à intervenir que sur une zone assez peu importante.

Lorsque vous aurez finalement décidé de quelle manière procéder, utilisez un massicot, ou bien un cutter et une règle en fer, pour effectuer le découpage envisagé.

◀ Lorsqu'un photographe prend un instantané d'une personne, son oeil est plutôt attiré par sa tête ou même son dos. En supprimant ici la tête de l'adulte, le photographe a voulu porter l'attention sur le rapport protecteur entre le père en l'enfant et bien marquer la différence de taille des bras.

▼ Recadrer un portrait en éliminant une grande partie du décor qui l'entoure permet de lui conférer un impact beaucoup plus important. Ici, le photographe a voulu attirer l'attention sur l'extrême concentration d'un enfant en train de déguster une glace.

Coupez dans le vif

L'expérience vous apprendra comment

Formes en L

La meilleure façon d'apprécier la variété des images que vous pourrez obtenir en procédant à un recadrage est de vous munir de formes en L, que vous aurez pris soin de bien découper.

Placer les formes en question sur vos tirages ou bien sur les photographies présentées dans ce livre. Ensuite, faites les glisser de manière à modifier le format du cliché, à en repositionner le sujet principal ou à en éliminer certaines parties que vous estimerez superflues.

éviter certains défauts liés à la composition de votre image, à moins que vous souhaitiez ne pas les effacer pour une raison spécifique. Certaines zones brillantes situées à la périphérie d'un cliché attirent immanquablement le regard et peuvent être surpprimées sans grand problème. De la même manière, vous pouvez décider de réduire, en taillant dans le vif, un arrière-fond qui vous semble dominant.

N'hésitez pas à enlever ce qui vous semble superflu. Par exemple, si, pour quelque raison que ce soit, au cours d'une prise de vue, vous n'êtes pas en mesure d'approcher suffisamment le sujet, n'hésitez pas à recadrer votre tirage. Faites de même si vous estimez qu'un portrait que vous avez réaliser apparaît mal cadré.

La technique du recadrage peut être aussi utilisée pour accroître l'impact d'une photographie.

▲ Parfois, certains détails parasites éloignent l'attention du sujet principal d'une photographie. Sur ce cliché du pont de la tour de Londres, quelques bateaux figurent à l'avant-plan afin d'en rehausser l'intérêt. Mais, au bout du compte, ils tiennent une place dominante dans l'ensemble de la composition. La photographie située en haut de la page ci-contre montre de quelle manière le problème a été résolu.

◀ Sur beaucoup de photographies, comme celle-ci, certains personnages ou objets sont coupés en deux, donnant des résultats inesthétiques. La solution consiste à procéder à un recadrage qui permet d'améliorer de façon très sensible la composition du cliché.

Faites-le vous-même

Si vous souhaitez agrandir une partie d'un cliché, ne demandez pas à un laboratoire de s'en charger directement par lui-même. Faites agrandir l'ensemble de la photographie, puis supprimez vous-même les parties qui vous semblent les moins intéressantes.

▲▶ Vous pouvez modifier le format d'une photographie et lui conférer un impact, ou bien mettre plus en valeur un sujet précis.
Sur cet exemple, la suppression d'une partie du paysage qui entoure le phare et le bateau améliore considérablement la composition. Le recadrage redonne aussi au phare ses véritables dimensions.

▶ ***Certaines photographies peuvent donner lieu à différents recadrages qui se révèlent tout aussi intéressants les uns que les autres, en fonction de ce que vous souhaitez faire raconter au cliché. Une image quelque peu ramassée peut être modifiée afin de restituer une impression panoramique, ou fournir une vue beaucoup plus rapprochée.***

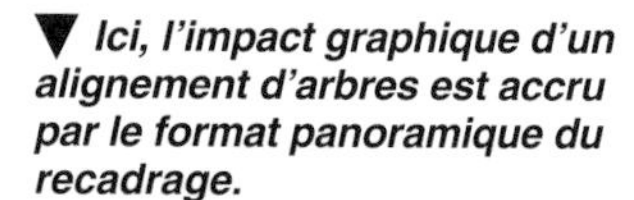

▼ ***Ici, l'impact graphique d'un alignement d'arbres est accru par le format panoramique du recadrage.***

Utilisez vos contacts

Avant de faire agrandir vos recadrages, travaillez en la recomposition sur des contacts. Dessinez les nouveaux cadrages avec un marqueur. Une fois ce travail effectué, procédez à l'agrandissement.

▲ ***Sur ce recadrage, le soleil couchant, en éclairant la machine agricole, confère à la photographie un aspect beaucoup plus artistique qu'informatif.***

◀ ***Lorsque la photographie est recadrée en un format vertical, le regard est attiré par d'intéressantes ombres en zigzag qui parcourent le champ.***

VÉRIFIEZ !

Recomposez vos tirages lorsque vous souhaitez :

❑ supprimer des sujets indésirables.
❑ rapprocher des sujets précis afin d'en accroître l'impact.
❑ attirer l'attention sur des sujets précis.
❑ modifier le format.
❑ tirer plusieurs compositions d'une seule photographie.

DEUXIÈME PARTIE

LES THÈMES

Photographier les paysages

Il faut un œil bien entraîné pour réaliser des photographies de paysages de très grande qualité, mais il faut aussi les bons accessoires et s'armer de beaucoup de patience.

Notre professeur et moi-même roulons pendant au moins un bonne heure avant de nous décider pour un endroit offrant de bonnes potentialités. Celui qui doit m'initier à cette technique me confie alors : "Nous avons de la chance car le soleil du milieu de l'été est sans doute celui qui convient le mieux à la photographie de paysages."

La plupart des récoltes ont été plantées, créant de belles lignes ondulées. Tous les arbres et buissons arborent un feuillage vert très dense qui ne nous offre qu'une palette de couleurs limitée.

Notre professeur a choisi ce point de vue en raison de la variété des arbres qui se trouvent à l'avant-plan et de l'intéressant vallonnement des

▲ *Tel est la photographie que mon professeur attendait avec impatience. Le soleil est assez intense pour éclairer les arbres situés au premier plan, mais pas assez pour que l'ensemble de la scène paraisse trop lumineuse. L'utilisation d'un film Velvia et d'un filtre polarisant permettent de saturer les couleurs.*

Les préparatifs

Mon professeur et moi décidâmes de prendre nos photographies depuis le bas-côté d'une route qui domine le paysage choisi. Le soleil étant au zénith et comme il avait recours à des filtres, mon compagnon, pour éviter tout risque de scintillement, fit un écran de sa main gauche au-dessus de l'objectif. Il employa aussi un trépied pour empêcher tout bougé de l'appareil.

Composer un paysage

Pour réaliser une bonne photographie de paysage, un élément permettant de créer un contraste est essentiel. Qu'il s'agisse d'une couleur plus soutenue qu'une autre, ou bien d'un jeu subtil d'ombres et de lumières, le contraste aboutit toujours à un résultat spectaculaire.

◀ ***On a de la peine à croire qu'il s'agit de la même photographie. Sans la lumière du soleil, l'image est fort plate. Même l'ajout d'un élément de contraste, comme le champ labouré au premier plan, n'a pas permis de donner quelque relief au cliché qu'écrase encore plus un ciel bouché.***

UNE APPROCHE SEREINE

1 ATTENDRE LE SOLEIL
Le soleil étant caché, mon professeur utilisa un filtre polarisant destiné à enrichir les couleurs, un filtre neutre pour assombrir le ciel et un filtre Kodak Wratten 81EF pour donner une coloration plus chaude. Cette première photographie n'est pas assez éclairée, et elle manque de contrastes et d'ombres.

collines placées à l'arrière-fond. Quand nous avons déterminé quelle partie du paysage nous allons photographier, une longue attente du soleil commence. Après que les nuages ont disparu et que mon professeur a commencé à prendre des clichés, je réalise quelle satisfaction peut procurer la photographie de paysages.

Manque de soleil

C'est alors que vient mon tour. Je choisis un boîtier multiobjectif qui peut recevoir toutes sortes de filtres. Armé du Nikon FE2 de mon professeur, d'optiques allant de 35 à 70 mm et d'un film à diapositives Fuji 50 ISO — les films lents sont parfaitement adaptés à la photographie de paysages — je me mets en quête d'un endroit, au bord de la route, d'où je serai en mesure d'effectuer mes prises de vues.

Lorsque je procède à mes réglages, les arbres et les champs baignent dans un chaud soleil d'été. Mais aussitôt que je me prépare à faire ma première photographie, l'astre du jour disparaît derrière une grosse couverture nuageuse qui rend le paysage beaucoup moins attrayant.

Je suis déterminé à ne pas prendre de cliché avant que le soleil ne fasse sa réapparition. Mais, au bout de quinze minutes d'attente, abandonnant tout espoir que cette éventualité se produise, je commence à opérer. Je recule un peu afin d'inclure une bande de terre labourée dans mon cadrage, mais en faisant bien attention de ne pas y mettre trop de ciel bouché. Cependant l'ensemble manque évidemment de lumière. Je suis condamné à attendre encore.

Une image riche

Mon professeur, quant à lui, prend son temps. Il n'ignore pas que, sans soleil, point n'est besoin d'espérer obtenir un résultat intéressant. Aussi se consacre-t-il, en attendant, à différents réglages, de manière à être fin prêt lorsque le soleil se décidera à briller à nouveau.

Il a choisi un FE2 équipé du même objectif que le mien mais a sélectionné un film différent, un Velvia à diapositives aux très riches couleurs, de la même sensiblité toutefois que le 50 ISO dont j'ai chargé mon appareil.

Le recours à des filtres est essentiel pour la photographie de paysages.

2 ZOOMER
En zoomant sur les arbres, mon professeur effaça du cadrage le champ labouré du premier plan et tenta de créer une composition différente. Les ombres produites par les nuages sont intéressantes, mais elles neutralisent les couleurs des feuilles. Le cliché est raté.

3 ESSAYER UN AUTRE ANGLE
Pour ce cliché, mon professeur se déplaça d'une vingtaine de mètres sur la gauche, en sorte qu'il se retrouva directement au-dessus des arbres. Si le premier plan baignait dès lors dans la lumière, l'arrière-fond était désormais obscurci.

Mon professeur en monte un, polarisant, destiné à saturer les couleurs et à gommer quelque peu le ciel nuageux. Un autre, neutre, lui permettra de réduire la luminosité du ciel, tandis qu'un dernier donnera plus de chaleur au cliché.

En combinant un film lent et les trois filtres décrits précédemment, il doit obligatoirement sélectionner une très courte vitesse d'obturation, en sorte qu'il doit avoir recours à un trépied pour éviter tout bougé de l'appareil. Un trépied permet aussi de faire ses réglages et de les conserver jusqu'à ce que la lumière soit bonne. C'est exactement ce que mon professeur a fait.

La réapparition du soleil modifie complètement le paysage.

Utiliser un filtre polarisant

Les filtres polarisants, très utiles pour la photographie en extérieur, ont trois fonctions :

- ❑ obscurcir le ciel et gommer les nuages,
- ❑ réduire les reflets,
- ❑ saturer les couleurs.

Notre professeur utilise des filtres de ce type dans 80 % des clichés de paysages qu'il réalise. Si ces filtres permettent de bien rendre les couleurs naturelles, ils présentent cependant un important défaut, celui de donner à l'image un rendu plus froid. Aussi est-il nécessaire d'avoir recours à des filtres plus chauds, comme le 81EF, qui permettent de compenser ce problème. Il est essentiel de procéder de cette manière lorsqu'on photographie des paysages très verts. Pour pouvoir employer un filtre polarisant avec deux autres filtres — gris neutre et 81EF — on peut avoir recours à un système porte-filtre.

4 LE BON CHOIX Finalement, mon professeur reculant sur la route, opta pour un format vertical, dans lequel il inclut le champ labouré, qui paraît baigner dans la lumière du soleil. Cette photographie bénéficie d'un bon équilibre entre les ombres et les lumières. Son arrière-fond présente par ailleurs un bon contraste. Le filtre polarisant a permis de gommer les détails des nuages.

Compact

❑ **Filtres.** Vous pourrez prendre de bonnes photographies de paysages avec un compact. Une grande variété de filtres existe pour ce type d'appareil, mais l'objectif à focale fixe vous paraîtra bien insuffisant.

❑ **Trépied :** rappelez-vouq qu'un trépied peut toujours vous être utile, quel que soit le type d'appareil.

Réflex

❑ **Câble de déclenchement.** Lorsque vous utilisez un film lent et que vous avez recours à une très basse vitesse d'obturation, sachez que même le fait de presser le déclencheur peut provoquer un bougé de l'appareil. Si vous voulez aborder sérieusement le domaine de la photographie de paysages, faites l'acquisition d'un câble de déclenchement. Ce système réduit fortement les risques de bougé et vous permet de prendre un cliché en vous éloignant du viseur.

❑ **Vitesse d'oburation**
Avec un boîtier réflex, le miroir qui vous permet de voir l'image que vous souhaitez capturer s'escamote lorsque l'obturateur se déclenche de manière à prendre la photographie.
A de faibles vitesses d'obturation, ce mécanisme peut provoquer des problèmes et entraîner un bougé de l'appareil. Quelques boîtiers, dont le FE2, disposent d'un système qui permet d'éviter le problème. Lorsque l'on presse le déclencheur, le miroir s'escamote mais l'image n'est prise que quelques secondes plus tard lorsque tout mouvement de l'appareil a cessé.

Une idylle rurale

Il est souvent plus facile qu'on ne le pense de prendre des clichés d'une grande inspiration à la campagne.

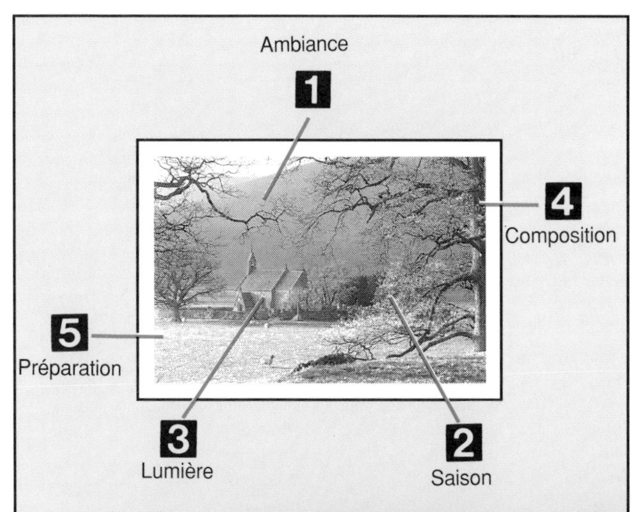

1 Ambiance

Pour les photographies de paysages ruraux, plus l'on se lève tôt, plus l'on peut avoir la chance de profiter de la brume matinale pour rehausser l'intérêt d'une composition.

La brume située à l'arrière-fond d'un cliché peut également contribuer à mettre en valeur le sujet photographié.

▼ ***Sur cette belle photographie, les branches des arbres encadrent de façon parfaite une petite église.***

2 Saison

Chaque saison confère à la campagne des caractéristiques et des couleurs précises. C'est la raison pour laquelle il est préférable de visiter tel ou tel endroit à différents moments de l'année, même s'il ne semble pas très prometteur du point de vue photographique, afin de se rendre compte de quelle manière il évolue.

Peut-être le trouverez-vous plus interesdsant en automne, lorsque les feuilles tombent, parsemant le sol d'innombrables taches rouges et jaunes. Peut-être trouverez-vous le même paysage plus spectaculaire en hiver, lorsque les branches sont dénudées .

▼ ***Un appareil panoramique est parfait pour révéler les riches couleurs de ce paysage.***

3 Lumière

Il est surprenant de constater à quel point une lumière idoine peut transformer un paysage. Essayez de prendre des photographies lorsque le soleil est bas sur l'horizon. Vous obtiendrez de cette manière une lumière à la fois chaude et dorée et reproduirez ainsi de façon parfaite la texture de ce feuillage.

Pensez que des rayons de soleil passant à travers les branches d'un arbres ou par une trouée dans les nuages permettra d'éclairer de la plus belle facçon une maison solitaire.

4 Composition

Il est facile d'être dépassé par la beauté d'un paysage et de prendre des photographies qui, au bout du compte, se révéleront décevantes.

L'erreur serait d'inclure dans une composition une part trop importante de ciel, qui n'améliorerait en rien une photographie. Souvenez-vous qu'un cliché réussi peut parfaitement être dépourvue de ciel. Un appareil panoramique peut vous aider à éviter un tel problème et bien rendre la beauté d'une scène.

Utiliser un trépied est aussi une bonne idée. Pour la photographie de paysages, cet équipement peut être employé de deux manières.

Tout d'abord, il offre la possibilité de réduire la vitesse d'obturation, ce qui permet de régler l'appareil à une moins grande ouverture de diaphragme de manière à disposer d'une plus importante profondeur de champ. Les éléments les plus en avant du cliché seront mis en valeur sans que l'arrière-fond ne perde de netteté.

Ensuite, un trépied permet de calmer la trop grande ardeur du photographe débutant. Si vous êtes contraint de régler celui-ci à chaque fois que vous souhaitez prendre un cliché, alors vous arrêterez de photographier n'importe quoi.

▲ Un peu de réverbération de lumière dans l'angle supérieur droit de ce cliché ajoute à la beauté de la scène, en suggérant que le soleil est bas.

▶ Ici, le photographe s'est levé de bonne heure, de manière à profiter de la brume matinale. Cette photographie met bien en valeur le charme d'un matin d'automne.

VÉRIFIEZ !

Appareil : panoramique ou boîtier multiobjectifs
Objectifs : normalement, un grand angulaire, de 17 à 35 mm, convient mieux.
Film : prenez des films lents (25, 50 ou 64 ISO) et moyens (100 ISO) en cas de changement de lumière.
Support : un trépied est fortement recommandé.
Filtres : un filtre polarisant peut obscurcir le ciel ; lorsque vous utilisez un film noir et blanc, des flitres jaunes, oranges ou rouges peuvent assombrir de ciel pour des résultats plus spectaculaires.
Paresoleil : recommandé.
Lumière : le matin ou à la fin de l'après-midi, le soleil est plus favorable. Mais testez vous-même d'autres conditions d'éclairage.
Moment de la journée et de l'année : selon l'ambiance que vous souhaitez restituer, il est recommandé de se rendre à différents moments à l'endroit que vous voulez photographier.
Autres équipements : sac pour emporter les films et les filtres, plus un autre boîtier chargé de pellicules différentes.

5 Préparation

Selon l'endroit où vous vous trouvez, il vous faudra peut-être parcourir un long chemin si voux avez oublié un filtre important ou si vous êtes à court de pellicule.

Aussi, si vous vous engagez dans une longue expédition à pied, assurez-vous d'avoir sur vous tout ce dont vous aurez besoin avant de partir. Un sac que vous fixerez sur vos épaules grâce à des courroies vous facilitera la vie.

N'oubliez que le temps peut totalement se transformer entre le matin et l'après-midi. Pour cette raison, emportez avec vous des films lents, moyens et rapides, qui vous permettront de bien vous adapter aux variations de lumière.

Un paysage en noir et blanc

▲ *Mon professeur photographia ce paysage onduleux assez tôt le matin. Il s'agit d'une composition fort intéressante qui sait tirer parti de la texture des champs labourés, possède une bonne perspective et profite de l'effet produit par les arbres figurant au premier plan et un peu plus en arrière. Mais la visibilité est bien pauvre, la lumière trop faible et l'arrière-fond trop peu marqué.*

Pour prendre un beau paysage en noir et blanc, il vous faudra porter l'accent sur un puissant contraste entre les différents sujets et bien tenir compte des conditions de lumière et des dégradés.

Quand il travaille avec un film noir et blanc, un photographe doit tenir compte d'un grand nombre de paramètres. Un paysage qui vous coupera le souffle lorsqu'il est pris en couleurs pourrait apparaître bien fade en noir et blanc. Alternativement, une scène offrant de très forts contrastes est parfaitement adaptée à la photographie monochrome.

Alors qu'un beau soleil et un ciel sans nuages sont généralement de bon augure pour celui qui emploie des films en couleurs, il n'en va pas toujours de même pour le photographe qui souhaite utiliser de la pellicule monochrome. Une lumière par trop brillante engendre des ombres tranchées qui peuvent dominer ou encore compliquer la prise de vue d'un paysage. Pour de tels sujets, une journée lumineuse mais également nuageuse est bien mieux indiquée.

Telles n'étaient pas les conditions qui régnaient en ce matin où mon professeur et moi-même avons procédé à ces photographies. C'était un jour froid et brumeux, caractérisé par un ciel bouché et une lumière presque inexistante. La brume réduisait très fortement la luminosité, rendant fort terne la campagne.

Comme il avait fait plus clair de bon matin, nous espérions que les choses iraient mieux et priions pour que le temps s'améliore par la suite. Après une courte marche, nous découvrîmes un pâturage onduleux, en avant

▼ *Parmi mes premières photographies figura ce champ planté de quelques arbres et cette barrière, au premier plan, attirant par trop le regard à mon goût.*

◀ ***Pour cette photographie, j'ai utilisé un objectif de 105 mm braqué sur un arbre dont la silhouette m'a semblé digne d'intérêt. Placer l'arbre sur la droite de ma composition m'a permis d'obtenir un effet pictural plus intéressant, mais le sujet manque de contraste du fait d'une trop faible luminosité.***

Améliorer le tirage

Lorsque vous prenez des photographies en noir et blanc et que la luminosité est insuffisante, conseille notre professeur de photographie, vous pouvez grandement améliorer les clichés au moment du développement et du tirage. Avec un film noir et blanc oridinaire, il est possible d'accroître le contraste en accroissant la durée du développement. Mais cette méthode n'est pas applicable à une pellicule XP2, qui est développée de la même manière qu'un film en couleurs. La seule solution consiste à améliorer le contraste au tirage.

En utilisant du papier de grade 4 ou 5, l'on est en mesure d'accroître le contraste de façon spectaculaire. Sur mon tirage final, le sol et l'arbre apparaissent plus foncés et une faible luminosité semble se dessiner dans le ciel.

Le réglage

L'élève et le professeur ont effectué leurs clichés dans une région un peu boisée, par un jour assez froid, au début de l'hiver. La brume était présente et le ciel bouché, aussi la luminosité était-elle très faible. Les deux photographes ont testé plusieurs possibilités avant de se décider. Ils ont utilisé un Nikon FE2 monté sur un trépied et des films XP2.

UNE SILHOUETTE PARFAITE

1 UNE COMPOSITION PLUS FORTE
Le professeur a commencé par prendre exactement la même scène que son élève, utilisant un objectif de 75-100 mm de manière que l'arbre occupe la place qu'il mérite dans cette composition, voire qu'il la domine. C'est une photographie très intéressante, mais qui, malheureusement, comporte un arrière-fond presque délavé par la brume et un ciel bouché.

duquel trônait un grand arbre qui attira immédiatement l'attention de mon professeur.

Mes clichés

J'effectuai mes réglages par rapport à la route, employant un boîtier Nikon FE2 monté sur un trépied et un objectif de 35 mm. Par commodité, j'avais chargé mon appareil avec un film noir et blanc Ilford XP2, qui peut être développé par le même procédé d'une durée d'une heure qu'une pellicule couleurs.

Ma première photographie porta sur un champ de grandes dimensions dans lequel figuraient quelques arbres.

Rechercher les contrastes

Mon professeur eut une approche différente de la même scène. Il utilisa lui aussi un Nikon FE2, un film XP2 et un trépied, mais choisit un zoom de 75-100 mm qui lui permit de prendre l'arbre de plus près. Celui-ci, se détachant bien sur le ciel, rendait la composition plus intéressante. Mais le ciel en question étant bouché, nous fûmes obligés d'aller voir ailleurs.

Nous photographiâmes des collines boisées mais la faible luminosité et la brume nous jouèrent le même tour. Comme les conditions atmosphériques empiraient, nous décidâmes que la meilleure façon de réaliser des clichés décents était d'oublier ce pourquoi nous étions sortis — les paysages — et de nous intéresser à des sujets particuliers tels que les arbres.

Ce ne fut qu'à la fin de cette journée particulière que nous trouvâmes l'arbre que nous recherchions, au milieu d'un champ labouré, un arbre qui se détachait bien sur le ciel. Lorsqu'il prit son cliché, mon professeur profita d'un peu de lumière qui filtrait, donnant au ciel une facture plus intéressante.

▼ ***À partir de ce négatif de film XP2, mon professeur a fait réaliser des contacts qui lui ont permis de sélectionner les meilleurs clichés.***

2 UN CONTRASTE MAXIMUM
Alors que la lumière du matin commençait à perdre de son intensité, mon professeur put prendre la photographie qu'il souhaitait. Il s'engagea dans un champ labouré et boueux afin de réaliser le cliché de ce vieil arbre majestueux. Il s'appliqua à le faire se détacher sur un ciel bouché où pointaient quelques raies de lumière. Tirer cette photographie sur un papier à plus grande dureté a permis d'en accroître le contraste.

Compact

Les tirages que vous pourrez obtenir avec un film XP2 vont en général du rouge au bleu en passant par le sépia. Vous pourrez spécifier à votre laboratoire de quelle teinte vous souhaitez disposer lorsque vous y laisserez votre pellicule. Curieusement, les tirages noir et blanc sont les plus difficiles à rendre. Pour avoir un vrai tirage monochrome, demandez qu'il soit fait sur un papier classique.

Réflex

Pour être certain que tous les détails de vos photographies seront bien nets, utilisez une ouverture de diaphragme de f8 ou f11. Aucun objectif ne donne de bons résultats à ses ouvertures maximale et minimale. Sur un cliché surexposé, des détails qui rendent un arbre photographié en hiver si intéressant seront gommés.

▶ ***Par une journée trop peu éclairée, une autre solution consiste à se concentrer sur des détails. Notre professeur a utilisé un objectif de 50 mm pour mieux révéler l'écorce striée de cet arbre. Le contraste a été accentué au tirage afin de rendre encore plus intéressante la photographie.***

▼ ***Voici le cliché le meilleur que notre professeur de photographie a pris au cours de cette journée. Celui-ci aurait été de plus grande qualité s'il avait été pris avec une pellicule noir et blanc ordinaire. Notre professeur ajoute qu'il aurait pu arranger cela en prolongeant un peu le développement, ce qui n'est guère possible avec un film XP2.***

Couchers de soleil

▲ **SPLENDEUR DU SOIR**
Cette photographie classique d'un coucher de soleil met l'accent sur la beauté du ciel, au moment où le soleil s'apprête à disparaître en dessous de l'horizon. Un bon chronométrage est essentiel, car vous ne disposerez que de quelques secondes pour réaliser votre cliché avant que l'astre du jour ne s'efface.

Aucun sujet ne sera aussi spectaculaire et inspiré qu'un coucher de soleil. Le secret de la réussite consiste à intégrer dans ce beau spectacle des éléments soigneusement sélectionnés, tels que des arbres et des nuages.

Il est facile de prendre de magnifiques photographiques de couchers de soleil. Mais si vous prenez le temps de bien en étudier la composition, vous serez amplement récompensé.

Comme vous n'aurez guère le temps de changer de film ou d'objectif, il vous faudra avoir tout préparé et attendre le moment opportun. Aucun coucher de soleil ne ressemble à un autre, aussi prenez beaucoup de photographies de manière à disposer du plus grand nombre possible de palettes de couleurs de ciel.

Réaction instantanée

N'attendez pas après le moment parfait pour appuyer sur le déclencheur — celui-ci ne risque pas de se présenter avant longtemps et vous raterez une opportunité. Si vous tombez sur un coucher de soleil exceptionnel, prenez-le tout de suite. Soyez prêt à opérer à tout instant.

▶ **SILHOUETTE SOLITAIRE**
Une silhouette solitaire se détachant sur le ciel donne un résultat des plus spectaculaire. Ici, la présence d'un vieil homme permet de créer un effet intéressant. Noter la mumière du soleil en train de se réfléchir sur une vague qui vient mourir sur la plage.

▲ **PHOTOGRAPHIE SYMÉTRIQUE**
Pour prendre ce cliché d'une très grande force, le photographe a tourné autour de l'Albert Memorial, à Londres, jusqu'au moment où ce monument s'est trouvé entouré par des arbres qui lui ont permis de créer un intéressant effet de symétrie.

◀ **MISE EN VALEUR**
Dans ce cas précis, le coucher de soleil permet de mettre en valeur la silhouette de deux oiseaux de mer posés sur une rambarde. Plusieurs éléments concourent à conférer un grand impact à ce cliché : les deux oiseaux orientés dans un sens différent, le léger décrochement de la rambarde et l'angle que forme cette dernière par rapport à la photographie.

◀ MAJESTÉ DE LA MONTAGNE
À n'importe quel moment de la journée et à n'importe quelle saison, les montagnes constituent un excellent sujet. Dans un tel cas de figure, vous pourrez prendre le soleil à deux reprises : du pied d'une montagne ou d'un point dominant. Sur cette photographie, la présence d'une abondante végétation au premier plan confère une profondeur intéressante à la scène.

Mauvaise exposition

Prendre des couchers de soleil comporte certains dangers, notamment celui de surexposer vos clichés et de ne pas restituer parfaitement la scène originale. Si la couleur du ciel constitue le sujet central de la photographie, utilisez un posemètre qui vous permettra de connaître le moment où la luminosité sera d'une intensité moyenne.

▶ BELLES SILHOUETTES
Sur ce cliché, le photographe a bien su tirer parti des lignes horizontales que forment les nuages qui se détachent sur les chaudes couleurs créées par le soleil couchant et de l'alignement vertical des arbres et de leurs branches. En regardant de plus près, on discerne bien la richesse de la composition de cette photographie.

◀ **PAYSAGE INDUSTRIEL**
Un sujet imposant tel qu'une usine peut constituer une composition des plus spectaculaires s'il est photographié au moment où se couche le soleil, alors que la plus grande partie du ciel n'est plus éclairée, formant un dôme plus sombre.

▲ **LUNE ET SOLEIL**
En prenant ce coucher de soleil, le photographe est parvenu à capturer la lune, petit point lumineux dominant les formes caractéristiques d'un bateau à aubes sur un quai de la Nouvelle-Orléans. Les reflets de la lumière sur le fleuve confèrent au cliché une ambiance chaude et particulière.

▼ **FORMES EN NÉGATIF**
La qualité d'une image reproduisant des silhouettes d'arbres dépend des effets de lumière entre les branches. Ici, les branches massives aux formes tortueuses de l'arbre situé au premier plan permettent d'obtenir les effets les plus intéressants. L'arbre le plus petit donne au cliché à la fois sa profondeur et sa perspective. Noter les tons orange et vert très particuliers de la photographie et la masse noire du plus bel effet située à sa base.

Photographier l'eau

La photographie de paysages ne s'arrête pas qu'à la terre, elle concerne également, comme nous l'avons déjà vu, le ciel, mais se rapporte aussi à l'eau. Promenez-vous par exemple dans un port.

Essayez différents formats. Une image verticale vous permettra de réaliser des clichés agencés autour d'un mât de grandes dimensions. Une image horizontale sera bien adaptée aux lignes d'une coque. Par ailleurs, intéressez-vous à des détails, comme les amarres, les filets de pêche et les coques des bateaux.

▲ DÉTAILS DÉCORATIFS
Selon les régions où vous opérerez, la décoration des coques sera très différente, vous permettant de prendre des clichés très variés. Certains détails mériteront votre attention, comme ces yeux dessinés de chaque côté de la proue de ce bateau.

▲ ALIGNEMENT DE BATEAUX
Photographier un alignement de bateaux permet de bien mettre en valeur leurs similitudes ou leurs différences. Une façon de procéder consiste à se placer à l'extrémité d'un quai et à prendre un cliché vertical afin de donner à la composition une impression de profondeur et une belle perspective.

◀ FAITES SIMPLE
Les bateaux comportent des câbles, des cordes, des voiles, des attaches, des filets de pêche qui peuvent constituer autant de détails intéressants à saisir sur la pellicule. Mais, parfois, le photographe doit se concentrer sur un détail précis afin d'éviter une surcharge de l'image. Noter, ici, les jeux de lumière sur le filet et à la surface de l'eau.

▲ **UNE QUESTION DE COULEURS**

La plupart des bateaux sont repeints une fois par an. Aussi constituent-ils pour les photographes de très beaux sujets. Si votre appareil supporte des filtres, utilisez-en un qui puisse permettre d'enrichir les couleurs. Une fois celui-ci monté sur votre boîtier multiobjectifs ou votre compact, jetez un œil dans le viseur et faites un réglage qui conférera aux couleurs leur profondeur maximale.

◀ **DES ENFANTS ET DES BATEAUX**

Les quais ou les rivages offrent souvent des points de vue élevés d'où vous pourrez prendre de très belles photographies dominantes. Pointer dans ce cas précis l'appareil vers le bas permet de bien mettre en valeur certaines lignes convergentes et de porter l'accent sur les deux enfants, qui constituent le sujet principal du cliché.

▲ UN LAC EMBRUMÉ
À l'aube, tout est calme et tranquille. Les rayons du soleil n'ont pas encore dispersé la brume. Cette photograhie, utilisant un objectif grand angulaire, permet de bien mettre en valeur le très beau dégradé que constitue le ciel d'un bleu profond qui se reflète dans l'eau et la couleur blanche très pure de la brume.

◀ SUR UNE JETÉE
Le soleil et l'eau assombrissent ou éclairent alternativement les coques vernies de ces barques. En prenant son cliché dos au soleil, le photographe a bien mis en valeur les dégradés de couleurs et les jeux de lumière.

▲ **DANS UN PORT**
Sur ce cliché, le photographe a choisi un point de vue assez éloigné du sujet — le bateau de pêche amarré à un quai — afin de le faire se détacher sur un riche arrière-fond constitué d'immeubles. Il a utilisé dans ce cas un téléobjectif.

▲ **DES REFLETS DANS L'EAU**
Une eau quelque peu agitée permet de déformer et de casser les reflets de ce bateau. Zoomez sur les reflets pour donner une connotation un peu abstraite au cliché, ou incluez-y une partie de la coque afin de disposer d'un point de référence.

◀ **BATEAUX EMPILÉS**
Vous n'êtes pas obligé de ne plus photographier de bateaux parce qu'ils ont été tirés à terre pour l'hiver. Ici, les ombres produites par un faible soleil d'hiver permettent de mettre en valeur les formes des coques et celles de la peinture qui s'écaille.

Par tous les temps

Le mauvais temps ne doit pas vous empêcher d'emporter votre appareil où vous le souhaitez et de prendre de très beaux clichés

Les photographes sont souvent rebutés par le mauvais temps, et ils ne sortent avec leur appareil que lorsqu'il fait beau. Pourtant, on peut prendre des photographies de très grande qualité même si les conditions atmosphériques ne sont pas idéales.

Dans les pages qui suivent, nous étudierons comment réaliser des photographies de la neige et de la glace. Vous serez en mesure de prendre des clichés tout à fait spectaculaires d'un ciel chargé de neige, d'une végétation prise dans le givre et les chutes de neige, à condition de bien vous y prendre et d'utiliser votre appareil à bon escient.

Le givre, la neige et la glace ne sont pas les seules conditions difficiles dans lesquelles vous pourrez prendre des photographies de qualité. Nous vous montrerons aussi comment procéder lorsque vous rencontrerez de la brume ou du brouillard. Beaucoup de techniques que vous apprendrez sont également applicables à la pluie et valent aussi bien, pour la brume de chaleur que l'on rencontre de façon courante par temps chaud.

▲ LA BEAUTÉ DE L'HIVER
Une chute de neige a transformé ce paysage en une véritable scène de conte de fées. La réverbération de la lumière provoquée par la neige et les nuages met en valeur chaque détail. Une faible vitesse d'obturation a permis de rendre floue la chute d'eau.

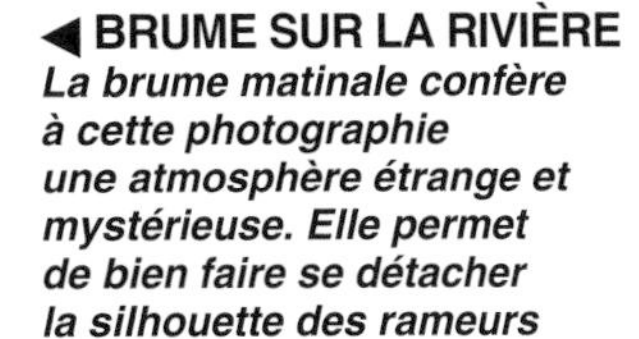

◀ BRUME SUR LA RIVIÈRE
La brume matinale confère à cette photographie une atmosphère étrange et mystérieuse. Elle permet de bien faire se détacher la silhouette des rameurs sur le fond .

▶ TEMPS ORAGEUX
Les éclairs sont une des manifestations les plus spectaculaires d'un orage. Pour réaliser de tels clichés, il vous faudra un trépied et une exposition prolongée.

Photographier la neige

Depuis les paysages enneigés jusqu'aux cartes postales de Noël, la neige offre de merveilleuses opportunités aux photographes. Les flocons fraîchement tombés permettent les compositions les plus intéressantes parce qu'ils sont d'une blancheur immaculée.
Mais la neige a elle seule ne suffit pas à faire une belle photographie. Il faut y inclure des détails qui donnent de l'intérêt à la scène, en cassent la monotonie. Un arbre, une personne, une rivière fournissent des centres d'intérêt de qualité.
Exposition. La chose la plus importante dont il convient de se souvenir lorsque l'on photographie de la neige est la réverbération qu'elle produit. Ce phénomène peut entraîner des problèmes désagréables, notamment la sous-exposition d'un cliché, en faussant les chiffres que vous donnera votre posemètre. La neige apparaîtra alors plus grise que blanche.
Vous devez donc penser à compenser cela en fonction d'un certain nombre de paramètres. Si la neige occupe la totalité de votre cadrage, ajoutez un cran à un cran et demi d'ouverture. Si la moitié de votre cadrage comprend un beau ciel bleu, ajoutez un demi-cran à un cran.

▶ SOLEIL COUCHANT
Un soleil couchant hivernal permet de faire baigner ce paysage dans une couleur rose très chaude. Sans cette lumière, la scène aurait manqué à la fois des couleurs et des ombres nécessaires à la mise en valeur des différents éléments qui la composent.

◀ UN ARBRE EN HIVER
La neige qui recouvre le sol permet de réaliser des compositions simples mais de bon aloi. Sur cette photographie, la combinaison du ciel très bleu et du sol couvert de neige permet de dessiner parfaitement la silhouette d'un arbre dépourvu de feuilles.

Portraits. Qu'ils se livrent à une bataille de boules de neige, qu'ils donnent la touche finale à un bonhomme de neige ou qu'ils dévalent la pente d'une colline, les enfants constituent de bons sujets à photographier dans ce cas précis.

La neige est également bien adaptée au portrait en extérieur, mais il vous faudra prendre un certain nombre de précautions, afin de définir la meilleure exposition possible, en prenant une mesure sur le visage de votre sujet ou sur votre propre main.
Altération des couleurs. La neige, en reflétant les couleurs ambiantes, peut grandement modifier l'ambiance

▲ **UN PAYSAGE BLEU**
Ce paysage semble coloré en bleu en raison du reflet provoqué par un ciel parfaitement dégagé sur la neige. Ce phénomène accentue l'impression d'isolement de la maison située au centre du cliché ainsi que l'effet de froid.

d'une photographie. Lorsque le soleil est bas sur l'horizon, elle peut tourner à l'orange, voire au rose. La position de l'astre du jour dans le ciel peut également bien révéler les contours d'un paysage.
Vous préférerez peut-être tirer parti de l'effet de froid que peut rendre la neige qui reflète un ciel très bleu. Dans ce cas, utilisez un filtre bleu pâle ou un film au tungstène afin de tirer profit de l'effet produit par une couleur aussi froide.
Prendre des flocons en train de tomber est très spectaculaire. Une vitesse d'obturation de 1/125e de seconde sera parfaitement adaptée à ce type de prise de vue, mais une vitesse de 1/30e de seconde permettra d'obtenir un effet de flou assez intéressant.

Protection

Si vous utilisez votre appareil à l'extérieur en hiver, il convient de prendre un certain nombre de mesures de protection. Mettez-le dans un sac plastique dans lequel vous aurez pratiqué un trou pour laisser passer l'objectif. Fixez un filtre UV et un parasoleil sur ce dernier.

Par temps froid, les piles peuvent cesser de fonctionner. Aussi tenez votre appareil sous votre manteau entre deux clichés et emportez avec vous des piles de rechange, à la fois pour votre appareil et votre flash.

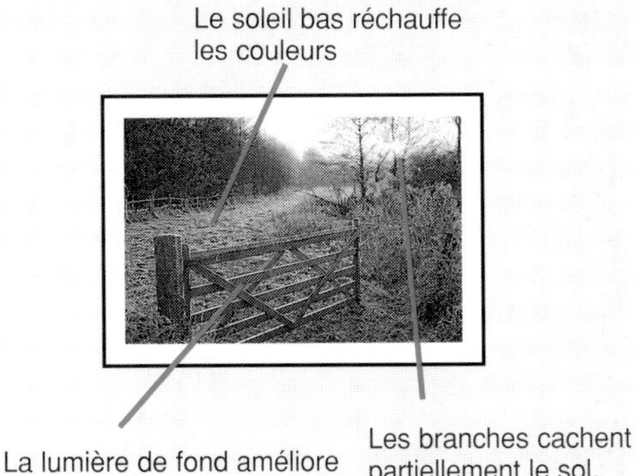

▶ **UNE ALLÉE BORDÉE D'ARBRES**
Lorsqu'elle est très épaisse, la neige atténue les couleurs et les formes, donnant l'impression d'une photographie monochrome. Dans ce cas, faute d'autres éléments, l'attention est immanquablement attirée par la perspective que forment les deux rangées d'arbres.

Givre du matin

Par temps froid, l'eau recouvre tout de givre. Vous devrez donc vous lever de bonne heure pour prendre des photographies, avant que celui-ci ne fonde, mais vos efforts s'en trouveront amplement récompensés.

Prenez vos clichés de bas afin de provoquer un contraste intéressant entre des branches recouvertes d'un givre de couleur blanche et le ciel souvent bleu qui accompagne les matins froids. Utilisez un filtre qui accentuera la profondeur du bleu du ciel et augmentera ainsi les contrastes.

Les toiles d'araignées prises dans le givre sont spectaculaires, spécialement lorsque le givre commence à fondre. Placez votre appareil de façon que le soleil se reflète dans la glace et photographiez le sujet sur un arrière-fond flou.

La glace

La glace elle aussi peut permettre de réaliser des photographies attrayantes, du plus bel effet. Observez les stalactites accrochés aux gouttières ou aux pare-chocs des automobiles. Photographiez ceux qui pendent aux fenêtres en utilisant un téléobjectif ou un macro de manière à les prendre plein cadre.

Lorsque vous photographiez des stalactites de glace, vous pourrez créer une belle composition en les prenant face au soleil. Pour ce faire, sélectionnez une petite ouverture de diaphragme.

▲ Pour prendre d'aussi belles photographies d'une végétation recouverte de givre, tout ce que vous avez à faire est de vous lever tôt. Ici, le photographe a employé un téléobjectif de 80 mm afin de faire tenir son sujet dans la totalité du cadrage.

◀ STALACTITES DE GLACE
Les stalactites constituent une excellente occasion de prendre de bonnes photographies. Ici, le photographe a bien pris soin d'effectuer sa prise de vue face au soleil afin de révéler la texture et la transparence de son sujet.

Matins brumeux

Les matins brumeux sont un phénomène très courant à certaines époques de l'année. Écoutez la météo et levez-vous dès l'aube si vous souhaitez tirer parti de toutes les opportunités qui se présenteront.

▲ **UN ARRIÈRE-FOND ADAPTÉ**
Des détails intéressants comme ce treuil peuvent ne rien rendre du tout s'ils tendent à se confondre avec un arrière-fond de la même couleur. Le simple fait de revenir au même endroit par un petit matin brumeux permettra de réaliser un cliché de qualité dans lequel l'arrière-fond mettra parfaitement en évidence le centre d'intérêt choisi. Ici, la brume met bien en évidence la manivelle.

▼ **UN DÉTAIL ESSENTIEL**
Du fait même de ses caractéristiques, la brume permet de créer des photographies dans lesquelles on retrouve des nuances de gris dominantes et des ombres subtiles. Des images comme celle-ci ont un impact très fort du fait même de leur simplicité. Mais il faut bien faire attention à y inclure des détails qui lui donneront une signification propre. Ici, le photographe a eu la chance de pouvoir y placer des cygnes et un cheval.

D'heureuses surprises attendent parfois le photographe chanceux. Des bancs de brume recouvrant la ville atténuent les formes anguleuses des immeubles, transformant des paysages habituellement colorés en des mondes étranges et irréels faits de blanc. La brume épaisse peut mettre longtemps avant de se dissiper, aussi disposerez-vous souvent d'une heure ou plus pour trouver la bonne composition.

La brume qui stagne très bas est une bénédiction pour le photographe capable de se lever très tôt. Recouvrant le sol ou affleurant l'eau, elle peut cependant disparaître en aussi peu de temps qu'il n'en faut pour le dire.

◀ **UNE VILLE CACHÉE**
Certains endroits sont plus touchés que d'autres par des phénomènes comme la brume stagnante. Visitez régulièrement telle ou telle région afin d'en étudier les particularités et prévoyez d'y prendre des photographies de bon matin. Sur ce cliché de la ville de Singapour, le temps n'est pas le seul responsable de la brume, la pollution y compte pour beaucoup.

▶ **UTILISEZ UN FILTRE**
Un excès de blanc ne fait pas une photographie en couleur. Si vous avez la chance de pouvoir photographier un paysage embrumé au moment du lever du soleil, vous obtiendrez des tons orange et doré du plus bel effet. Si tel n'est pas le cas, ayez recours à des filtres, notamment jaune. N'employez pas de filtre vert ou violet.

Enveloppez votre appareil

Par temps froid, de la condensation peut se former sur votre appareil. Aussi pensez à le protéger en l'enveloppant dans un sac en plastique au moment de sortir et laissez revenir votre équipement à la chaleur de la pièce lorsque vous serez de retour.

▼ **BRUME DE CHALEUR**
La chaleur dégagée par le soleil levant entraîne un phénomène de brume qui ne dure guère longtemps en général. Aussi, eu égard au peu de temps dont vous disposez, dépêchez-vous de prendre quelques clichés. Sur cette photographie, la brume qui recouvre les collines distantes sera dispersée en quelques minutes seulement par l'astre du jour.

◀ **DES CONTRASTES ATTÉNUÉS**
Orienter son appareil en direction du soleil revient à prendre des photographies très contrastées présentant des zones d'ombres et de lumière accentuées. La brume permet de réduire de façon importante ce phénomène et d'obtenir des clichés originaux, comme celui-ci, dont le temps de pose a été prolongé.

▶ LES TOITS DE ROME
La brume permet de gommer certains détails indésirables de fond. Les effets intéressants, comme cette fenêtre éclairée par le soleil, à Rome, ne subsistent que peu de temps. Préparez votre prise de vue avec le plus grand soin si vous souhaitez prendre des photographies de cette qualité.

Note **La météo**

Pour éviter toute déception, pensez à vous informer du temps que vous rencontrerez lorsque vous entreprendrez une expédition photo. Si de la brume est prévue, prenez la précaution de partir très tôt le matin afin d'éviter de perdre du temps.

◀ COLLINES LOINTAINES
La brume permet de restituer l'impression de distance. Noter, sur ce cliché, un dégradé subtil qui fait que les collines les plus éloignées apparaissent plus pâles que celles situées au premier plan.

Paysages de montagne

La montagne offre au photographe paysagiste de grandes satisfactions, mais, pour réaliser des images fortes, il vous faudra trouver des points de vue intéressants. Notre professeur nous emmène dans les collines escarpées et rocailleuses de l'Espagne afin de nous expliquer de quelle façon il convient de procéder.

Les montagnes d'Andalousie, au sud de l'Espagne, offrent des possibilités de prises de vues en tous points spectaculaires. Leurs contreforts onduleux sont couverts d'une végétation assez fournie et d'oliviers. Mais, un peu plus haut, le paysage devient plus rocailleux, difficile d'accès et plus spectaculaire. Notre professeur décide donc de faire des photographies de ces deux types de paysages.

Nous nous mettons en route par une matinée de printemps claire et ensoleillée et roulons environ une demi-heure avant d'atteindre des collines verdoyantes. Éclairés par la lumière du matin, les oliviers plantés sur les pentes pourraient constituer un beau sujet de photographie. Mais, comme je recherche une scène plus spectaculaire, je ne prends pas le temps de réaliser quelque cliché que ce soit.

Tel n'est pas le cas de mon professeur, qui prend une belle photographie avec des oliviers au premier plan ainsi que les collines et quelques fermes de couleur blanche à l'arrière-fond. Le paysage que nous côtoyons ne nous offrant que des possibilités limitées, nous remballons notre matériel et poussons plus loin nos investigations.

Encore plus haut

Tandis que nous progressions dans la montagne, le paysage devient plus sauvage et rocailleux. Lorsque nous atteignons l'altitude de 3 000 m, le spectacle nous semble impressionnant. C'est bien le panorama désolé que nous recherchons. Ne perdant guère de temps à trouver un point de vue qui me convienne, je commence à prendre des clichés.

Les équipements

Mon professeur et moi-même avons effectué ces prises de vues dans les montagnes et les collines situées à l'est de Malaga, en Andalousie. Le temps était excellent, le soleil présent et le ciel dégagé, mais la brume matinale, ne s'étant pas entièrement dissipée, nous gêna dans notre entreprise. J'utilisai un Nikon F801, tandis que mon professeur employa un Nikon FE2 monté sur un trépied.

▼ Cette photographie aurait pu constituer une belle réussite, les collines situées à l'arrrière-plan accentuant l'impression de profondeur. Mais la brume très légère qui stagne encore réduit la finesse des détails. Aucun filtre polarisant n'ayant été utilisé pour saturer les couleurs, l'arrière-fond apparaît comme délavé.

TROUVER UN CENTRE D'INTÉRÊT

1 DANS LES COLLINES
Mon professeur prit cette photographie au petit matin, avant que le soleil ne soit trop haut dans le ciel. Les oliviers verdoyants situés au premier plan lui confèrent un impact intéressant, mais l'arrière-fond est beaucoup moins convaincant. Du fait de la légère brume qui flotte dans l'atmosphère, les collines manquent de relief et de couleur.

2 UN SOL ROCAILLEUX
Plus haut, le paysage était beaucoup plus spectaculaire. Mon professeur apprécia beaucoup ce panorama, mais il savait qu'il fallait lui conférer quelque perspective en y incluant le petit plateau dénudé et rocheux que l'on distingue à l'arrière-fond. Néanmoins, le cliché manque de couleur et le ciel est presque sans éclat.

3 UNE TOUCHE DE COULEUR
Plus loin, mon professeur découvrit un spectacle impressionant. La présence d'un pin d'un vert très intense au premier plan et le recours à un filtre polarisant lui permit d'ajouter une touche de couleur bienvenue à sa composition.

Composer avec la brume

La brume peut constituer un problème ennuyeux par des journées ensoleillées, parce qu'elle réduit de façon importante la profondeur de champ dont tout photographe a besoin lorsqu'il prend des paysages. Un filtre à ultraviolets permettra de résoudre le problème et de donner plus de netteté au cliché. Si vous utilisez un filtre polarisant, vous obtiendrez un effet similaire, mais sachez que vous devrez peut-être attendre des heures avant que le soleil ne soit parvenu à disperser la brume.

Pour ce faire, je sélectionne un Nikon F801, équipé d'un zoom de 28-70 mm et chargé d'une pellicule à diapositives Fuji 50 ISO. Je choisis une scène constituée de rochers au premier plan et de montagnes désolées au fond. J'y inclus un gros rocher affleurant à quelque distance et espère que les montagnes situées au loin donneront à mes photographies la profondeur nécessaire. J'essaye différents angles avant d'en trouver un qui me convienne et je prends la moitié d'un film afin d'être sûr que j'obtiendrai quelque chose de bien.

Mais les clichés que j'ai réalisés ne me plaisent guère. Il y manque un centre d'intérêt qui puisse attirer l'œil. Les montagnes situées à l'arrière-plan apparaissent quelque peu indistinctes, comme noyées dans une sorte de brume. Le soleil se trouvant au zénith, les couleurs manquent d'intensité.

Un meilleur point de vue

Lorsque j'en ai terminé, mon professeur et moi-même partons à la recherche d'un meilleur point de vue. Enfin, nous découvrons un endroit d'où nous sommes en mesure de balayer un vaste et spectaculaire panorama dans lequel nous pourrons inclure, au premier plan, quelques dents rocheuses du meilleur effet. De cette manière, nous sommes en mesure de disposer d'un centre d'intérêt qui conférera à nos clichés la profondeur nécessaire.

Mon professeur emploie un Nikon FE2 monté sur un trépied, un objectif grand angulaire de 24 mm et une pellicule à diapositives Fuji Velvia 50 ISO. Il a recours à un filtre polarisant qui permet d'obtenir une bonne saturation des couleurs et à un filtre ultraviolet qui améliore la résolution et assombrit le ciel.

4 UNE COMPOSITION PARFAITE Mon professeur estima que la masse rocheuse située au centre de cette photographie pouvait constituer un centre d'intérêt parfait. Il prit quelques clichés rapprochés de cette particularité du relief, mais décida en fin de compte qu'il valait mieux l'inclure dans un ensemble plus vaste. La photographie manque cependant de couleur.

5 DE BELLES COULEURS Mon professeur découvrit cette vue magnifique à la fin de la journée. Le paysage recelait toutes les touches de couleurs qui nous avaient fait défaut précédemment. Le sol rouge ressort bien au premier plan, tout comme les dégradés de couleurs des collines situées à l'arrière-fond. Le soleil couchant donne à cet ensemble une lumière spéciale.

Des centres d'intérêt forts

En contrebas de la route, il découvre un meilleur point de vue des montagnes, avec une floraison de couleurs due à des pins verdoyants situés au premier plan. Mais les arbres en question occupent une trop grande partie du cadre, nous obligeant à nous déplacer à nouveau. En essayant différents points de vue, mon professeur s'est assuré qu'il pourrait réaliser par la suite un grand nombre de photographies qui en valent la peine.

Le point de vue suivant est constitué par un affleurement rocheux situé au sommet d'une colline couverte de broussailles. Cette étrange formation rocheuse constitue un centre d'intérêt parfait. Mon professeur emploie un zoom afin de prendre des clichés à distance et rapprochés. La seule chose qui manque dans ce cas précis est une touche de couleur.

La lumière du soir

À présent que la journée est bien avancée, nous décidons de faire demi-tour et de regagner notre hôtel. Mais, sur le chemin du retour, mon professeur découvre un remarquable panorama, où la lumière crépusculaire éclaire le sol orange d'une plantation d'oliviers dominée par des collines ondoyantes d'un très beau vert.

C'est là une chance que nous sommes décidés à ne pas rater. Aussi prenons-nous un film complet de cette belle scène afin d'être certains d'en tirer quelque chose de bien. Mon professeur, très satisfait, loue la chance qui nous a permis de si bien terminer cette journée.

Compact

❑ Avec un compact, les prises de vues à grande distance sur des côteaux exposés à la lumière du soleil peuvent donner un arrière-fond très sombre et un horizon correctement exposé mais assez indistinct. Résolvez le problème en incluant un détail quelconque au premier plan, que vous illuminerez au moyen de votre flash.

Réflex

❑ En montagne, ne vous chargez pas trop. Emportez plutôt des zooms que des objectifs à focale fixe. Mettez les équipements les plus volumineux dans un sac à dos.

Encore des paysages

Un paysage peut tenir en une seule image ou être composé de plusieurs images. Dans ce dernier cas, comme une véritable histoire, cette démarche comprend un début, un milieu et une fin.

Raconter une histoire en images suppose de trouver d'abord un sujet qui se prête à un tel processus. Habituellement, il s'agit de quelque chose qui interpelle personnellement celui qui entreprend ce travail, notamment une marotte personnelle ou un événement familial comme un mariage.

Dans ce cas précis, nous avions choisi d'illustrer un sujet de son commencement à sa conclusion, c'est-à-dire la fabrication du vin. Mais vous pourrez également centrer votre travail sur l'histoire, l'écologie, ou les gens, en reliant ces derniers au milieu dans lequel ils vivent ou ils travaillent. Quel que soit l'angle sous lequel vous effectuerez cette démarche, vous pourrez créer des images qui auront une signification précise les unes avec les autres.

▶ **LE CHÂTEAU ET SON VIGNOBLE**
L'image d'ouverture doit définir le cadre dans lequel se déroule votre sujet, ici le château et son vignoble.

▼ **DES GRAPPES DE RAISIN**
La photographie suivante a été prise quelques mois plus tard, alors que le raisin arrivait à maturité. Les grappes sont plein cadre.

Bâtir un scénario

Il est essentiel, dans un premier temps, avant de prendre la moindre photographie, de savoir où vous allez. Autrement vous vous retrouverez, à la fin, avec un certain nombre de clichés qui n'auront que fort peu de choses à voir les uns avec les autres et ne produiront qu'un très faible impact. Avant de commencer, établissez une sorte de scénario de votre projet, en allant parfois dans les moindres détails.

Un bon moyen de débuter est d'aller consulter des livres dans votre bibliothèque municipale. Si, par exemple, votre travail consiste à étudier le village où vous vous trouvez pendant un certain laps de temps, renseignez-vous sur les légendes et les manifestations locales. Parlez aux gens qui vous fourniront des informations que vous ne trouverez pas ailleurs.

Si votre étude concerne le vin, vous devrez au moins savoir à quelle moment de l'année correspond telle ou telle phase de la vinification et quels sont les crus les plus intéressants sur le plan photographique. Vous n'êtes d'ailleurs pas obligé de vous cantonner à un seul vin. Un projet réussi est celui qui s'intéresse à plusieurs crus en même temps, situés en des endroits très divers.

Cette façon de procéder vous donnera non seulement de bonnes idées de clichés, mais elle vous permettra aussi d'économiser à bon escient de la pellicule.

Structure

Une fois votre recherche initiale menée à bien, vous pourrez dresser une liste des photographies que vous jugez essentielles à l'illustration de votre sujet et les répertoriez au fur et à mesure que vous les prendrez.

Il est important de disposer d'une forte structure pour réussir votre travail. Souvenez-vous que vous devrez œuvrer un peu à la manière d'un metteur en scène de cinéma qui, à partir du scénario, met la scène en place et en définit les détails et les personnages. Finalement, le tournage ne peut commencer que lorsque tous les éléments ont été disposés.

Vous pouvez scinder votre étude en trois parties de même importance et commencer en photographiant certaines des images que vous avez déjà définies. Un objectif grand angulaire se révélera très utile pour prendre des sujets de dimensions importantes comme un château et le vignoble qui l'entoure. Vous pourrez faire ensuite quelques clichés plus rapprochés, comme des grappes de raisin. Ces premières photographies seront déterminantes, dans le sens où elles vous permettront de construire la structure autour de laquelle votre histoire sera articulée.

Vous n'aurez plus ensuite qu'à prendre des clichés intermédiaires, qui donneront des informations plus précises sur le sujet. Pour un travail sur le vin, suivez de près le processus de fabrication, comme les vendanges, le pressurage et la mise en fût.

Finalement, vous devrez également restituer une ambiance précise, en photographiant par exemple des gens en train de boire le produit fini.

Souvenez-vous, ne lésinez pas sur la pellicule. Lorsque vous en serez au stade final, vous aurez peut-être besoin de plus de matériau que prévu.

▶ LES VENDANGES
Le photographe n'a intentionnellement pas montré la cueillette des grappes, mais l'a simplement suggérée à travers cette photographie. Noter le fort contraste des couleurs et la composition diagonale du cliché.

▼ LE FOULAGE
Sur cette photographie prise au téléobjectif, de très bas, le personnage flou placé à l'arrière-fond donne une impression de mouvement.

▶ LA CAVE
Pour ce cliché qui montre l'intervention de l'homme dans le processus de vinification, un film lumière du jour et un flash ont été utilisés par le photographe.

Le stade final

Les images que vous aurez choisies doivent illustrer toutes les différentes facettes du sujet auquel vous vous êtes intéressé. Elles devront avoir un fort impact visuel de manière à bien porter votre histoire jusqu'au bout.

Il est important que chaque photographie présentée ait quelque chose de précis à raconter sur le thème sélectionné, tout en complétant les autres. N'incluez jamais deux clichés identiques, à moins qu'ils forment chacun une partie d'une séquence.

Ne distrayez pas l'attention de ceux qui regarderont votre travail en réalisant des clichés dont l'arrière-fond sera trop chargé. Concentrez-vous sur votre sujet. Enfin, n'hésitez pas à procéder à un recadrage de certaines photographies afin de leur donner plus d'impact.

Présenter son travail

Si votre travail comporte de nombreuses photographies de grandes dimensions, placez-les dans un portfolio, de manière à les passer une par une. Alternativement, vous pouvez faire encadrer vos clichés et les fixer au mur. Choisissez des cadres qui mettent bien en valeur les photographies que vous avez prises.

◀ **UN GRAND CRU ?**
La dernière photographie de votre travail doit constituer un aboutissement. Ici, le photographe a voulu restituer l'ambiance d'un café dans lequel le produit fini est en train d'être consommé.

VÉRIFIEZ !

Pour créer une histoire en images, suivez le processus suivant :

- ❑ effectuez des recherches sur le sujet avant de prendre des photographies
- ❑ prenez beaucoup de photographies différentes sur les multiples aspects de votre sujet, ne lésinez pas sur la pellicule
- ❑ évitez de présenter des images à peu près identiques ou trop chargées

Sports d'équipe

À présent que vous êtes inité à la photographie de paysages, nous allons aborder un autre sujet, très populaire lui aussi : le sport.

1 Emplacement

Faites un peu de pratique avant de couvrir un match important. Passez quelque temps à des séances de sport scolaire, qui offrent de bonnes opportunités. Mais vous devrez auparavant obtenir la permission du professeur responsable.

Dans le cas contraire, reportez-vous sur des matches de football ou de rugby locaux, qui constitueront de bons points de départ.

Les photographies que vous effecturez en ces occasions dépendent des objectifs que vous aurez emportés avec vous. Si vous n'avez pas de téléobjectifs de 400 ou de 600 mm, vous devrez vous limiter à des événements sportifs de seconde importance, car vous ne pourrez pas suivre l'action d'assez près.

2 Vitesse d'obturation

Employez une vitesse d'obturation de 1/500e de seconde ou plus pour que les sujets soient bien nets. Si le ciel est bouché, utilisez un film ISO 400 papier noir et blanc ou diapositives couleurs. De cette manière, vous pourrez sélectionner la vitesse d'obturation la plus élevée que vous souhaitez. Ayez aussi recours à un pied, afin d'éviter des bougés.

▲ *Avec un téléobjectif moyen, vous serez en mesure de saisir de bonnes vues générales d'un match depuis les tribunes dans lesquelles vous vous trouvez.*

3 Objectifs

La longueur focale que vous sélectionnerez dépendra de l'importance de la scène que vous souhaitez prendre, mais aussi de la distance à laquelle vous en êtes situé.

Si vous assistez à un match de hockey ou de base-ball, un objectif de 200 mm sera amplement suffisant. Quel que soit votre objectif, si les joueurs apparaissent trop petits dans votre cadrage, ne gaspillez pas votre pellicule pour rien. Laissez s'approcher et pressez le déclencheur à ce moment-là.

Pour des événements qui se déroulent sur des surfaces de jeu plus importantes, comme le football, vous aurez besoin d'objectifs plus grands, allant de 300 à 600 mm, parce que vous vous trouverez loin, en général, des sujets que vous souhaitez photographier. Cette méthode est également valable si vous désirez prendre un joueur isolé. Un doubleur de focale vous permettra d'accroître vos possibilités sans sacrifier trop d'ouverture.

▼ *Certains actions d'une rencontre sportive vous permettront de savoir à quel moment appuyer sur le déclencheur. Ici, des joueurs de hockey s'apprêtent à défendre leurs buts.*

4 Mise au point

Lorsque vous effectuez une mise au point manuelle, choisissez des objectifs que vous connaissez bien et dont vous savez dans quel sens tourner la bague de réglage, ce qui vous permettra d'aller vite.

La technique que vous utiliserez dans ce cas dépend du sport auquel vous vous intéressez. S'il s'agit de base-ball, par exemple, vous serez en mesure d'effectuer un préréglage sur les marques très voyantes qui délimitent les différentes parties du terrain de jeu et vous presserez sur le déclencheur lorsque les joueurs passeront à proximité.

D'autres activités, comme le foot-ball, ne permettent guère d'employer cette méthode, l'action se déplaçant en effet très vite d'une partie à l'autre du terrain. Il vous faudra sans arrêt refaire la mise au point, au fur et à mesure que les joueurs avanceront ou reculeront.

Dans un tel cas, la maîtrise de la mise au point n'est pas un exercice facile.

▲ ***Si vous souhaitez saisir des actions telle que celle-ci à l'occasion d'une rencontre de rugby, vous aurez besoin d'un long téléobjectif et devrez faire preuve de très bons réflexes.***

5 Le moment

Choisir le bon moment pour presser le déclencheur permet de faire toute la différence entre une photographie moyenne et un cliché de qualité professionnelle. À certains moments d'un jeu, vous pourrez saisir des scènes spectaculaires, en prenant par exemple les actions d'un gardien de buts.

Si vous devinez que le jeu se dirige vers la zone des buts, pointez votre appareil dans cette direction. Mais vous aurez besoin de chance ou vous devrez avoir d'excellents réflexes pour saisir des événements fortuits comme une chute.

Le rugby constitue aussi une excellente école. Vous obtiendrez de très bonnes images si vous parvenez à saisir le moment où un demi de mêlée réceptionnera le ballon.

Dans le cas du football, essayez de fixer sur la pellicule l'instant où la balle, échappant au gardien, entre dans les buts. L'image sera encore plus dynamique si vous attendez que le gardien tombe, par exemple, dans les filets.

Utiliser un moteur permet d'obtenir une série de photographies intéressantes.

VÉRIFIEZ !

Boîtier réflex : si vous vous inquiétez du problème de la mise au point, utilisez un des systèmes autofocus les plus récents.
Objectifs : selon l'endroit où vous vous trouvez, ayant recours à un téléobjectif, jusqu'à une longueur focale de 600 mm.
Film : choisissez une pellicule papier lumière du jour Kodak Ektapress 1600 100-400 ISO, adaptée au travail sous les projecteurs.
Filtres : aucun filtre n'est nécessaire.
Doubleur de focale : un 1,4X est recommandé si vous ne disposez pas d'un long téléobjectif.
Moteur : essayez de travailler avec un moteur pour prendre les moments les plus spectaculaires ou décisifs d'une rencontre sportive.
Support : avec un téléobjectif puissant, ayez recours à un pied.
Emplacement : école, terrain de jeu, stade.

6 Point de vue

En prévision d'une rencontre importante, étudiez le plan des tribunes par avance et réservez-vous une place à un endroit d'où vous aurez la meilleure vue.

Pour un match de football, ne vous installez pas à la hauteur de la ligne d'engagement, car les joueurs seront loin de vous la plupart du temps. Choisissez plutôt un point de corner, d'où vous pourrez prendre toutes les actions visant à marquer des buts. Ne vous placez pas derrière les filets, qui ne feront que vous gêner.

Si une équipe domine l'autre de très loin, placez-vous au niveau des buts de l'équipe adverse où se déroulera sans doute la plus grande partie de l'action.

Vitesse d'obturation **2** — Moment **5**
Point de vue **6** — Objectif **3**

◀ ***Pour pouvoir employer des vitesses d'obturation acceptables sous la lumière des projecteurs, utilisez dans tous les cas un film papier rapide.***

Photographier le football

Les joueurs se déplaçant constamment sur une vaste surface, le football est difficile à photographier. Deux élèves photographes nous expliquent ici de quelle manière procéder.

Nous avons choisi un match de première division entre deux équipes de très bon niveau. Nous arrivons sur le stade environ une heure avant le début de la rencontre, ce qui nous donne le temps de sélectionner les endroits les meilleurs à partir desquels nous opérerons.

En fait, nous tenons plus compte pour ce faire de la force relative des deux équipes que du temps qu'il fait ou des conditions d'éclairement du stade. L'une d'entre elles étant supérieure à l'autre, nous nous plaçons à proximité des buts que nous estimons devoir être les plus menacés. Là, nous attendons patiemment que la rencontre débute.

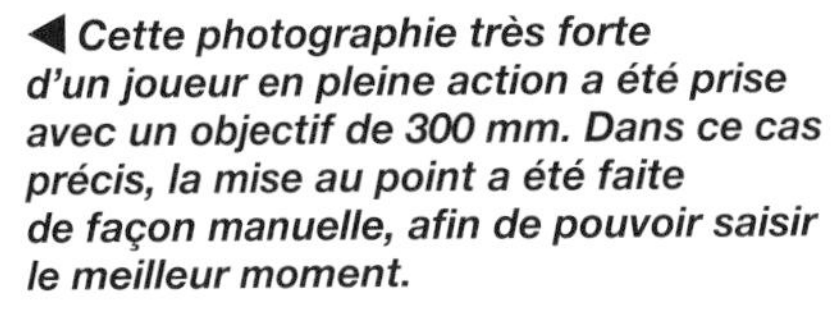

◀ ***Cette photographie très forte d'un joueur en pleine action a été prise avec un objectif de 300 mm. Dans ce cas précis, la mise au point a été faite de façon manuelle, afin de pouvoir saisir le meilleur moment.***

La mise en place

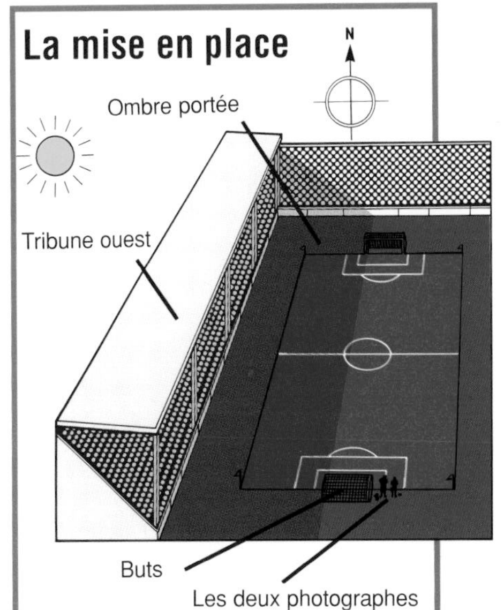

Les deux photographes se sont placés à côté des buts de l'équipe qu'ils estiment la moins forte. L'après-midi étant assez avancé, le soleil brille déjà à l'ouest du stade, n'éclairant qu'une partie du terrain. L'autre partie est plus sombre, du fait de l'ombre portée de la tribune ouest. Toutes les photographies ont été prises depuis un point situé à droite des buts.

À la mi-temps, lorsque les deux équipes changent de côté, les deux photographes font de même. Seuls les journalistes accrédités sont autorisés à travailler directement sur le terrain lors d'un match professionnels, mais tout le monde peut le faire s'il s'agit d'une rencontre entre amateurs.

▲ *Comme ce cliché le montre bien, il est très difficile de suivre le ballon en même temps que de faire la mise au point. La scène est certes intéressante et vivante, mais beaucoup des joueurs représentés ici sont malheureusement flous.*

Note Une vitesse d'obturation d'au moins 1/500e de seconde est nécessaire si l'on souhaite obtenir des photographies très nettes d'une action rapide. Même à 1/250e de seconde, de telles scènes peuvent être floues. Mais, en ayant recours à de telles vitesses, il faudra sélectionner l'ouverture de diaphragme la plus importante. Pas d'inquiétude à avoir cependant. Cela n'a guère d'importance. La seule conséquence sera une réduction de la plage de netteté.

SUIVRE L'ACTION

1 ▲ UNE ACTION SPECTACULAIRE
S'étant rendu compte que l'équipe rouge s'avance très rapidement vers les buts adverses, le photographe se saisit son boîtier équipé de l'objectif de 135 mm et attend que le ballon apparaisse dans le cadrage. Sa patience est récompensée, puisqu'il est en mesure de saisir cette scène où le gardien de buts de l'équipe jaune parvient à renvoyer la balle avant qu'un des joueurs de l'équipe rouge puisse l'atteindre. Noter l'arrière-fond flou.

2 ▲▶ SCÈNE D'ATTAQUE
Devinant qu'une action intéressante allait se dérouler, à la suite d'une longue passe, le photographe suit un attaquant de l'équipe rouge qui s'est démarqué, et il prend une série de clichés. Le résultat, spectaculaire, montre le joueur rouge contrôlant la ballon après qu'il a rebondi au sol, et un défenseur de l'équipe adverse tentant désespérément de s'en emparer. Pour suivre cette belle action, le photographe a dû procéder à quelques ajustements dans la mise au point.

Un début rapide

Dès que le coup de sifflet a été donné, nous sommes stupéfaits de la vitesse à laquelle les joueurs se déplacent sur le terrain. J'ai chargé mon propre appareil, un Nikon F801, avec un film à diapositives Fuji 100 ISO, et choisi un objectif à réglage manuel. Mais je me rends compte très vite de la difficulté dans laquelle je me trouve de faire une bonne mise au point lorsque je tente de suivre le ballon. J'utilise un 135 mm pour prendre le gardien de but en action et un 300 mm pour saisir les scènes plus lointaines, mais je rate quelques belles attaques lorsque je procède à des changements d'objectifs.

La lumière pose un autre problème. Il fait très beau, mais le soleil se trouve, déjà bien avancé à l'ouest, éclaire fortement une partie du terrain et laisse l'autre dans l'ombre. Cette particularité signifie que le temps de pose est différent selon les endroits où le jeu se déplace. Mais je ne dispose pas toujours du temps nécessaire à mes réglages.

Confronté à des problèmes aussi difficiles à résoudre, je devine que les choses ne vont pas se passer aussi bien que je le pensais et que la plupart de mes clichés présenteront des défauts. Choisir le bon moment pour appuyer sur le déclencheur n'est pas non plus très facile et constitue une autre difficulté à surmonter.

Expérience et technique

Mon compagnon, qui est rompu aux techniques de photographie du football, applique une méthode qui lui permet de régler toutes les difficultés auxquelles il pourrait être confronté. Ayant chargé ses deux Nikon F4 avec des films Fuji 100 ISO, il en a équipé un d'un objectif de 135 mm et l'autre d'un 300 mm. Aussi ne sera-t-il pas contraint de changer d'objectif toutes les fois que l'action se déplacera, comme j'ai été amené moi-même à le faire. Puis, assis sur la valise de transport métallique de son matériel, il monte l'appareil à l'objectif le plus important sur un pied et commence à prendre des clichés.

Il peut ainsi effectuer sa mise au point avec une plus grande facilité, d'autant plus qu'il connaît bien les actions susceptibles de fournir un bon cliché. "La plupart des amateurs, m'explique-t-il, s'emploient à photographier les gardiens de buts, mais ils n'obtiennent pas en général de clichés intéressants. Ce qu'il faut faire, c'est prendre le ballon en l'air et les actions qui se déroulent à proximité des buts. C'est à cela que je m'intéresse en premier lieu".

Une belle action

Le match commence par une attaque contre les buts qui se trouvent à l'opposé de l'endroit où nous nous tenons. Puis l'équipe menacée se lance dans une contre-attaque foudroyante qui prouve que nous avons eu raison de nous installer où nous sommes. De cette manière, nous allons pouvoir réaliser de très bonnes photographies de tirs au but.

Mon compagnon commence par un cliché spectaculaire où le gardien de but parvient à arrêter d'une belle détente une balle puissante. Puis il prend une série de clichés d'une action collective qui s'achève par une longue passe. Je le vois suivre le ballon et procède de la même manière que lui. Il est toujours bon de commencer à photographier dans un cas comme celui-là.

Compact

Employer un compact pour prendre des images d'une rencontre de football entraîne d'importantes limitations. L'objectif le plus important dont vous disposerez ne dépassera pas 135 mm. Si vous vous trouvez dans une tribune, ne perdez ni votre temps, ni votre pellicule, vous n'obtiendrez aucun résultat qui en vaille la peine. s'il s'agit d'un match amateur, placez-vous derrière les buts et concentrez-vous sur les actions qui s'y dérouleront.

Réflex

Si vous disposer d'un reflex autofocus, vous pourrez réaliser de très beaux clichés. L'appareil refaisant la mise au point en quelques fractions de seconde, vous serez en mesure de saisir des moments intéressants. Mais n'oubliez pas que la plupart des appareils autofocus ne réagissent que si un sujet se trouve au centre du cadrage. Employez

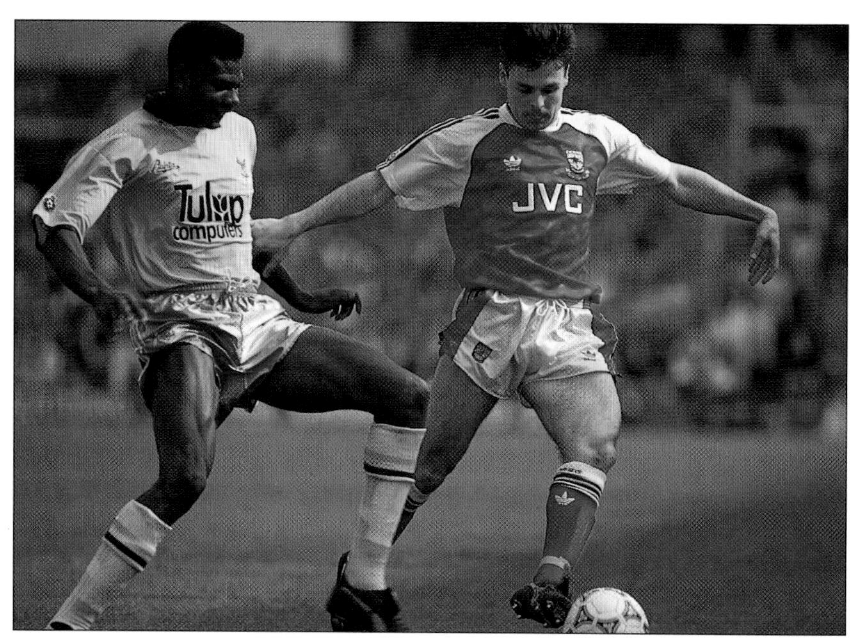

3 ▲ CONTRÔLE DE LA BALLE Le photographe a pris cette action, au cours de laquelle un membre de l'équipe rouge s'empare de la balle, avec un long téléobjectif de 300 mm. Le cliché n'était pas facile à réaliser, les deux joueurs se trouvant à moitié dans la lumière, à moitié dans l'ombre. Pour avoir assez de lumière, le photographe a réglé le diaphragme à son ouverture maximum.

4 ▼ UN GESTE D'AMITIÉ Bien qu'elle ait perdu par quatre à un, l'équipe perdante offre au photographe de belles opportunités. À la suite d'une attaque manquée, deux joueurs de l'équipe jaune se congratulent sur le travail qu'ils viennent d'effectuer. Cette photographie a été prise au long téléobjectif de 300 mm.

Photographier un match de rugby

Le décor

Notre photographe s'est rendu dans un stade de banlieue pour photographier un match de rugby opposant deux équipes professionnelles. Le temps est couvert et gris, caractérisé par un crachin persistant qui s'est intensifié au fur et à mesure du déroulement du match. Pour résoudre le problème du mauvais temps, notre expert a utilisé des pellicules ISO 400 et réglé ses appareils sur une vitesse de 1/500e, sans oublier de fixer le boitier équipé d'un objectif de 600 mm sur un pied.

Il s'est ensuite placé derrière la ligne d'essai et a changé de place à la mi-temps.

◀ ***Cette photographie a été prise avec un objectif de 600 mm. En raison de la pluie, du mauvais éclairage et de la distance entre l'appareil et le sujet, l'image apparaît un peu plate et avec du grain. Elle restitue cependant pleinement l'intensité de l'action.***

Le rugby est un sport extrêmement rapide, où les actions les plus spectaculaires, comme les plaquages au sol ou les mêlées, se succèdent à un rythme soutenu et où les temps morts sont très rares. Un photographe nous explique ici comment procéder.

Comme d'autres sports, le rugby comporte plusieurs variantes : il existe ainsi le rugby à quinze et le rugby à treize, avec des équipes de professionnels et des équipes d'amateurs. Notre photographe a décidé quant à lui de prendre un match opposant deux équipes professionnelles de première division.

"Le jeu des équipes professionnelles est toujours plus rapide que celui des équipes amateurs, explique-t-il, je suis donc sûr d'assister à des actions spectaculaires."

Où et comment s'installer ?

Notre photographe sachant que l'équipe au maillot noir et blanc préfère jouer sur les côtés du terrain plutôt qu'au milieu et qu'elle est plus forte que ses adversaires, qui portent un maillot bleu, il s'installe donc derrière la ligne d'essai de ces derniers et attend. "Au rugby, certains photographes se placent le long des lignes de touche, ajoute-t-il, pour ma part, je préfère m'installer derrière les lignes d'essai de façon à voir et à pouvoir prendre les joueurs de face lorsqu'ils s'élancent pour marquer un essai."

La place qu'il a choisie était excellente mais, malheureusement, le temps est mauvais ce jour-là. Le ciel est couvert, il fait sombre et une petite pluie fine et persistante tombe pendant tout le match. C'est pourquoi, notre photographe a chargé ses appareils photographiques avec des films diapositives Fuji RHP de ISO 400 en espérant que les conditions météorologiques aillent en s'améliorant.

▶ ***Cette photographie est meilleure : les joueurs sont mieux cadrés et aussi plus nets. Malheureusement, le joueur en possession du ballon tourne le dos à l'objectif.***

▲ ***Dès le début du match, le photographe a monté sur son appareil un objectif de 300 mm. Les joueurs apparaissent très petits dans le cadre de la photographie. Il a également rencontré quelques problèmes pour régler manuellement la vitesse d'obturation.***

Saisir l'instant

Les joueurs au maillot bleu attaquent très fort dès les premières minutes de jeu mais, très vite, leurs adversaires reprennent l'avantage et dominent la partie. Notre photographe a équipé l'un de ses appareils, un Nikon F801, d'un objectif de 300 mm et prend avec celui-ci ses premiers clichés alors que les joueurs se trouvent plutôt au milieu du terrain.

Avec un tel type d'objectif, les joueurs apparaissent très petits et comme perdus au milieu de la photographie. Les seules actions qu'il est possible de photographier dans ces conditions sont celles qui se déroulent aux alentours de la ligne des 22 mètres mais, dans un sport aussi rapide que le rugby, il est toujours très difficile de saisir l'instant où les joueurs sont de face.

Changement d'appareil

Notre photographe décide donc de changer d'appareil et d'objectif afin de ne pas gâcher de la pellicule en vain. C'est pourquoi il prend son appareil principal, un Nikon F2 muni d'un objectif de 600 mm lui permettant de photographier les joueurs en gros plan, mais il conserve tout de même à portée de main son Nikon équipé d'un 300 mm pour prendre les scènes d'actions proches de la ligne d'essai.

C'est ainsi qu'il parvient à photographier tout une série de plaquages spectaculaires se déroulant

ATTENDRE LE BON MOMENT

1 BATAILLE AU MILIEU DU TERRAIN
Cette photographie des joueurs se battant pour la possession du ballon a été prise lors de la première mi-temps. Les sujets sont un peu loin, même avec un objectif de 600 mm, et la pluie et le mauvais éclairage donnent moins de contraste aux visages.

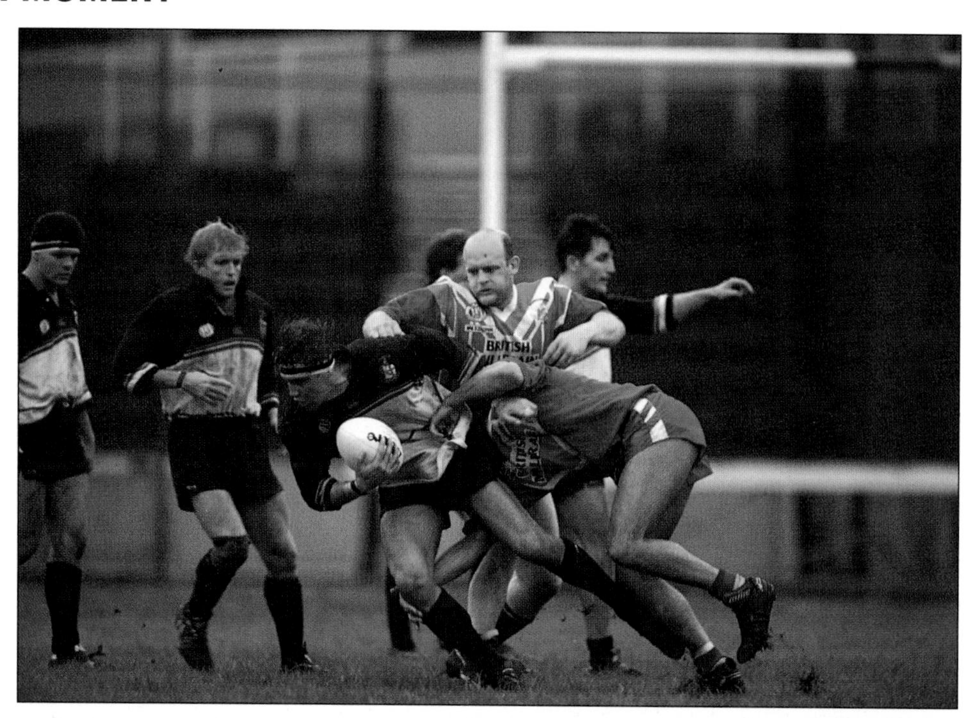

Réflex

Plusieurs objectifs sont particulièrement bien adaptés pour photographier des matchs de rugby. Il est ainsi préférable de s'équiper d'un téléobjectif — au moins un 400 mm — mais on peut aussi utiliser des objectifs de 80 ou 210 mm lorsque l'on veut photographier des phases de jeu se déroulant très près de soi. Notre photographe a emporté trois objectifs de 600 mm, 300 mm et 135 mm, une combinaison idéale et même parfaite si l'on possède en plus deux ou trois boîtiers.

2 PLAQUAGE
Toute la force et la violence de ce plaquage au sol se ressentent parfaitement lorsqu'on regarde cette photographie prise en pleine action. Mais le cliché aurait été encore plus percutant si on avait pu voir le visage du joueur en possession du ballon.

sur la ligne médiane bien que la lumière soit si faible qu'il doit régler l'ouverture du diaphragme de son appareil sur f4. Il réussit également à prendre un cliché assez surprenant et inhabituel d'un joueur s'apprêtant à transformer une pénalité, mais c'est lors de la seconde mi-temps qu'il prend les meilleures photographies.

Dernières minutes de jeu

À la mi-temps, notre photographe décide de changer de place afin de toujours pouvoir photographier les joueurs au maillot noir et blanc de face. Ceux-ci en effet se sont imposés comme les plus offensifs et semblent se diriger tout droit vers la victoire. Il utilise également son Nikon équipé d'un objectif de 300 mm pour photographier quelques beaux plaquages au sol mais reprend son appareil muni du 600 mm pour prendre sa plus belle photographie, le superbe effort d'un joueur de l'équipe au maillot bleu perçant la ligne de défense de l'adversaire et s'élançant vers la ligne d'essai.

"Lorsque l'on veut photographier un match de rugby opposant deux équipes professionnelles, explique-t-il, il faut d'abord savoir quel genre de scène d'action on souhaite prendre. Les plaquages rendent bien en photographie pour peu que l'on soit placé face aux joueurs. Une photographie d'un homme courant avec le ballon sera toujours spectaculaire et réussie.

3 LE BUTTEUR Juste avant la fin de la première mi-temps, l'équipe au maillot noir et blanc obtiennent une pénalité. Lorsque le joueur chargé de la tirer place son ballon, le photographe prend ce cliché qui restitue très bien la concentration du butteur.

4 LA PERCÉE Au début de la seconde mi-temps, le photographe se prépare à se déplacer vers l'autre côté du terrain lorsque l'équipe au maillot bleu lance une attaque inattendue. Il n'a qu'une fraction de seconde pour prendre cette photographie d'un des joueurs en train d'enfoncer la défense adverse.

Photographier le rugby

Le rugby est un sport très photogénique, qu'il s'agisse de jeu à treize ou de rugby à quinze. Les occasions de faire de bonnes photographies ne manquent pas en effet dans l'un ou l'autre des jeux.

C'est ainsi qu'une photographie d'une mêlée de huit hommes donne généralement un excellent cliché, surtout si la chaleur des corps des sportifs qui se dégage dans l'air froid produit une légère vapeur. Il est également possible de prendre une bonne photographie d'une remise en jeu à la suite d'une touche si l'on se place derrière le joueur qui effectue cette remise en jeu et que l'on arrive à saisir le mouvement des joueurs sautant en l'air pour attraper le ballon ovale.

5 ▲ LA SOUFFRANCE Après s'être installé de l'autre côté du terrain, le photographe décide de changer d'objectif et d'utiliser un 300 mm. C'est ainsi qu'il peut prendre cette photographie d'un des joueurs sur le visage duquel se lit parfaitement la souffrance et l'effort développé pour échapper aux plaquages adverses.

6 ▼ L'HOMME QUI COURT Mais la meilleure photographie de la journée intervient sans doute à la fin de la seconde mi-temps, lorsqu'un des joueurs de l'équipe au maillot noir et blanc récupère le ballon au milieu du terrain et commence à courir vers la ligne d'essai. Le photographe a de nouveau équipé son appareil d'un objectif de 600 mm.

Sur deux roues

Avec de bons objectifs et en vous plaçant bien, vous pourrez prendre d'excellents clichés de courses cyclistes.

Il existe une très grande variété de courses cyclistes qui offrent beaucoup d'opportunités de réaliser des clichés de qualité. L'une d'entre elles est la course contre la montre. Les coureurs partant à des intervalles d'une minute, vous serez en mesure de prendre nombre de portraits en pleine action.

Dans les courses sur route, tous les concurrents démarrent en même temps. Avant le départ, demandez-vous quelle partie du peloton vous photographierez - la tête, le milieu ou la queue.

Pour les courses poursuites —qu'elles aient lieu en extérieur ou en intérieur, sur des pistes de forme ovale — vous aurez besoin d'un long téléobjectif.

◀ A PLEINE VITESSE
Cette photographie a été prise avec un appareil monté sur un pied fixé au cadre du vélo. Le lieu de l'action est une piste de course divisée par une ligne centrale peinte en jaune. Le photographe a employé dans ce cas précis un filtre à densité neutre, de couleur grise, qui lui a permis d'obtenir une faible vitesse d'obturation. Il a aussi utilisé un câble de déclenchement qu'il tenait dans sa bouche.

▼ SUR LA PISTE
Pour les photographies plein cadre des courses de poursuite en intérieur, vous devrez utiliser un long téléobjectif ou avoir une carte de presse. Grâce à cette dernière, vous serez à proximité de la piste et pourrez employer un flash afin d'ajouter de la brillance au cliché. Si vous opérez depuis les gradins réservés au public et que vous avez recours à un téléobjectif, vous ne pourrez employer un flash. Pensez alors à charger votre appareil avec un film rapide.

▶ LES JOIES DE LA MONTAGNE
Lorsque le paysage qui les entoure est impressionnant, des sujets comme les coureurs cyclistes ou les motocyclistes peuvent être cadrés en plus petit. L'image représentée ici insiste sur la grandeur du paysage, tout en se référant à un sujet cycliste. Le photographe a pris soin de sélectionner un sujet dont le maillot est rouge vif afin de trancher sur le bleu du reste du cliché.

▼ LE PELOTON
Pour des images aussi étonnantes que celles d'une course sur route, prenez bien des scènes du départ. A ce stade de la compétition, les coureurs sont encore bien groupés. Choisissez un long téléobjectif, tel qu'un 300 mm, afin d'accroître l'effet de masse.

▶ VÉLO TOUT TERRAIN
Prise d'en bas, cette photographie rend bien compte de l'ambiance spectaculaire de ce sport qu'est le vélo tout-terrain, ou VTT. Les clichés que vous réaliserez devront restituer le terrain accidenté sur lequel opèrent ceux qui pratiquent ce sport et les sujets devront bien se détacher sur une portion de ciel.

Note

Connaître un sport

Plus vous en saurez sur les tactiques des courses cyclistes, plus grandes seront vos chances de réaliser des photographies de grande qualité.

Dans une course par équipe par exemple, les membres d'une même équipe rouleront côte à côte, contraignant leurs concurrents à faire un crochet pour les dépasser. Essayez de saisir un moment comme celui-là.

◀ TACHES DE COULEUR
Pour bien rendre l'effet de vitesse inhérent au cyclisme, ayez recours à une faible vitesse d'obturation. Sur cette photographie inhabituelle, tous les sujets sont flous, mais le cliché passe bien dans le sens où les maillots colorés des cyclistes se détachent sur le fond gris de la rue pavée.

▶ **EN PLEINE ACTION**
La faible luminosité du petit matin vous contraindra dans ce cas précis à utiliser une grande ouverture de diaphragme. Le fond sera donc flou, ce qui mettra bien en évidence le sujet principal du cliché. Si vous ne possédez pas d'appareil autofocus, procédez à un préréglage de la mise au point et appuyez sur le déclencheur juste avant que le sujet devienne net.

▼ **DES REFLETS DANS L'EAU**
Le photographe qui a pris ce cliché a bien su tirer parti des reflets que provoque le soleil matinal dans l'eau, faisant bien se détacher les silhouettes des deux coureurs cyclistes. Dans ce cas précis, faites un réglage d'un cran supérieur à celui que vous indique le posemètre.

▲ **DÉTAIL**
Parfois, une approche oblique du sujet se révélera plus payante qu'une photographie classique. Grâce à un téléobjectif, vous serez en mesure de réaliser des vues rapprochées rendant bien compte de l'effort fourni par des coureurs.

Le sport à l'école

Les activités sportives à l'école sont beaucoup plus intéressantes à photographier qu'on ne le pense généralement. Mais comment procéder ?

◀ *Sur cette photographie, les spectateurs placés à l'arrière-plan sont beaucoup trop nets, empêchant de bien distinguer les enfants qui courent au premier plan. Noter aussi un des enfants qui sort du cadre, preuve que le cliché a été pris une fraction de seconde trop tôt ou trop tard.*

Nous arrivâmes à l'école où nous devions opérer par une belle matinée ensoleillée, alors que les élèves étaient sur le point de termimer leurs activités sportives. L'idée de procéder d'une telle initiative m'était venue à la suite d'une discussion avec un professeur et je pensais tenir là l'occasion de réaliser de belles photographies.

Un mauvais point de vue

J'utilisai un Pentax ME Super reflex et un objectif de 50 mm et mon compagnon m'avait suggéré d'essayer un film à diapositives Ektachrome 100X ISO afin de donner plus de chaleur à mes clichés. La première chose à faire était de trouver la ligne d'arrivée. Ayant découvert ce que je cherchais, je réalisai que je pourrais faire de bonnes photographies, mais, très vite, je me rendis compte que la piste de course avait été raccourcie afin d'être adaptée aux plus petits. Abandonnant l'endroit où je me trouvais, je décidai de faire le tour et d'opérer sur l'un des côtés.

J'avais choisi d'employer un objectif de 50 mm parce qu'il me permettrait de prendre l'ensemble des participants dans le même cadrage. Mais, de la manière dont j'étais placé, je n'ignorais pas que je ne pourrais prendre qu'un seul cliché de chaque course. Pointant mon appareil, je pressai alors le déclencheur et découvris alors que je n'avais pas assez réfléchi au problème. Les enfants étaient trop petits pour être pris plein cadre du point où je stationnais. Aussi se confondaient-ils avec le fond.

Le cadre

Toutes les photographies ont été réalisées sur un terrain herbeux marqué par des lignes à la craie, avec les parents attendant d'un côté et les enfants de l'autre. La ligne d'arrivée des plus jeunes concurrents était située à mi-piste, en sorte que nos deux photographes furent contraints de s'approcher pour prendre de bons clichés. Certaines photographies furent réalisées depuis un côté de la piste.

UN RÉSULTAT PROFESSIONNEL

1 LIGNE D'ARRIVÉE
Cette photographie a été prise depuis la ligne d'arrivée, peu avant que les trois jeunes concurrents sortent du cadre. Elle a été réalisée avec un objectif de 300 mm réglé à sa plus grande ouverture de diaphragme afin d'obtenir un fond flou. La vitesse d'obturation sélectionnée était de 1/100e de seconde.

Course d'obstacles

Mon camarade s'était armé de deux boîtiers Nikon F4, le premier équipé d'un objectif 600 mm, le second d'un 300 mm. Il m'expliqua qu'employer deux boîtiers était intéressant parce qu'il pensait ne pas avoir le temps de changer d'objectif pendant une course. Comme moi, il employait des films Ektachrome 100X.

Pour commencer, il se plaça sur la ligne d'arrivée et parvint, avec son objectif de 300 mm, à prendre trois enfants au coude à coude sur un arrière-fond flou.

Un des aspects les plus spectaculaires des activités sportives à l'école concerne la course d'obstacles, qui offre de très bonnes opportunités de photographies. Mon compagnon prit un très beau cliché d'une petite fille déterminée à atteindre la première la ligne d'arrivée.

Vue rapprochée

Puis il s'empara du boîtier équipé de l'objectif de 600 mm, posé sur un pied. Grâce à cette importante longueur focale, il était en mesure de réaliser des photographies plein cadre des petits enfants, même lorsqu'ils se tenaient sur la ligne de départ. Sélectionnant une forte ouverture de diaphragme, il parvint à rendre flou ceux qui attendaient leur tour, attirant l'attention sur le sujet en train de courir.

Mon ami décida ensuite de prendre une photographie inhabituelle, qui fut en fait la plus belle de toutes celles qu'il réalisa en cette journée. Tandis qu'un photographe amateur aurait cessé de prendre des clichés dès que les enfants l'auraient dépassé, mon compagnon continua à appuyer sur le déclencheur. Il en fut récompensé par une très belle étude montrant un petite fille en train de pousser une brouette vers la ligne d'arrivée.

2 ▲ MISE AU POINT
Cette petite fille a été photographiée avec un objectif de 300 mm. Pour que sa mise au point soit facilitée, le photographe a commencé à suivre son sujet dès le départ de la course. La peluche et le livre donnent du relief à la composition, mais ce qui rend le cliché intéressant est l'expression de la petite fille.

3 ◀ RELAIS
Ce cliché a été pris avec un objectif de 600 mm qui a permis de capturer l'ensemble du groupe. Le petit garçon au premier plan attire l'attention parce qu'il apparaît très net sur un arrière-fond plus flou.

Réflex

❑ Le recours à un moteur peut se révéler d'une grande utilité lors d'une compétition sportive. Soyez prêt à appuyer sur le déclencheur un petit peu avant de prendre l'action que vous avez choisie.

Compact

❑ Lorsque vous photographiez des manifestations scolaires, souvenez-vous que, selon leur âge et leur taille, les enfants n'occupent pas la même place dans votre cadrage. Un compact à zoom se révèlera d'une très grande utilité dans ce cas précis, parce qu'il vous permettra de modifier très vite votre cadrage sans bouger de l'endroit où vous vous trouvez.

❑ Si vous ne disposez que d'un objectif fixe, tenez-vous près de la ligne d'arrivée et notez à quel endroit de la piste les différents groupes d'enfants figureront plein cadre dans votre viseur. Un enfant de neuf ans, par exemple, devra être photographié de plus loin qu'un enfant de cinq ans.

4 UNE IMAGE INHABITUELLE
Même après avoir été dépassé par les enfants, le photographe a continué à appuyer sur le délencheur, obtenant ce cliché original d'une fillette poussant une petite brouette. La photographie a été prise avec un objectif de 300 mm et une ouverture de diaphragme de f4 qui rend flou l'arrière-fond.

◀ *Le photographe a souhaité conférer une ambiance d'action à ce cliché en réglant son zoom 35/70 mm sur 35 mm et en utilisant une vitesse d'obturation de 1/15e de seconde. Il est ainsi parvenu à garder nets les spectateurs adultes et enfants et à rendre flous les coureurs afin de retrouver une impression de mouvement.*

▼ *Lorsque la compétition prit fin, les spectateurs furent conviés à courir à leur tour. L'expression des visages de ces trois mères (ci-dessous) en dit long sur la joie qu'elles éprouvent de prendre part à cette épreuve. En bas, le photographe a pris un cliché du vainqueur de la course des moins de quatre ans. Du fait de l'ombre, il a réglé l'ouverture du diaphragme un peu plus grande.*

Fin de journée

La fin des courses d'élèves ne marqua pas pour autant l'achèvement de toute activité sportive. Pour terminer la journée, les professeurs avaient décidé d'organiser des courses pour les parents. Mon ami, loin d'être pris au dépourvu, avait amené plusieurs films avec lui.

Planté sur le bord de la piste, il réussit à prendre trois mères d'élèves enthousiastes avec son objectif de 300 mm. Puis, armé de son objectif de 600 mm, il réalisa des clichés plein cadre des plus jeunes vainqueurs de la journée.

Placées côte à côte, ces photographies rendent bien compte de l'atmopshère qui règne un jour d'activités sportives à l'école.

Quelques conseils

Les événements sportifs scolaires peuvent être pris avec autre chose qu'un long téléobjectif. Avoir recours à un objectif standard ou à un grand angulaire permet de réaliser de très bons clichés, la possibilité existant de se tenir à proximité des sujets.

Lorsque vous regarderez par le viseur, les sujets en question paraîtront moins grands qu'ils ne le sont en réalité. Attention à votre cadrage dans ce cas.

Sports d'intérieur

Avec un minimum de préparation, vous pouvez très rapidement réaliser de superbes photographies de sports d'intérieur.

1 Où se placer ?

Essayez d'être le plus près possible des joueurs. Demandez à l'avance si vous pouvez vous installer et vous déplacer le long des limites du terrain de jeu afin de mieux saisir toutes les phases de jeu. En cas de réponse négative, installez-vous au bout du terrain.

Si vous voulez photographier des sports assez physiques, comme le squash ou le hockey sur glace, vous devrez probablement prendre vos photographies à travers une vitre protectrice ou un panneau en plexi.

Appuyez alors l'objectif de votre appareil photographique tout contre la vitre ou, si cette vitre est trop sale ou rayée, essayez de prendre vos photographies en tenant votre appareil au-dessus de la vitre.

2 L'éclairage

L'utilisation du flash est généralement interdite pendant les matchs. De toute manière, un flash n'est jamais suffisant pour illuminer en même temps tous les joueurs d'un sport d'équipe, à moins de se trouver à deux ou trois mètres d'eux.

Si vous voulez cependant vous servir d'un flash, choisissez un sport comme la boxe ou vous pouvez vous rapprocher du ring et photographier des combats d'entraînement.

Si vous devez vous contenter de la lumière ambiante, effectuez, si possible à l'avance, une petite visite de la salle ou du terrain afin de voir quelle est l'intensité de l'éclairage et quel type d'éclairage est utilisé, halogène ou fluorescent.

Souvent, les courts de squash possèdent des rampes d'éclairage fluorescent. Pour éviter une dominante verdâtre sur vos photographies, utilisez un filtre magenta CC30 ou un filtre modifiant la lumière fluorescente en lumière du jour.

Quant aux terrains de sport couverts, ils sont généralement éclairés par des lampes halogènes. Dans ce cas, servez-vous d'un filtre 80A pour éviter les dominantes orangées.

Si des projecteurs de télévision sont déjà installés dans la salle, vous pouvez utiliser des films adaptés à la lumière du jour sans avoir besoin de recourir à des filtres.

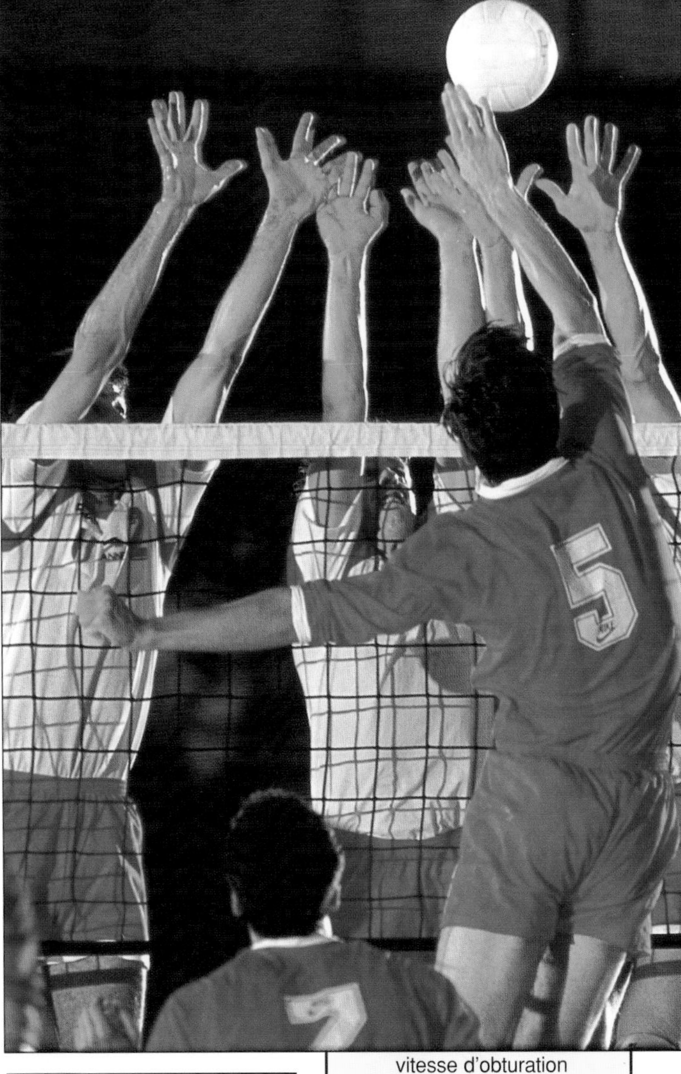

▶ Au volley-ball, tenez-vous prêt chaque fois que le ballon passe au-dessus du filet. Ce genre d'action donne généralement des clichés excellents.

▼ Le photographe s'est placé près du goal pour prendre des clichés des joueurs en pleine action.

3 Le cadrage

Essayez de laisser un peu d'espace autour du sujet principal, surtout lorsqu'il s'agit de sports très rapides, comme le volley-ball. Cela vous évitera de couper la balle ou un joueur tentant de saisir cette balle.

Un zoom vous permet de prendre des photographies très variées — utilisez toutefois un téléobjectif pour saisir les expressions du visage des joueurs. Une grande longueur focale est également bien adaptée pour rendre tous les détails d'une image, en gymnastique par exemple.

Si vous n'êtes pas très familiarisés avec le type de sport que vous désirez photographier, prenez quelques minutes pour observer le jeu et déterminer le meilleur endroit où vous placer. Au hockey sur glace, par exemple, le meilleur emplacement pour faire des photographies se trouve derrière et légèrement sur le côté des buts.

4 La pellicule

Une pellicule noir et blanc évite bon nombre de problèmes posés par un film couleurs, surtout lorsque l'on ne sait pas quel type d'éclairage on utilisera.

Le mieux est encore d'emporter une sélection de pellicules — un film noir et blanc, un film couleur adapté à la lumière du jour et un film couleurs pour éclairage artificiel. Il sera toujours temps de charger votre appareil juste avant le début de l'épreuve sportive que vous voulez photographier.

Si vous n'utilisez pas de flash, prenez un film rapide.

Vous pouvez modifier sur votre appareil le réglage de la vitesse d'un film noir et blanc ou diapositives de une ou deux unités, mais rappelez-vous que ce faisant vous donnez plus de grain et de contraste à vos photographies.

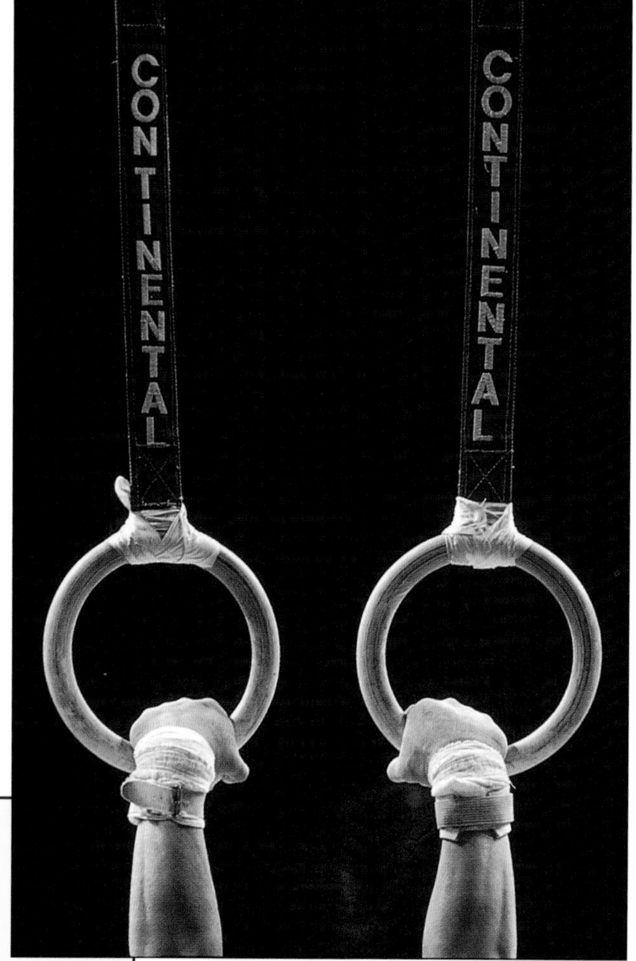

▶ ***Cette photographie a été prise grâce à un téléobjectif qui permet de cadrer plein cadre seulement les anneaux et les mains de l'athlète. L'arrière-plan noir donne un bel effet de contraste au sujet.***

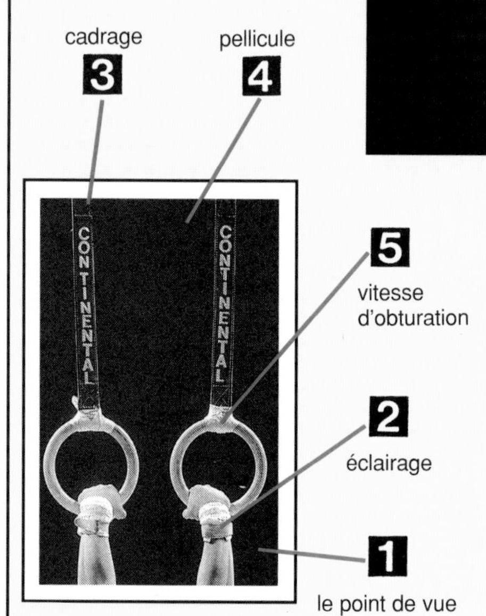

VÉRIFIEZ !

Reflex.
Objectif : un zoom de 35-80 mm ou de 70-210 mm, tout dépend du type de sport et de l'endroit où vous vous placez.
Pellicule : un film rapide, soit une pellicule diapositives de 400 ISO, soit une pellicule papier de 1000 ISO ou 1600 ISO. Vous pouvez utiliser également des films adaptés à un éclairage par projecteurs à lampe à tungstène ou des films noir et blanc.
Filtres : avec la lumière du jour ou un éclairage artificiel type projecteur à lampe au tungstène, un filtre 80A ; avec un éclairage fluorescent, un flitre magenta CC30 ou FL, ou encore un filtre rouge CC30 si vous utilisez des films adaptés à un éclairage par projecteurs à lampe à tungstène.
Support de l'appareil photographique : un pied mobile est indispensable si vos photographies sont prises avec une vitesse d'obturation très rapide.
Lieu : écoles, gymnases, stades.
Attention : si vous vous installez très près d'un terrain, assurez-vous de ne pas gêner les joueurs ou les athlètes.

▲ ***Essayez toujours de photographier les yeux d'un athlète ou d'un joueur en pleine action ou lors d'un effort physique intense afin de saisir parfaitement l'expression d'effort d'un visage.***

5 La vitesse d'obturation

Pour restituer au mieux toute la force et la rapidité d'une scène d'action dans des matchs de hochey sur glace ou de badminton par exemple, réglez la vitesse d'obturation sur 1/500e de seconde.

Vous pouvez choisir une vitesse plus lente, comme 1/125e de seconde, lorsque vous photographiez des compétitions de gymnastique ou un service au tennis.

Afin d'éviter à l'appareil photographique de bouger, fixez-le sur un pied mobile, à plus forte raison si vous utilisez un téléobjectif et choisissez une vitesse d'obturation la plus rapide possible.

Des chevaux sous l'objectif

Si vous voulez réaliser des photographies d'animaux, les chevaux ne vous décevront pas. En raison de leur grande taille, ils sont faciles à photographier, même avec un appareil compact.

Que vous habitiez en ville ou à la campagne, vous n'aurez pas à aller loin pour trouver des chevaux à photographier. Les concours hippiques figurent dans les journaux locaux. Vous pouvez aussi découvrir une école d'équitation dans votre secteur. On trouve des chevaux dans des situations diverses : observez, par exemple, un poulain auprès de sa mère ou un cheval de la Garde républicaine et son cavalier en faction.

Essayez de faire des clichés légèrement abstraits, en zoomant, par exemple, sur un détail de la selle et des bottes du cavalier.

▶ VUE DE FACE
Pour faire le portrait d'un cheval, il est nécessaire de réfléchir attentivement. Si l'animal est de face, il faut éviter de trop ouvrir le diaphragme, autrement seule une partie de sa tête sera nette. En revanche, si on n'ouvre pas assez le diaphragme, le fond ne sera pas assez flou. Choisissez donc une ouverture moyenne et faites le point sur les yeux du cheval.

Ici, la crinière de l'étalon, balayée par le vent, donne une certaine originalité à cette étude. Le cadrer sur un fond noir contrasté aide à mettre en valeur sa crinière.

◀ POURTOUR LUMINEUX
Ce qui fait l'originalité de cette photographie, c'est le soleil qui éclaire chaque poil de ce poney de montagne gallois. La douce lumière du matin, à l'arrière, est un fond parfait qui met en valeur et isole le sujet.

Avec un téléobjectif, le photographe pourrait garder ses distances et éviter d'effaroucher le poney, tout en s'assurant qu'il remplit bien l'image. Pour prendre des photographies comme celle-ci, notez où les chevaux paissent près de chez vous, puis levez-vous tôt, quand la lumière a l'air adéquate.

▲ DANS LA NATURE
Les chevaux sauvages en mouvement offrent une vue spectaculaire. Si vous avez la chance d'en voir, ayez un appareil photographique prêt à utiliser. Il faudra faire vite ! Avec un sujet qui se déplace aussi vite, prévoyez beaucoup d'espace autour de l'image, afin de pouvoir recadrer plus tard.

Grâce à une mesure soigneuse de la lumière, ces chevaux de Camargue apparaissent sous la forme de demi-silhouettes. La lumière délimite le contour de leurs dos et de leurs crinières.

◀ EN PLEIN SAUT

Rendez-vous à un concours hippique pour saisir un cheval dans la pose classique du saut. Asseyez-vous pour éviter d'être gêné par d'autres personnes pendant votre séance photographique. A ce concours en plein air, le photographe s'est placé face à des arbres, pour bénéficier d'un fond dégagé.

Une longue focale vous permet de remplir l'image. Faites d'abord le point sur l'obstacle et appuyez sur le déclencheur un instant avant que le cavalier soit net, car l'obturateur ne s'ouvre pas tout de suite. Ici, votre attention se concentre sur le cheval, parce que le visage du cavalier est caché.

Note

Soyez prêt

❑ Pour réussir vos photographies de concours hippiques, utilisez une longue focale qui aide à isoler les concurrents des spectateurs. À l'intérieur, vous aurez besoin d'un film rapide, en raison de la faible luminosité.

❑ Un zoom est pratique, quel que soit le cadre. Il vous permet de faire des gros plans et d'obtenir des vues plus larges, sans avoir à trop vous approcher des animaux.

❑ Si vous assistez à un concours en plein air, sur trois jours, munissez-vous d'une canne-siège ou d'une chaise pliante, pour être à l'aise.

❑ Pour photographier un cheval en particulier, demandez à quelqu'un de tenir les rênes. Si vous ne voulez pas qu'une personne figure sur la photographie, demandez-lui de lâcher les rênes et soyez prêt à appuyer sur le déclencheur à ce moment-là.

▲ À ÉGALITÉ

Des chevaux de course en plein galop créent un effet frappant, avec la neige suspendue au-dessus des jockeys. Pour obtenir cette vue, le photographe s'est posté dans un brusque tournant, sur le champ de courses. Pour saisir les chevaux serrés les uns contre les autres, prenez des photographies au départ de la course. À la fin, les concurrents seront dispersés. Le contraste entre les chevaux sombres et la neige toute blanche peut compliquer la mesure de la lumière. Utilisez un film pour papier au lieu de diapositives, pour de meilleurs résultats.

◀ UN EFFET INSOLITE

Le photographe a utilisé ici un véhicule qui suit les chevaux, le long du champ de courses, pour obtenir un effet insolite. Les jockeys et les chevaux paraissent immobiles, parce qu'ils ne bougent pas par rapport à l'appareil photographique. Mais d'autres parties du plan, dont les sabots, bougent vite et sont donc floues, à cette faible vitesse.

▶ DANS L'EAU

Les scènes dans l'eau, lors de concours de trois jours, donnent toujours de bonnes photographies. Pour votre sécurité, ne vous approchez pas trop et protégez votre appareil photographique de l'eau et de la boue, s'il n'est pas étanche.

Attendez-vous à être bousculé, s'il y a beaucoup de photographes au même endroit. Un zoom vous permet de cadrer la photographie avec précision, sans que vous perdiez votre place.

▶ AU TRAVAIL
Les concours de labourage ont un grand avantage pour les photographes : le laboureur remporte des points pour un sillon droit. Il est donc facile de prévoir exactement où votre sujet se trouvera. Vous pouvez donc faire le point et cadrer la photographie bien à l'avance. Ici, une douce lumière donne une tonalité dorée aux chevaux.

▼ À LA CHASSE
Pour prendre les meilleures photographies, ayez si possible des contacts personnels avec des chasseurs. La plupart d'entre eux se méfient, en effet, des associations hostiles à leur sport. Mais si vous leur promettez quelques photographies, vous aurez peut-être de la chance. Ici, les chasseurs et les chiens, bien encadrés par les arbres, baignent dans une pâle lumière d'automne.

▲ EN MUSIQUE
Des chevaux lourds figurent parfois dans des concours agricoles. Les conducteurs sont souvent intéressants à photographier.

▶ À LA MAISON
Photographiez un cheval au repos, pendant un moment tranquille, dans les écuries. Prenez soin de mesurer la lumière par rapport au cheval. Sinon, il peut disparaître dans l'ombre. Vérifiez qu'il n'y a pas de détritus sur le sol avant de prendre votre photographie. Il est facile de ne pas voir un sac de nourriture jeté, dans le coin de l'image.
Si le cheval n'aime apparemment pas être photographié, offrez-lui à manger.

Dix conseils pour faire de meilleures photographies de
sport et d'action

Avant de passer à un autre domaine intéressant, complètement différent, les portraits sophistiqués et intimes, récapitulons les méthodes pour prendre de très bonnes photographies de n'importe quel sport. Le matériel est évidemment important, mais la technique aussi.

1 Informez-vous sur l'épreuve

Choisissez une compétition que vous connaissez. La plupart des sports se déroulent à grande vitesse. Vous devez donc avoir des réflexes rapides pour saisir une action au bon moment. Avec une connaissance approfondie de l'épreuve, en particulier si ses règles sont compliquées, vous serez en bien meilleure position pour anticiper une action, quelle que soit la vitesse à laquelle elle se déroule.

Pour les sports en équipe, concentrez-vous sur les joueurs importants qui dominent le jeu. Il vous faudra peut-être vous informer avant l'épreuve. Quand vous l'avez repéré, suivez le joueur principal dans le viseur jusqu'à un moment opportun, par exemple quand un quart-arrière fait une passe gagnante ou un joueur de hockey vise le but.

Une grande distance focale rend flous les spectateurs dans le fond.

Une position basse rend la photographie plus spectaculaire.

▲ **EN PLEIN JEU**
Une connaissance des règles d'un sport vous permet d'anticiper le jeu. Ici, le photographe a saisi l'instant spectaculaire où le joueur rejoint son camp en glissant.

2 Choisissez un bon angle de vue

Pour réussir des photographies d'action, il est nécessaire de choisir soigneusement ses angles de vue. Au cours de compétitions sportives de premier plan, les meilleurs emplacements, comme la ligne de touche lors d'un match de football ou à l'intérieur d'un stade au cours d'une rencontre d'athlétisme de haut niveau, sont, en général, réservés aux photographes professionnels.

Néanmoins, tous les espoirs sont permis pour l'amateur enthousiaste. Vous pouvez profiter de rencontres locales ou de compétitions amateurs, où il y a beaucoup moins de restrictions.

Bien qu'il n'y ait peut-être pas de vedettes, il y a encore de nombreuses occasions pour prendre des photographies intéressantes. On obtient souvent un laissez-passer en écrivant une lettre au secrétaire du club et en proposant de lui donner quelques clichés.

Pour des sports pratiqués sur un champ de course ou une piste, comme les courses hippiques, les rencontres d'athlétisme et les compétitions de voitures, essayez de vous placer dans un tournant, où les concurrents se regroupent souvent de manière spectaculaire pendant l'épreuve.

Les concours de saut ont souvent l'air spectaculaire, vus en contreplongée : le sportif est, en effet, photographié contre le ciel. Pour obtenir une photographie vraiment saisissante, accroupissez-vous pour saisir le sable qui vole en l'air, au moment où un concurrent de saut en longueur atterrit.

Si vous êtes coincé dans les tribunes, vous pouvez quand même obtenir des photographies tout à fait correctes avec un long téléobjectif (400 mm et plus). Utilisez un pied pour stabiliser l'appareil photographique et l'objectif, sans perdre votre mobilité.

Essayez d'obtenir une autorisation pour assister à quelques séances d'entraînement.

▶ EN PLEIN VOL
A l'aide d'un téléobjectif, le photographe a saisi l'athlète Mike Powell en plein vol, dans une contreplongée saisissante, au moment où il tentait d'établir un nouveau record du monde.

3 Isolez le sujet

Concentrez-vous sur un seul sujet.en vous approchant de lui à l'aide d'un téléobjectif ou en choisissant un angle de vue qui exclut des spectateurs ou d'autres détails qui détournent l'attention. En remplissant l'image avec un lutteur bombant ses muscles ou un coureur de marathon épuisé, vous obtenez une photographie d'une rare intensité.

Quand vous photographiez un sportif en mouvement, composez la photographie de façon à suggérer la direction dans laquelle il se déplace. Par exemple, si vous cadrez un sprinter jaillissant des starting-blocks au milieu de la photographie, vous obtenez un effet statique inapproprié. Mais décentrez le même athlète vers la gauche du viseur (s'il court vers votre droite) et vous donnerez très clairement l'impression qu'il se déplace vers l'espace vide.

◀ UN PARMI TOUS
La faible profondeur de champ d'un téléobjectif, associée à une mise au point précise, isole un jockey parmi les autres concurrents.

4 Faites attention au fond

N'oubliez pas le fond, quand vous êtes prêt à faire vos photographies. Votre sujet peut facilement disparaître au milieu d'une foule de spectateurs, si votre angle de vue est mal choisi. Évitez cela en ouvrant au maximum votre diaphragme. De cette façon, votre sujet se détache nettement sur un fond flou.

Faites aussi attention aux personnes qui ne participent pas directement à l'épreuve. La photographie d'un golfeur, qui joue son premier coup, est facilement gâchée, si son partenaire, derrière lui, ne figure qu'à moitié sur l'image.

Sinon, photographiez le fond pour montrer le contexte de l'épreuve. Un sauteur à ski, saisi dans une vue plongeante contre la vallée à ses pieds ou un cycliste photographié contre une montagne impressionnante donnent de bons clichés.

Si vous pouvez vous approcher suffisamment de votre sujet, utilisez un objectif à grand angle pour inclure l'environnement dans la photographie. Grâce à la vaste profondeur de champ de ces objectifs, les détails à l'arrière-plan et au premier plan restent extrêmement nets.

▶ L'ÉCUME BLANCHE
Une grande ouverture de diaphragme met le sportif en valeur contre un fond flou. Une vitesse d'obturation rapide donne l'impression qu'il est immobilisé en plein effort.

5 Attendez le moment crucial

Restituez l'ambiance fébrile d'une rencontre sportive en anticipant et en photographiant ses moments culminants. Un joueur de basket-ball qui lance le ballon dans le filet et un sprinter qui franchit la ligne d'arrivée, la tête baissée et les bras levés, inspirent des photographies sportives classiques.

En une fraction de seconde, l'occasion de prendre une bonne photographie disparaît à coup sûr. Aussi, sachez utiliser votre appareil sans hésitation, avant la rencontre. Faites le point à l'avance sur l'endroit où le jeu atteindra un point culminant, à votre avis, et préparez tous les réglages, pour pouvoir vous concentrer sur le moment crucial.

Un bon moment pour photographier un instant culminant, c'est juste avant que le jeu ne change de direction. Par exemple, lorsqu'un joueur de tennis est sur le point de frapper la balle, la raquette bien en arrière, ou quand un gymnaste s'apprête à faire le dernier saut arrière de ses exercices au sol. Comme l'action ralentit momentanément, vous pouvez aussi choisir des vitesses d'obturation plus basses que d'habitude.

▶ RETOUR DE SERVICE
On peut d'habitude prévoir le moment où un joueur de tennis va retourner une balle. Même avec une vitesse d'obturation rapide de 1/1000e de seconde, la balle et la raquette sont floues.

6 Saisissez sur le vif un sujet en mouvement

Choisissez une grande vitesse d'obturation pour saisir sur le vif un un mouvement trop rapide pour être nettement perceptible à l'œil nu. Vous aurez besoin de la vitesse d'obturation maximale pour faire, par exemple, une photographie très piquée d'un plongeur pénétrant dans l'eau ou de la poussière soulevée par une voiture de rallye qui passe à toute vitesse. La plupart des appareils réflex mono-objectif sont dotés de vitesses d'obturation d'au moins 1/1000e de seconde, ce qui permet de saisir sur le vif la plupart des sujets qui se déplacent à grande vitesse.

Prenez toujours en compte la distance entre l'appareil photographique et le sujet. Plus le sujet paraît grand dans le viseur, plus sa vitesse apparente est élevée. Il faut donc choisir la plus grande vitesse d'obturation possible.

Comme l'utilisation de grandes vitesses d'obturation dépend de la lumière disponible, choisissez l'objectif avec la plus grande ouverture possible que vous pouvez vous offrir.

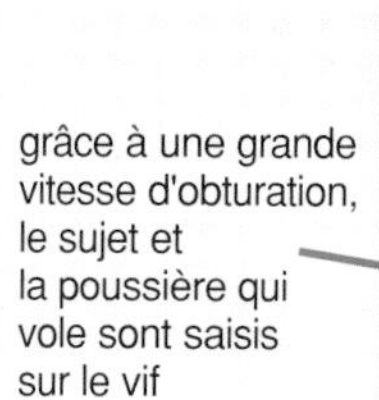

▼ LE PARIS-DAKAR
De grandes vitesses d'obturation sont indispensables pour saisir sur le vif des véhicules roulant à grande vitesse, comme dans les rallyes. Veillez à ce que votre appareil soit bien protégé de la poussière, comme ici.

7 Faites des panoramiques

▲ PISTE DE BOBSLEIGH
On obtient ici une impression de vitesse grâce à un panoramique qui saisit nettement le bobsleigh, tout en rendant flous les spectateurs. Remarquez le coéquipier, tourné dans le mauvais sens.

Donnez une impression de vitesse en faisant des panoramiques. Cette technique consiste à suivre un sujet sur une certaine distance pendant la pose. Choisissez un emplacement où le sportif passe directement dans le champ de l'appareil et tournez tout votre corps à partir de la taille, pendant la prise de vues. Vous devriez obtenir une photographie spectaculaire d'un sujet très piqué, sur un fond flou et strié.

Essayez diverses vitesses d'obturation. On obtient souvent les meilleurs résultats entre 1/60e de seconde et 1/15e de seconde. Une fois que vous avez appuyé sur le déclencheur, continuez surtout votre panoramique, d'un mouvement souple. Si vous arrêtez dès que vous avez appuyé sur le déclencheur, l'appareil risque de bouger, et votre photographie serait gâchée.

On réalise la plupart des panoramiques en tenant l'appareil dans ses mains, mais on peut aussi utiliser un pied ou un trépied (un pied est plus commode), fixé à une tête de plateau et de pivot.

8 Servez-vous du zoom

Changez la distance focale d'un zoom pendant la pose pour accentuer l'impression de vitesse.

L'explosion de couleurs floues, alliée au mouvement, qui en résulte, donne une photographie très dynamique. Bien qu'une faible vitesse d'obturation d'environ 1/4 ou 1/15e de seconde soit nécessaire pour avoir le temps de manier l'objectif, ne craignez pas que l'appareil tremble : l'effet du zoom masquera, en effet, cette instabilité.

Quand vous faites un zoom, placez votre sujet au centre de l'image ou décentrez-le légèrement, et choisissez un fond aux couleurs variées pour obtenir les meilleurs résultats.

▼ ZOOM SUR LE RUGBY
Changer la distance focale d'un zoom pendant la pose donne une image plus dynamique et spectaculaire d'une mêlée.

9 Jeux de flou

Rendez exprès une image complètement floue pour créer un effet impressionniste. Vous choisirez la bonne vitesse d'obturation grâce à votre expérience et un peu de chance, comme lorsque vous faites des panoramiques et des zooms.

L'aspect flou d'un sujet est intimement lié à son déplacement par rapport à l'appareil. Par exemple, un cavalier qui se déplace parallèlement à l'appareil peut paraître flou à 1/250e de seconde. En revanche, il peut être suffisamment net, même à 1/30e de seconde, s'il avance à la même vitesse vers l'appareil.

Comme les résultats sont difficiles à visualiser à l'avance, il vaut mieux prendre beaucoup de photographies et essayer diverses vitesses d'obturation. Quand on parvient à maîtriser un effet flou, la symphonie de couleurs saisissante, alliée au mouvement, donne une photographie mémorable et dynamique.

▲ DES CYCLISTES AUX COULEURS VIVES
Grâce à une vitesse d'obturation assez faible de 1/30e de seconde et à un flash, on obtient une photographie juste assez floue pour saisir ces cyclistes qui se bousculent.

10 Prenez beaucoup de clichés

Munissez-vous toujours de beaucoup de films. La chance, tout autant que des réactions rapides, restent essentielles pour réussir des photographies de sports et d'action.

Vous devrez probablement prendre de très nombreuses photographies avant de réaliser le cliché hors du commun qui réflète toute la fébrilité et l'ambiance de la journée. Un moteur d'entraînement peut être très précieux, car il donne au photographe un plus grand choix de clichés d'une épreuve particulière. Regroupez les meilleurs, par exemple ceux d'un boxeur mis KO par son adversaire, pour obtenir une série plus impressionnante.

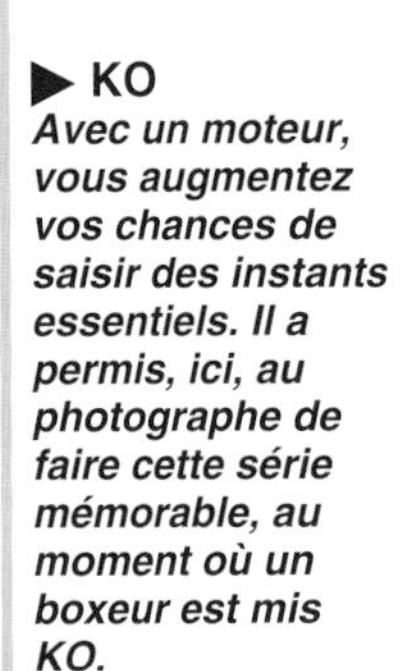

▶ KO
Avec un moteur, vous augmentez vos chances de saisir des instants essentiels. Il a permis, ici, au photographe de faire cette série mémorable, au moment où un boxeur est mis KO.

Les portraits intimes

Nous commençons notre étude sur les portraits avec un cours magistral sur les techniques de base.

◀ *L'élève est un reporter photographe, qui fait aussi des photographies pour son plaisir, avec beaucoup d'enthousiasme.*

▶ *Le professeur est un photographe professionnel spécialisé dans les portraits et les paysages.*

Quand mon professeur et moi nous sommes rencontrés pour ce cours magistral, nous désirions photographier une jeune fille, qui s'est portée volontaire, en plein air. Nous voulions faire un portrait tout simple, dans une atmosphère détendue. Pour que les conditions soient équitables, nous avons décidé d'utiliser le même appareil, un compact Olympus AZ 330, avec un zoom.

La journée a bien commencé. Mais quand j'étais prêt à me mettre au travail, le ciel s'était assombri, et il pleuvait à verse.

Évidemment, il était hors de question de faire des photographies en plein air. Nous avons donc décidé de les réaliser dans une serre. Son toit et ses côtés en verre donnaient l'impression d'être à l'extérieur. Nous pouvions donc utiliser la lumière naturelle au lieu d'un flash.

Où est le défaut ?

Ce que je cherche à obtenir, c'est une photographie naturelle, mais qui mette en valeur mon modèle. Je prends des photographies de la jeune fille au milieu de la pièce, debout et perchée sur un tabouret, dans le coin. Mais quelle que soit sa pose, je piétine.

D'abord, la pièce est encombrée de fauteuils en osier, de plantes et de coussins aux couleurs vives. Je déplace certaines plantes et me demande si je ne dois pas faire du rangement. Mais finalement, je manque de courage et tolère le fond qui détourne l'attention.

Pour me retrouver à la hauteur des yeux de mon modèle, je m'accroupis. J'espère ainsi faire une meilleure photographie, mais en pure perte. Je suis tellement occupé à garder mon équilibre que je ne fais pas assez attention à la façon dont le visage de la jeune fille est éclairé par le haut. Pire, je ne l'implique pas dans ce que je fais. Jusqu'ici, j'ai passé trop de temps à me préoccuper de divers détails. Je suis déçu par la façon dont la séance se déroule et je décide qu'il est temps de céder ma place à mon compagnon. Je savais que ma photographie avait plusieurs défauts, comme le fond qui détourne l'attention et la lumière qui éclaire le visage de la jeune fille par le haut. Mais je n'étais pas assez sûr de moi pour y remédier. J'ai fini par tenter ma chance.

▼ ***L'élève a pris la plupart de ses photographies accroupi inconfortablement devant son sujet, une jeune fille légèrement intimidée.***

▲ *La jeune fille a l'air plutôt perdue et mal à l'aise dans le portrait de l'amateur. Le fond est inégal et détourne l'attention, et le modèle remplit moins de la moitié de l'image. De plus, une lumière excessive, provenant du haut, plonge son visage dans l'ombre.*

Note : Les avantages d'un pied

Comme l'explique mon professeur, "s'il y a une chose qui distingue les portraits d'un professionnel des clichés d'un amateur, c'est le fait d'utiliser un pied. Les professionnels s'en servent toujours. C'est dommage, car un pied peut améliorer considérablement vos portraits. Il évite les vibrations, vous permet de composer et de maîtriser votre photographie et contribue à vous donner plus confiance en vous-même."
Ici, le pied permet au professionnel de faire sa photographie à une hauteur peu gênante : en dessous des yeux, tout en lui évitant de s'accroupir. De toutes façons, s'accroupir n'est pas une position idéale. Quand l'amateur l'a fait, il a basculé sur ses talons et s'est plus soucié de garder son équilibre.

Un travail de professionnel

1 FORMAT ET ÉCLAIRAGE
Le photographe a changé de format, afin que la jeune fille occupe toute l'image. Il a diminué la lumière blafarde qui venait du haut en déployant un store sur le toit. Pour combler les ombres, il a placé un grand panneau en polystyrène contre un tabouret.

2 METTEZ LE MODÈLE À L'AISE
Le photographe sait qu'on obtient les meilleures photographies dans une atmosphère détendue et joyeuse. Il a donc commencé par bavarder et plaisanter avec la jeune fille et a vite réussi à la mettre tout à fait à l'aise. Celle-ci a l'air beaucoup plus détendue, mais le fond inégal pose des problèmes.

Le savoir-faire professionnel

Le photographe a commencé par placer le compact sur un pied. Ce qui lui a permis de maîtriser la composition de sa photographie, de regarder la jeune fille et de lui parler, tout en conservant l'image dans le viseur. Celle-ci s'est vite détendue quand il a bavardé avec elle. C'était aussi plus agréable pour lui. Pour ma part, j'avais été un peu tendu.

Il a alors rangé la pièce qui était encombrée et en a fait le tour jusqu'à ce qu'il trouve un endroit apparemment approprié, avec un fond dégagé.

Il a ensuite maîtrisé la lumière disponible en utilisant un grand panneau en polystyrène pour la réfléchir sur la jeune fille. De plus, il a réduit la lumière qui venait du haut en déployant un store sur le toit (si vous n'avez pas de store chez vous, vous pouvez tout aussi bien utiliser un vieux drap ajusté avec des punaises).

L'éclairage

La lumière naturelle filtrait à travers la verrière et les fenêtres. Il y avait parfois du soleil, mais le plus souvent, le temps était couvert. Un store tout simple déployé sur le toit adoucissait la lumière venant du haut et lui donnait une tonalité chaude. Le photographe a aussi maîtrisé et réfléchi cette lumière sur le visage de la jeune fille en plaçant un panneau en polystyrène contre un tabouret.

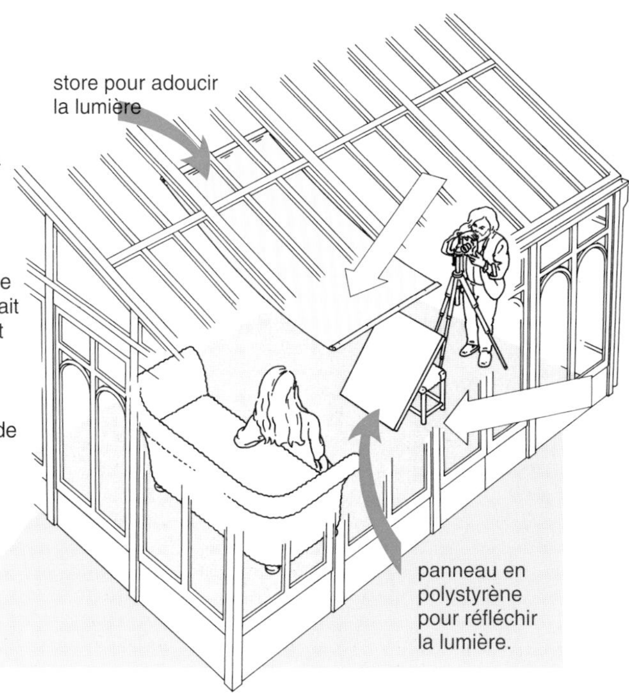

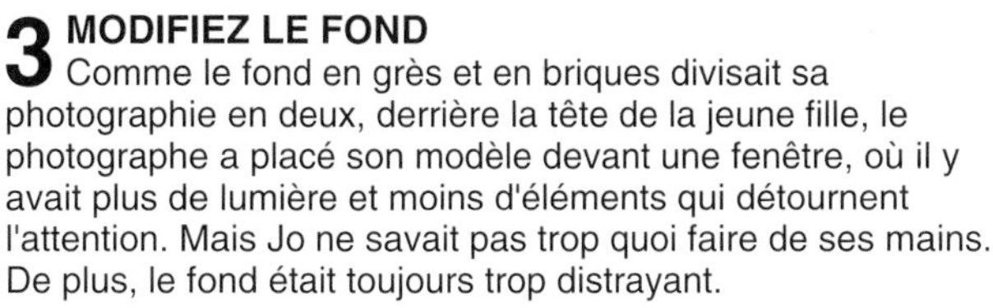

3 MODIFIEZ LE FOND
Comme le fond en grès et en briques divisait sa photographie en deux, derrière la tête de la jeune fille, le photographe a placé son modèle devant une fenêtre, où il y avait plus de lumière et moins d'éléments qui détournent l'attention. Mais Jo ne savait pas trop quoi faire de ses mains. De plus, le fond était toujours trop distrayant.

4 SIMPLIFIEZ LA PHOTOGRAPHIE
Le photographe a retiré les coussins et le dessus d'une chaise en osier, a installé la jeune fille devant celle-ci et l'a utilisée comme fond. C'est une bonne idée: cela donne un fond naturel et simple et permet au sujet d'occuper ses mains. C'est un bon exemple de la façon dont on peut adapter une pièce à ses besoins.

Mon tort a surtout été de ne pas impliquer la jeune fille dans la séance de photographies. J'étais tellement absorbé par mes problèmes techniques que j'ai oublié une évidence : je photographiais une personne et non quelque chose d'inanimé. J'aurais dû être plus amical et lui parler un peu plus. Je ne suis pas arrivé à la détendre et à la faire sourire de façon naturelle. Comme le photographe a utilisé son pied, il a pu détourner l'œil du viseur et bavarder avec la jeune fille, à son gré.

J'ai aussi appris à mieux maîtriser l'éclairage. J'ai vu que le front et le nez de la jeune fille captaient trop de lumière, alors que des ombres profondes assombrissaient ses yeux. Mais j'ignorais comment résoudre ce problème.

Compact

❑ le photographe et son élève ont utilisé un compact Olympus AZ 330, avec un zoom d'une focale de 38 à 105 mm. Comme pour la plupart des compacts, la pose, la vitesse d'obturation et la mise au point étaient toutes automatiques. Ils ont choisi un film pour papier à 400 ISO, en raison de la mauvaise luminosité en début de journée. Le plus souvent, ils ont utilisé l'appareil, avec le zoom à son maximum, ce qui a donné des gros plans de bonne qualité, sans risque de distorsion.

❑ Si votre appareil n'a pas de zoom, ne cédez pas à la tentation de trop vous approcher de votre modèle, juste pour remplir l'image. Un très gros plan risque de déformer ses traits : par exemple, le nez est souvent trop grand. Vous obtiendrez de meilleurs résultats, si vous cadrez l'image un peu plus amplement et prenez une photographie de la tête et des épaules.

Réflex

❑ On peut utiliser la plupart des reflex mono-objectif à une certaine distance, avec un déclencheur souple. Cela permet de se déplacer plus facilement et de parler au modèle, sans être obligé de revenir vers l'appareil pour prendre la photographie.

▲ Après avoir tourné la chaise, le photographe a demandé à la jeune fille de s'appuyer sur le dossier. Il a vérifié qu'elle était assise confortablement et se sentait détendue, avant de prendre cette photographie d'elle, pleine d'affection, dans une tenue plus simple et moins distrayante. Cela a donné un portrait amical et plein de vitalité.

▶ Comme le photographe s'est rapproché de la jeune fille, le visage de son modèle remplit l'image. De plus, la lumière naturelle met en valeur ses traits. Elle a changé de pose, mais paraît toujours détendue. Le photographe a utilisé son pied pour prendre cette photographie légèrement au-dessus d'elle. Elle lève les yeux, ce qui est toujours un angle de vue avantageux.

L'étude de personnalité

Après les portraits intimes, concentrons-nous sur la personnalité du modèle, dans l'étape suivante.

Faire une étude de personnalité est un exercice parfois difficile. Il faut, en effet, trouver un juste milieu entre mettre en valeur son modèle et révéler ses rides pour le rendre plus intéressant. L'expérience considérable de notre professeur s'est révélée essentielle, quand nous lui avons demandé son aide.

Nous nous sommes rendus à son studio, où nous a rejoints un ami, acteur à la retraite qui a accepté de poser pour nous.

Première étape

J'ai commencé en premier avec un Nikon FE2, un objectif de 50 mm et un film pour diapositives Ektachrome Professionnel de Kodak, à 64 ISO. J'ai placé l'appareil sur un pied pour pouvoir parler facilement à Frank, tout en prenant des photographies. Cela m'évitait d'être caché derrière le viseur.

J'ai décidé d'utiliser un éclairage simple : un flash de studio d'assez forte puissance, relié à l'appareil par une rallonge. On peut aussi se servir d'un flash de poche, détaché de l'appareil, qui donne un éclairage moins puissant. Le flash a été placé devant le modèle, légèrement au-dessus de sa tête, ce qui a bien éclairé son visage. En revanche, cet éclairage plutôt plat a légèrement oblitéré les contours et formé une ombre disgracieuse sous son menton.

J'ai obtenu un portrait assez beau, mais je savais que je pouvais l'améliorer pour révéler davantage la personnalité du modèle.

▶ ***Martin, le photographe amateur, a pris une photographie de face, toute simple, du modèle, avec un objectif ordinaire. Selon mon professeur, ce n'était pas mal pour un premier essai. Pourtant, l'éclairage ne met pas assez en valeur les contours de son visage. De plus, la couleur du fond ne convient pas. On dirait que le modèle est affalé sur la chaise. L'élève aurait dû réfléchir davantage pour trouver la pose la plus photogénique.***

Un peu de poudre

Votre modèle a peut-être le nez ou le front qui brille. Vraisemblablement, le flash va accentuer ce défaut. Un peu de poudre permet d'atténuer le reflet. Si votre modèle se rebiffe, rappelez-lui que les acteurs sont toujours maquillés face à la caméra.

La méthode du professeur

Le professeur a commencé à faire des photographies avec le même appareil que moi. Il a d'abord demandé à son modèle de mettre des vêtements plus foncés, puis a prévu un décor plus sombre. Dîtes toujours à votre modèle d'apporter au moins une tenue de rechange, afin d'avoir beaucoup de possibilités.

Le photographe a d'abord utilisé un objectif de 50 mm, avant de choisir un zoom de 70 à 210 mm pour faire un cadrage serré de la tête du modèle, tout en évitant les distorsions. Ceci lui a permis de changer les longueurs focales sans trop bouger le pied.

Un éclairage astucieux

Le photographe s'est ensuite concentré sur l'éclairage. Il avait d'abord utilisé un flash de studio au même emplacement que moi : face au modèle. Pourtant, il n'était pas satisfait du résultat : le visage du modèle paraissait plat et ses rides n'étaient pas assez visibles pour une étude de personnalité.

Il a éteint le flash et l'a remplacé par un éclairage latéral un peu moins puissant, disposé sur la gauche de l'acteur. L'éclairage latéral a créé des ombres et mis en valeur les contours de son visage. À l'intérieur ou en plein air, c'est souvent la meilleure solution pour les portraits.

D'après mon professeur, "l'essentiel est de trouver un bon éclairage, pour faire une étude du modèle qui révèle réellement sa personnalité. Un éclairage de face est à exclure, car il efface les ombres sur le visage du modèle. Or, nous voulons justement des ombres. Pour les obtenir, un éclairage latéral est nécessaire.

"Pensez à la façon dont la lumière change au cours de la journée. À midi, quand le soleil est au-dessus de votre tête, il ressemble à un éclairage par le haut : il est très plat et donne des ombres courtes. Mais vers le crépuscule ou l'aube, le soleil éclaire latéralement : les ombres sont donc plus longues et beaucoup plus apparentes".

LE PROFESSEUR DIRIGE LA PRISE DE VUES

1 UN FOND PLUS SOMBRE
Le photographe a commencé par prévoir un fond plus sombre. Il a accroché un rouleau de papier foncé derrière son modèle. "Nous allons créer beaucoup d'ombres sur le visage du modèle, explique mon professeur. La photographie définitive sera donc assez sombre. Le fond et ses vêtements doivent aussi être foncés ; sinon, l'effet sera gâché".

2 UNE TENUE APPROPRIÉE
Le photographe a demandé au modèle de mettre une chemise marron et un gilet sombre qu'il avait apportés. Le gilet rend la photographie plus intéressante et donne une note personnelle à la photographie. Grâce à la chemise pale, la tête du modèle ne semble pas flotter ! Ce cliché révèle mieux la personnalité du sujet que la photographie prise par l'élève.

Réflex

Choisissez une ouverture qui assure une profondeur de champ suffisante pour obtenir une image nette de votre modèle, mais évitez l'ouverture minimale, si vous voulez obtenir un fond flou.

Pour les portraits, choisissez une vitesse d'obturation d'au moins 1/60e de seconde, afin que votre modèle ne soit pas obligé de rester immobile trop longtemps.

Compact

Si vous avez un modèle à double objectif ou zoom, utilisez la plus longue focale pour des portraits en gros plan. Ceci permet de faire de plus belles photographies.

Si votre compact est équipé d'un objectif fixe, vous pouvez obtenir une meilleure photographie en reculant d'un pas. Mais l'image sera moins remplie.

3 UN CADRAGE PLUS SERRÉ
Le photographe a utilisé par la suite un zoom de 70 à 210 mm et l'a réglé sur 100 mm. "Je veux un cadrage serré de la tête et des épaules, a-t-il expliqué. Avec un objectif ordinaire, je serais obligé de me rapprocher de mon modèle, ce qui créerait un effet de distorsion."
Un éclairage de face a projeté une ombre disgracieuse sous le menton du modèle. Par conséquent, mon professeur doit ensuite modifier l'éclairage.

L'éclairage

4 UNE LUMIÈRE PLUS DOUCE
Le photographe a remplacé le flash de face avec un flash plus petit, sur la gauche du modèle. Il a mis du papier calque devant le flash, parce que "l'écran contribue à diffuser la lumière et à donner une image plus douce". Mais la moitié du visage de sujet était encore dans l'ombre.

5 AJOUTEZ UN RÉFLECTEUR
Le photographe a utilisé un grand morceau de polystyrène pour réfléchir la lumière sur le côté droit du visage du modèle. Cette partie n'était plus dans l'ombre, mais il n'était toujours pas satisfait : l'angle de vue mettait en valeur le front du modèle.

L'installation finale

La prise de vues s'est déroulée dans le studio de mon professeur. Mais on peut aussi bien faire des photographies dans un séjour qu'en studio, à condition que le fond soit simple. Le cadre était réduit au minimum : une chaise pour le modèle et un fond tout simple. Mike a utilisé un flash de studio, mais on peut aussi se servir d'un flash relié à l'appareil par un cordon de synchronisation.

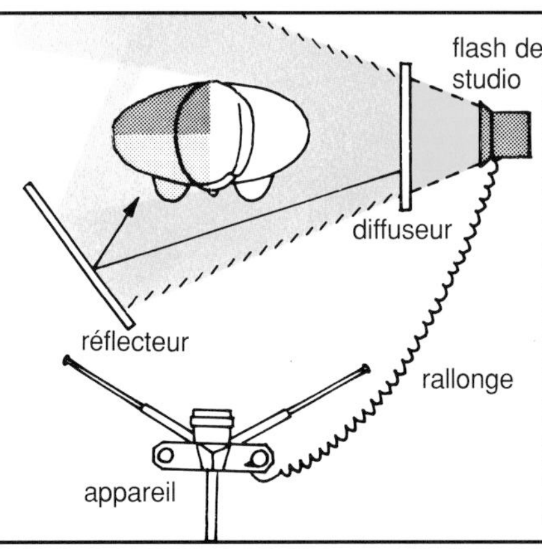

6 LA PHOTOGRAPHIE DÉFINITIVE Le photographe a demandé au modèle de tourner la tête vers la gauche, pour qu'il ne soit plus face à l'appareil. Il a utilisé un angle de vue légèrement inférieur pour obtenir une photographie plus plaisante, où le front du modèle est moins en évidence. Il a obtenu une étude de personnalité très agréable avec un éclairage doux, qui crée une bonne ambiance.

Le portrait en lumière naturelle

La lumière naturelle est, en général, plus douce qu'un flash. Elle est donc idéale pour les portraits en gros plan. Mais quand vous utilisez la lumière provenant d'une fenêtre, il est essentiel de la maîtriser et de la réfléchir.

Un bon portrait sophistiqué d'un ami ou d'un membre de votre famille est un souvenir merveilleux. Mais il n'est pas facile de prendre des photographies de vos proches, en intérieur. La lumière du flash est parfois très dure. De plus, il n'est pas aisé de louer des lampes de studio. Travailler avec la lumière du jour est une solution beaucoup moins coûteuse. De plus, elle peut donner d'excellents résultats, si vous la maîtrisez.

La lumière disponible était satisfaisante quand mon compagnon et moi-même avons commencé à prendre des photographies.

Une lumière inégale

J'ai préparé ma photographie en premier. J'ai demandé à la jeune fille de s'asseoir face à la fenêtre et de tourner ensuite sa tête sur le côté, afin de regarder directement l'appareil. Je pensais ainsi avoir assez de lumière. J'ai utilisé un Nikon F3, un film couleur pour diapositives, à 200 ISO, et un objectif ordinaire de 50 mm.
J'étais assez satisfait de la composition de ma photographie. La jeune fille a l'air à l'aise et détendue. De plus, l'angle de vue est intéressant.

▲ ***Pour cette photographie, le photographe a demandé à la jeune fille de s'asseoir sur le divan. Il l'a ensuite suffisamment éloignée des fenêtres pour qu'elle tourne entièrement son visage vers la lumière. Il l'a photographiée en plongée du haut d'une échelle pour faire ce portrait inspiré et original. Un réflecteur doré au pied de l'échelle donne une belle tonalité chaude à l'image.***

Le cadre

Nos deux photographes ont travaillé dans un séjour rectangulaire. Les seules sources de lumière naturelle provenaient de trois grandes fenêtres orientées vers l'est. Le premier a fait ses photographies très près de la fenêtre, sans réflecteurs. Le second a fait poser la jeune fille sur divers chaises et divans, avant de lui trouver une position confortable.

Le début de la journée a été assez ensoleillé, mais le temps s'est vite couvert. L'un des photographes a utilisé une série de réflecteurs dorés pour pallier cet inconvénient.

Pour faire ses dernières photographies, il a posé en équilibre un réflecteur devant elle et en a placé un autre plus grand sur sa droite, pour répartir la lumière sur tout son visage.

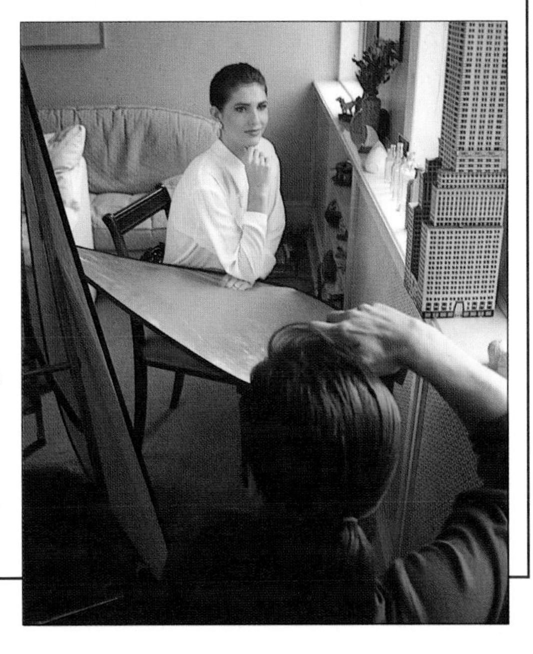

Mais l'éclairage n'était pas vraiment réussi. Comme le côté droit de son visage était directement face à la fenêtre, il était beaucoup trop lumineux dans l'image finale. En revanche, la partie gauche était beaucoup plus sombre. Dans l'ensemble, cette photographie comportait une lumière vive excessive, qui n'était pas maîtrisée.

Maîtriser la lumière

La première photographie de mon professeur ressemblait à la mienne : la jeune fille était assise de profil et regardait directement l'appareil. Il a aussi utilisé un Nikon F3, mais la ressemblance s'est arrêtée là. Il a choisi un objectif de 105 mm et un film à 800 ISO, assez rapide pour une faible luminosité. Il a donc pu baisser le store de la fenêtre, ce qui a supprimé la forte luminosité et adouci les contrastes.

Sur ses instructions, la jeune fille s'est assise sur diverses chaises et a circulé dans la pièce, pour qu'il trouve le meilleur éclairage. Il a même essayé de la photographier, perché sur une échelle. Comme le temps se couvrait au cours de la journée, il a utilisé des réflecteurs dorés pour profiter de la lumière disponible et un film plus rapide pour augmenter le grain.

Plus doux que le flash

"Si vous utilisez soigneusement la lumière naturelle, vous verrez qu'elle est beaucoup plus douce que le flash. Elle ne crée pas d'ombres dures et révèle admirablement la forme des visages, en particulier si la lumière vient d'un seul côté.

"Si vous avez à faire à une lumière directe, une feuille de papier calque l'adoucira beaucoup. Un store peu épais fera tout aussi bien l'affaire, comme nous l'avons montré aujourd'hui." On peut aussi utiliser un drap de coton blanc ou un voilage.

COMMENT UTILISER LA LUMIÈRE NATURELLE

▲ ***La composition de l'élève est bonne. Il a réalisé un beau portrait d'un modèle plein de naturel et détendu. Mais l'éclairage est vraiment inadéquat, comme l'explique le professeur. "Il y avait du soleil quand a commencé sa séance de photographies, et la jeune fille était très près de la fenêtre. Cela a donné une photographie délavée, trop lumineuse et trop contrastée. On aurait dû ou l'éloigner davantage de la fenêtre, ou utiliser un store pour diffuser la lumière."***

1 DIFFUSER LA LUMIERE
La première photographie de l'élève était semblable à celle du professeur, mais il a diffusé une vive lumière en baissant un store pâle. Il a utilisé un film rapide (800 ISO) adapté à la faible luminosité et un réflecteur pour réfléchir la lumière sur le côté gauche de son visage. Cela lui a permis de mettre en valeur le teint naturel de la jeune fille. Cependant, il y avait trop d'ombre sur le côté gauche de son visage.

2 UN ASPECT PLUS DOUX
Le professeur a choisi un film à 1600 ISO pour ce portrait, afin d'augmenter le grain. Il a recouvert son objectif d'un bout de bas noir pour obtenir un effet encore plus doux. Puis, il s'est servi du zoom pour faire un plan de la tête et des épaules de son modèle. La jeune fille était assise plus loin de la fenêtre, ce qui a changé le fond, mais a rendu la lumière moins intense et plus facile à maîtriser.

3 UNE TONALITÉ DORÉE
Pour cette photographie, la jeune fille s'est installée sur le divan, afin de bénéficier d'un meilleur fond. Pour compenser la perte de lumière, le professeur a retiré le filtre qu'il s'est concocté et a utilisé deux réflecteurs dorés, qui donnent à l'image un éclairage chaud et réparti équitablement. Il a changé l'apparence de la jeune fille en l'enveloppant d'un châle noir, lui a demandé de s'asseoir sur le bord du divan .

Note

Comment utiliser la lumière d'une fenêtre

Le plus grand inconvénient de la lumière qui provient d'une fenêtre, c'est qu'elle se répartit inégalement sur la photographie. Comme l'explique notre professeur, il peut donc être difficile d'obtenir une lumière uniforme. "Plus vous êtes prêt de la fenêtre, plus la lumière est répartie inégalement. Mais si vous vous éloignez trop, vous n'avez pas assez de lumière. Il faut trouver un juste milieu. Les réflecteurs sont très pratiques. Ils peuvent répartir uniformément la lumière sur un visage."

Réflex

Pour augmenter le grain d'un film pour diapositives, essayez de modifier son développement. Chargez votre appareil avec un film à 400 ISO, puis réglez votre vitesse d'obturation sur 1600. Ensuite, quand vous faites développer le film, demandez à ce qu'on le pousse de deux diaphragmes. Ceci vous donnera un maximum de grain, bien que vous risquiez d'obtenir des noirs légers, d'aspect verdâtre. Sinon, achetez un film conçu pour être poussé au développement et considérez-le comme un El 1600 ou même un El 3200.

Compact

On ne peut pas utiliser des films plus rapides que 400 ISO sur de nombreux compacts et donc on ne peut obtenir par ce moyen des effets granuleux. En revanche, il est possible de se servir d'un filtre à densité neutre (gris) sur l'objectif, en veillant à ce qu'il ne couvre pas le détecteur de pose. Cette méthode permettra d'obtenir les effets d'un film plus rapide. Pour rivaliser avec un film à 1600 ISO avec un compact, choisissez un filtre Kodak Wratten ND 0.6.

4 TOUT DANS LES YEUX Quand la jeune fille a mis un châle sur sa tête, le professeur a su que c'était le cliché dont il rêvait. Il lui a demandé de poser son menton sur sa main, puis l'a photographiée en gros plan et en légère plongée. Grâce à une vitesse d'obturation plus faible, le teint de la jeune fille ressort très bien et la couleur de ses yeux est mise en valeur. On dirait une photographie de mode.

Comment photographier les bébés

Nous avons surtout vu comment photographier des adultes, mais pour beaucoup d'entre nous, certaines des personnes les plus importantes dans notre vie sont encore très jeunes. Un photographe spécialisé donne un cours à notre élève sur cet art délicat.

J'ai photographié des enfants très jeunes et d'autres plus âgés, mais jamais des bébés. Bien que je sache à quel point c'est difficile, j'avais très envie de m'y mettre. J'ai donc demandé à un photographe professionnel, spécialisé dans les clichés d'enfants, de me montrer comment il procède avec les bébés âgés de moins d'un an.

Nous nous sommes retrouvés dans son petit studio. Pour avoir une plus grande marge de manœuvre, nous avions choisi deux modèles pour la prise de vues, une petite fille de huit mois et un petit garçon de sept mois. Si un des bébés n'était pas de bonne humeur, nous avions donc la possibilité de photographier l'autre.

Des débuts maladroits

J'ai décidé de passer en premier et de prendre le garçon comme modèle. Après avoir examiné divers fonds en toile, j'en ai choisi un d'un gris subtil, moucheté. Je me suis ensuite occupé de l'éclairage. Mon professeur m'a suggéré d'utiliser une boîte à lumière d'un côté pour un éclairage doux et un spot de l'autre pour mettre en valeur les yeux de l'enfant. J'ai décidé de garder un fond sombre pour que le regard soit immédiatement attiré vers le modèle.

J'ai demandé à sa maman de lui mettre des blue jeans que j'avais choisis, puis je l'ai assis au milieu de mon décor. J'ai attendu quelques minutes qu'il s'installe avant de

Le décor

Nos deux photographes ont réalisé leurs clichés dans un petit studio professionnel. Ils ont tous les deux utilisé le Mamiya RZ67, placé très bas sur un pied, afin que l'objectif de 180 mm soit au niveau des yeux des bébés. Ils ont tous deux mis une boîte à lumière sur la gauche des bébés, comme éclairage général, et un spot sur la droite pour mettre en valeur leurs yeux. L'élève a choisi un fond gris, non éclairé. Mais le professeur a préféré un fond bleu beaucoup plus pimpant et a utilisé un parapluie de chaque côté du décor pour l'éclairer. Il a aussi donné divers hochets et jouets aux bébés pour les occuper et les pousser à regarder l'appareil.

▼ ***De temps en temps, notre professeur aime photographier les bébés avec des jouets. Ils les distraient et rendent les clichés plus intéressants. Au début, la petite fille renversait sans cesse ces peluches, mais elle s'est finalement calmée et a regardé dans la bonne direction.***

DES BÉBÉS SPLENDIDES

1 UNE PHOTOGRAPHIE PLUS GAIE
En choisissant un fond bleu clair et en l'éclairant avec deux parapluies, notre professeur a créé un décor beaucoup plus gai. Il a choisi une tenue rayée pour le petit garçon et lui a donné un ours en peluche. Comme il lui a vraiment consacré du temps, le modèle a l'air beaucoup plus content.

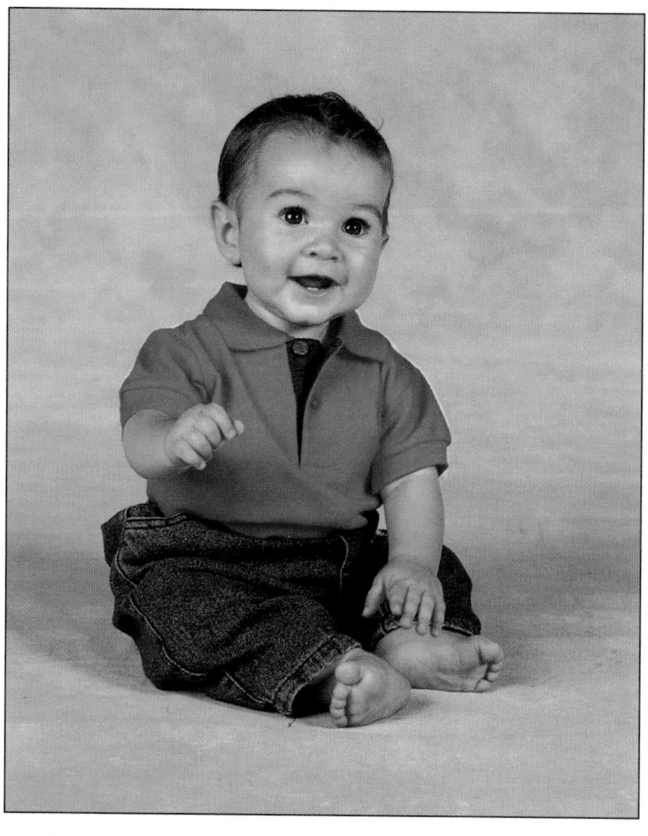

2 ON CHANGE DE MODÈLES
Quand le petit garçon a commencé à être fatigué, notre professeur a décidé de le laisser se reposer et de s'occuper de la petite fille. Il lui a mis une chemise rouge et des blue jeans et a joué avec elle quelques minutes, avant de la poser sur la toile. Puis il a agité un hochet pour que le bébé regarde l'appareil.

▶ L'élève a demandé à la mère du garçon de lui passer de superbes blue jeans pour cette photographie. Malheureusement, ils étaient un peu grands et lui donnaient un air débraillé. La photographie est trop sombre, parce que le fond n'est pas assez éclairé. De plus, le bébé a l'air mal à l'aise et bave.

commencer la séance de photographies. Mais même à ce moment-là, il n'avait pas l'air très content.

J'ai utilisé le Mamiya RZ67, de format moyen de mon professeur, avec un objectif de 180 mm et un film pour diapositives Ektachrome EPR de Kodak, à 64 ISO. Mais j'ai été déçu par les résultats : les photographies étaient toutes trop sombres. De plus, le petit garçon avait l'air mal à l'aise et manquait de naturel dans une tenue trop grande. J'aurais dû prendre plus de temps pour faire connaissance avec lui, au lieu d'être aussi pressé de faire les photographies.

Un fond plus clair

Quand il a pris le relais, mon professeur a commencé par changer le fond. La toile grise que j'avais choisie lui paraissait trop terne pour une photographie d'enfant. Il l'a donc

3 TOUTE NUE
Pour obtenir une photographie plus naturelle, mon professeur a décidé de faire un gros plan de la petite fille toute nue. Au début, le bébé était un peu perturbé et a essayé de se traîner à quatre pattes hors du champ. On lui a alors donné un ours en peluche pour la distraire. Le spot qui l'éclaire depuis le côté droit du décor met parfaitement en valeur ses yeux magnifiques.

remplacée par un fond bleu, pimpant. La façon dont j'avais éclairé le bébé lui semblait satisfaisante, mais il trouvait le fond beaucoup trop sombre. Il a donc placé un parapluie de chaque côté de la toile de fond pour l'éclairer.

Il s'est ensuite occupé du petit garçon en remplaçant ses jeans trop grands par une tenue rayée plus seyante et appropriée. Et surtout, il a passé du temps à jouer avec lui et à le mettre à l'aise, avant de commencer à le photographier. Il n'a pas entamé sa prise de vues avant qu'il ait l'air détendu et content. Il a alors utilisé le même appareil, le même film et le même objectif que moi.

Un nouveau modèle

Quand mon professeur eut fini de photographier le petit garçon, qui serrait joyeusement un ours en peluche, il montrait des signes de fatigue. Comme, de toute évidence, il allait se mettre à pleurer, il a décidé de le laisser se reposer et s'est tourné vers son second modèle. Il lui a simplement passé une chemise rouge et des blue jeans et l'a placée par terre, au même endroit où il avait photographié le garçon.

Pendant que son assistant distrayait le bébé en agitant des hochets et en faisant des grimaces, mon professeur a pris une série de photographies de la petite fille tout sourire, seule et entourée d'ours en peluche. Puis, il a essayé de la photographier nue, afin qu'elle ait l'air plus naturelle. Comme il était satisfait de sa photographie du modèle serrant son ours, il a décidé de photographier les deux bébés ensemble dans leurs couches.

Deux bébés

Le garçon avait récupéré et était disponible à nouveau. Le professeur les a donc assis ensemble dans le décor et a attendu de voir ce qui allait se passer. C'était fascinant d'observer les deux bébés qui se découvraient progressivement et commençaient à se toucher. D'abord, ils n'étaient pas très à l'aise, mais très vite, ils se sont mis à jouer ensemble joyeusement, sous l'objectif du photographe.

La simplicité avant tout

Comme tous les enfants, les bébés sont imprévisibles et n'aiment pas rester immobiles longtemps, au même endroit. Rappelez-vous ceci pendant que vous préparez l'éclairage. Ne prévoyez rien de compliqué et essayez de ne pas utiliser plus de deux sources lumineuses. Plus l'installation est compliquée, plus vous aurez du mal à la modifier, quand votre modèle s'impatientera et commencera à se déplacer.

Comme les bébés se fatiguent très vite, il faudra les photographier au cours de brèves séances. Veillez aussi à ce qu'ils ne soient pas effrayés par le flash, avant de commencer à l'utiliser.

4 ÉTABLIR LE CONTACT
Le professeur a ensuite assis les bébés ensemble dans le décor pour voir comment ils réagiraient l'un à l'autre. Au début, ils n'étaient pas très à l'aise, mais la curiosité l'a vite emporté, et ils se sont mis à jouer ensemble avec plaisir. En les aidant à faire connaissance progressivement, il a obtenu de superbes photographies.

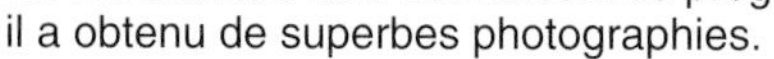

5 ▼ UNE CURIOSITÉ RÉCIPROQUE
Le professeur a pris toute une série de photographies des bébés en train de faire connaissance, mais celle-ci est la meilleure. Elle saisit le moment où les deux modèles se sont d'abord remarqués. Le mélange de curiosité et de stupéfaction est nettement visible sur leurs visages.

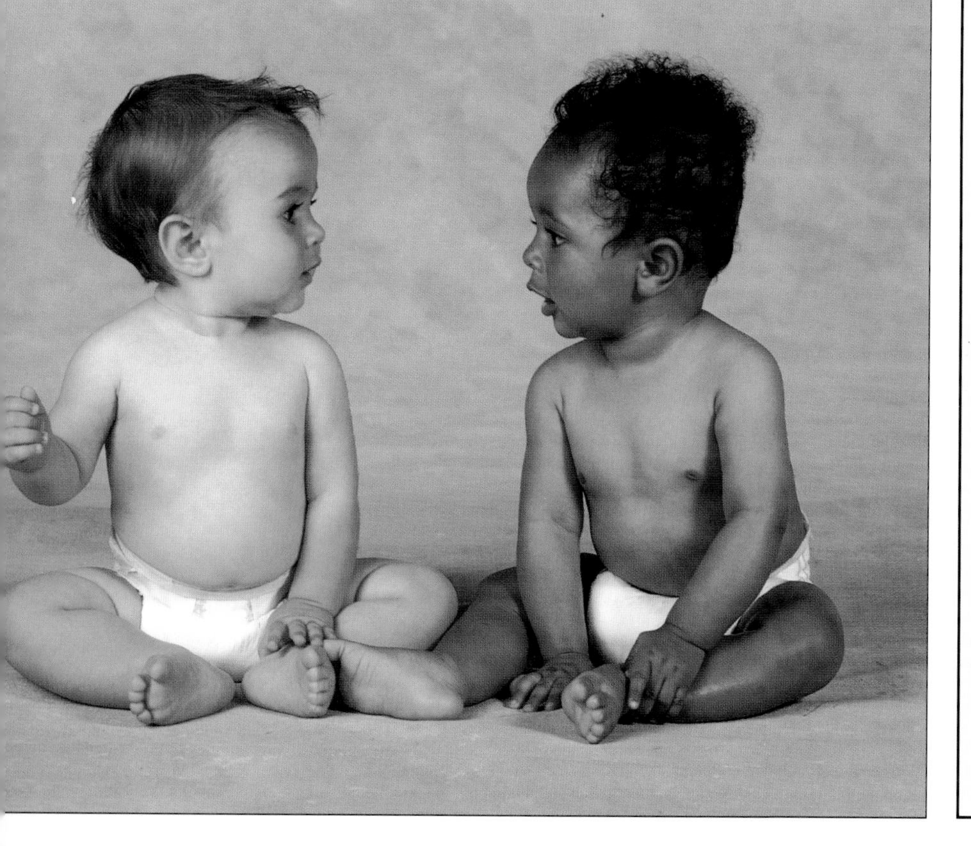

Compact

❑ Vous pouvez obtenir très simplement un éclairage semblable chez vous, en utilisant la lumière du jour et le flash de votre appareil. Utilisez comme éclairage principal la lumière provenant d'une grande fenêtre, à condition qu'elle ne soit pas inondée de soleil. Le flash vous permettra de restituer la lumière vive provenant du spot, dans le studio. Réglez le flash sur la touche fill-in — s'il comporte cette option —, mais masquez la moitié du réflecteur avec une carte noire ou un morceau d'adhésif, pour réduire l'intensité du flash.

Réflex

❑ Les plus longues focales utilisées, en général, pour les portraits ne sont pas toujours nécessaires, si on photographie des enfants. Vous découvrirez qu'il est plus facile d'obtenir de superbes expressions chez votre modèle en utilisant un objectif ordinaire de 50 mm et en vous approchant beaucoup plus de lui. L'objectif standard déforme les traits des adultes, mais convient tout à fait aux visages des enfants, qui sont beaucoup plus plats. Nous avons aussi l'habitude de voir les enfants de très près, alors que nous avons tendance à parler à un adulte de plus loin.

Les enfants en bas âge

Un jeune enfant qui vient d'apprendre à marcher est un modèle charmant et parfois comique. Les fillettes et les garçonnets sont plus vifs que les bébés, mais ne sont pas encore gênés devant l'objectif, contrairement aux enfants plus âgés. Ils vous permettent donc de faire des photographies.

Les enfants en bas âge ont tellement envie de s'exercer à marcher qu'ils foncent dans tous les sens à une vitesse surprenante. C'est pourquoi il est si difficile de les cadrer et de faire le point sur eux. Pour vous faciliter la tâche, confiez-leur un animal domestique ou faites-les jouer, y compris avec leurs doigts de pied!

Si vous n'avez pas d'enfants, demandez l'autorisation à un ami ou à un membre de votre famille de photographier les leurs, de préférence chez eux. Avec un peu de chance, ils seront tellement absorbés par leurs activités que vous commencerez facilement à faire des photographies. Rappelez-vous que les enfants s'ennuient facilement. Prévoyez donc de brèves prises de vues.

▼ UN DÉCOR SIMPLE
Comme les enfants en bas âge sont petits, tout accessoire devrait contribuer à attirer le regard sur eux, mais ne pas prendre trop d'importance. En choisissant un décor simple, comme sur cette photographie, votre attention est attirée par l'expression fascinée de l'enfant, qui contemple le chiot. Un éclairage simple et naturel évite que des ombres n'altèrent le charme de la scène. Ici, les meubles ont tout simplement été retirés.

▲ À LA PLAGE
La plage est un lieu privilégié qui pousse les enfants à se dépenser au maximum. Mais il n'est pas toujours aisé de saisir leur activité débordante sur la pellicule. Pour vous faciliter la tâche, attendez un instant. Ne commencez pas à faire des photographies tout de suite. Quand ils auront dépensé leur trop plein d'énergie, ils choisiront des jeux plus calmes. Cela vous permettra de faire le point et de cadrer votre photographie.

Comment tenir les enfants

Ce qui est probablement le plus difficile quand on photographie de jeunes enfants, c'est de les garder dans le champ : ils se baladent sans cesse. Pour résoudre le problème, donnez-leur un jouet ou confiez-leur une tâche intéressante, mais qui les immobilise.

Par exemple, quand des enfants grimpent tant bien que mal sur une cage à poules, vous aurez amplement le temps de composer votre image. Photographiez-les aussi sur un toboggan.

▲ DES TENUES COLORÉES
Les enfants adorent jouer au milieu des feuilles. Cette fillette n'est pas une exception. Son expression joyeuse et son sweatshirt coloré compensent le manque de contraste, par ce temps couvert. Comme un enfant ne reste pas propre longtemps, il faut penser à prendre une tenue de rechange, même pour un court déplacement.

▶ UN RECADRAGE SERRÉ
Les enfants en bas âge deviennent facilement absorbés, au plus haut point, par ce qu'ils font. C'est un moment idéal pour faire des photographies mémorables. Pour restituer sa concentration, il est capital de se rapprocher de l'enfant. On aurait pu photographier le haut de la tête du garçon, en s'éloignant davantage. Mais on n'aurait peut-être pas restitué la concentration intense du jeune artiste qui dessine.

◀ LE MOMENT IDÉAL
La seule façon d'être sûr de saisir les sourires et le rire, les grimaces et les larmes d'un enfant, c'est de rester attentif tout le temps et d'être prêt à utiliser son appareil. Avec de la chance, vous pouvez obtenir une merveilleuse expression comme celle-ci. Un moteur d'entraînement vous permet de faire plus d'une photographie d'un événement mémorable. Mais il ne vous sera d'aucune utilité si votre appareil est de l'autre côté de la piscine. Soyez donc toujours prêt.

Les enfants dans le studio

Des portraits tout simples d'enfants sont merveilleux, mais des photographies plus sophistiquées ont aussi un certain charme. Un spécialiste explique à notre élève comment faire un portrait en studio d'un jeune modèle.

▲ *Notre élève fait de la photo avec enthousiasme pendant ses loisirs.*

▲ *Notre professeur est un photographe professionnel réputé.*

Vu le vaste choix de matériel disponible dans le studio, je me sentais gâtée. J'ai estimé qu'il valait mieux aller au plus simple. J'ai choisi le Nikon F3 de mon professeur, muni d'un moteur d'entraînement, et un objectif de 50 mm.

Je lui ai demandé de choisir un film pour diapositives approprié. Il a pris l'Ektachrome de Kodak, à 100 ISO, parce que, selon lui, il rendrait bien la carnation du modèle.

Il fallait ensuite choisir l'éclairage. Le modèle attendait avec impatience le début de la séance de photographies. J'ai donc décidé d'utiliser un seul éclairage, que j'ai dirigé sur le côté de son visage. Le professeur l'a fixé de façon à ce qu'il fonctionne comme un flash synchronisé relié à l'appareil par un câble. Cela me permettait de voir comment la lumière éclairait le visage du sujet, avant le déclenchement du flash.

Lorsque j'ai trouvé où placer l'éclairage et poser le pied et que j'ai calculé le temps de pose, j'ai oublié un des points les plus essentiels : le modèle était seulement âgé de six ans et avait besoin de s'occuper. Il en avait assez, quand j'ai finalement terminé mes préparatifs. Comme il n'était plus dans le coup, j'avais perdu l'occasion de faire une photographie correcte. Il était grand temps de soulager le modèle et de le confier au professeur.

Le décor du studio

Comme le professeur a utilisé un flash de studio, il a dû placer un morceau de carton entre l'appareil et celui-ci. "Contrairement au flash d'un appareil, un flash distinct risque de produire une lueur très vive. La lumière pourrait être diffusée du flash, orienté adéquatement, vers l'appareil. Le carton n'est même pas indispensable. Demandez simplement à quelqu'un de se mettre près de l'éclairage pour le masquer par rapport à l'appareil."

Un vieux drap teint dans une couleur neutre et fixé avec des punaises peut servir de toile de fond. Sinon, approchez-vous tellement de l'enfant que vous ne voyez qu'elle.

Notre fond était gris moucheté. Pour en obtenir un semblable, chez vous, teignez un vieux drap dans un gris ni trop clair, ni trop foncé. A l'aide d'une éponge, appliquez de la teinture grise plus ou moins claire sur le tissu. Pour suspendre le fond, fixez-le à l'aide de pinces à une corde à linge placée entre la partie supérieure d'une porte et le haut d'une fenêtre.

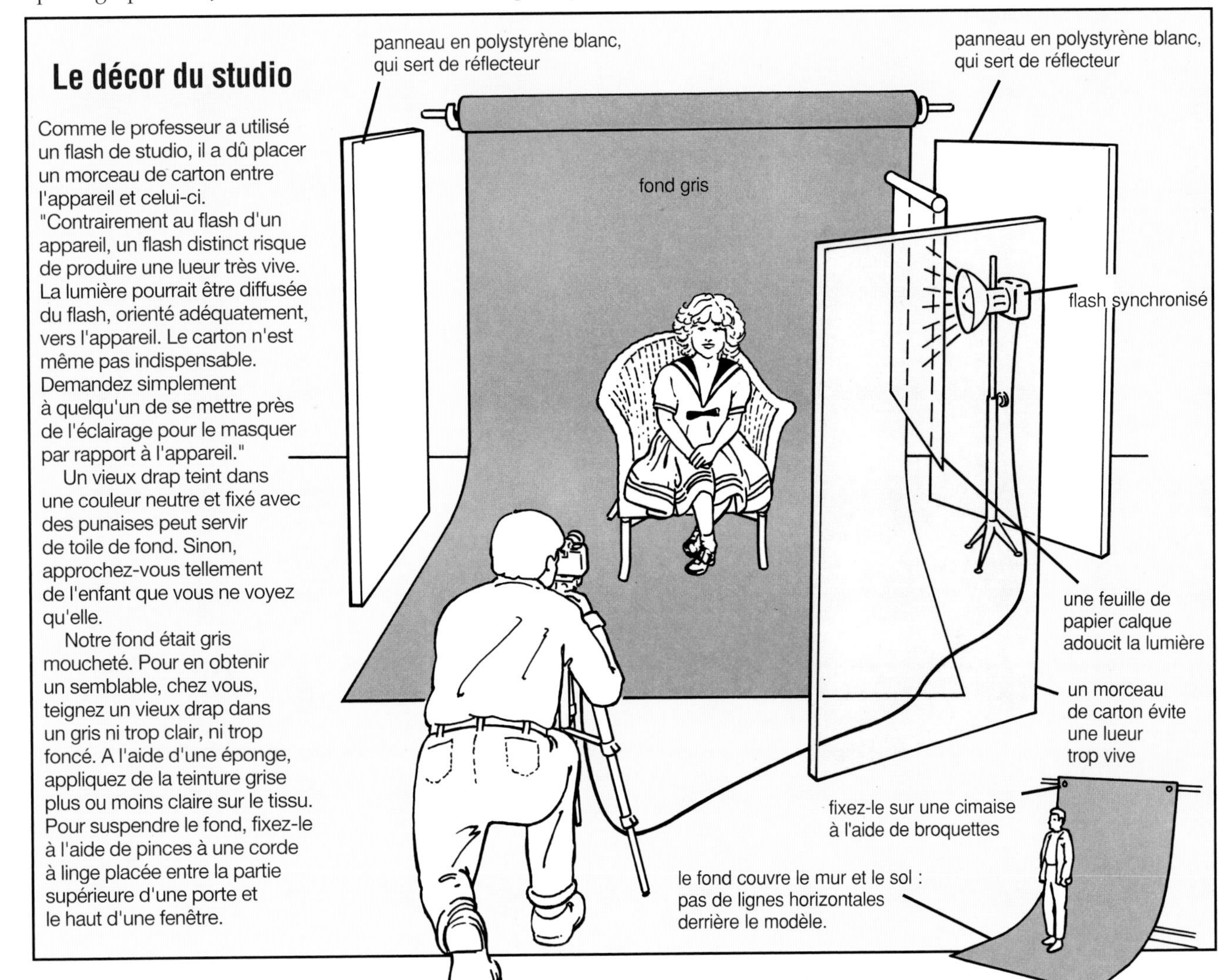

▲ *L'élève n'est pas satisfaite de l'éclairage sur sa photographie. Comme la lumière réfléchie est insuffisante, le côté gauche de la fillette est si mal éclairé qu'il est presque plongé dans l'obscurité. De plus, une ombre disgracieuse se profile dans le fond.*

QUELQUES VARIANTES

1 METTEZ LE MODÈLE À L'AISE ET RÉFLÉCHISSEZ LA LUMIÈRE
Le professeur a commencé par aider le modèle à se détendre en le faisant s'asseoir. Il a ensuite placé un grand panneau blanc du côté opposé à l'éclairage. Il réfléchit la lumière sur le côté de son visage, dans l'ombre.

Un moment ludique

Quand le professeur a pris la relève, il a réussi à sortir le modèle de lui-même en quelques instants. Il l'a impliqué tout de suite en la faisant parler et en la poussant à offrir ses plus beaux sourires à l'objectif.

Pour la faire bouger, le professeur a fait prendre diverses poses à la fillette en transformant la séance de photographies en un grand jeu. "Lève les mains en l'air... Baisse-les", lui a-t-il crié sur un ton enjoué.

Privilégiez la simplicité

Puis il a décidé de conserver la toile de fond grise et neutre que j'avais choisie. Éclairée différemment, elle avait l'avantage de paraître très claire ou très foncée, en fonction de l'effet requis.

Il a ensuite examiné la fillette un certain temps, avant même de sortir son appareil. Il lui a expliqué qu'il la photographierait en partie en fonction de ses vêtements. "Cela ne sert à rien de photographier une fille vêtue d'une jolie robe et de la pousser à faire la folle, à faire des sauts et à se comporter comme un garçon manqué. Il faut adapter la photographie à l'humeur créée par les habits d'un enfant."

Je me demandais si mon professeur allait utiliser des accessoires pour faire cette photographie. Il avait, en effet, une boîte pleine de jouets pour occuper ses jeunes modèles dans le studio. "J'essaie de ne pas utiliser d'accessoires, car ils ne font que compliquer la prise de vues. C'est un souci de plus", a-t-il précisé.

Éclairez le modèle

Il s'est contenté d'utiliser un seul éclairage, comme moi, mais en cherchant des résultats différents. Pour ma part, j'avais eu deux énormes problèmes d'éclairage. Le côté du modèle le plus éloigné de la source lumineuse était plongé dans l'obscurité. De plus, l'éclairage

2 RAPPROCHEZ-VOUS DU MODÈLE
Le photographe a remarqué que les chaussures de la fillette n'allaient pas vraiment avec sa robe. Il se rapproche donc beaucoup plus d'elle pour qu'elles ne figurent pas sur la photographie. Il a aussi choisi un pied beaucoup plus lourd. Celui que j'avais utilisé était, en effet, si léger qu'il était instable.

3 OBTENEZ UN EFFET PLUS DOUX
Le photographe a adouci l'éclairage encore davantage en ajoutant un autre réflecteur qui réfléchit plus de lumière sur la fillette, par l'avant. On obtient exactement le même effet que si la lumière avait été réfléchie depuis un coin de la pièce.

créait une ombre qui détournait l'attention, derrière elle.

Le professeur a d'abord placé un grand panneau en polystyrène du côté du modèle le plus éloigné de la source lumineuse. "Je regarde toujours ce qui passe dans l'ombre. Le contraste entre un côté de son visage et l'autre montre qu'il faut éclairer le côté dans l'ombre", a-t-il expliqué.

Quant à la grande ombre dans le fond, sur ma photographie, j'aurais eu le même problème si j'avais utilisé un appareil avec un flash direct, selon mon professeur. Pour éviter cela, on pourrait placer le modèle debout, directement contre le fond. Ou alors on pourrait tout simplement se rapprocher davantage du modèle et éliminer presque complètement le fond.

Une lumière réfléchie

Mon professeur a utilisé deux réflecteurs, l'un face à la source lumineuse et l'autre devant la fillette. Pour adoucir la lumière, il a même placé un écran recouvert de papier calque devant l'éclairage.

En constatant tout le mal qu'il s'est donné, j'ai compris à quel point l'éclairage était déterminant pour faire une bonne photographie, au lieu d'une image médiocre.

Un aspect rayonnant

D'après mon professeur, un écran de flou permet d'obtenir des images plus douces. "Un bon écran comme un Hasselblad devrait atténuer les rehauts clairs. Ceci donne au modèle une apparence légèrement rayonnante et plus douce. Malheureusement, bien que l'écran Hasselblad soit le meilleur, il est aussi très cher." Pourtant, on peut trouver des écrans de flou moins coûteux. Comme la fillette avait un teint de pêche parfait, mon professeur a décidé de ne pas utiliser d'écran pour ces photographies.

Réflex

Mesurer la lumière
En studio, nous avons dû mesurer la lumière avec un posemètre incident. Vous pouvez adopter cette méthode chez vous, si vous avez un posemètre. Pour cela, mesurez la lumière qui éclaire le modèle et non celle qu'il réfléchit.
Suivez les recommandations d'un spécialiste : "Mesurez deux fois la lumière depuis le visage du modèle. La première fois, orientez le posemètre depuis le visage vers l'appareil. La seconde fois, dirigez le posemètre depuis le visage vers la source lumineuse. Le temps de pose correct se situera entre les deux mesures."

Un flash amovible
On peut louer une lampe de studio chez un fournisseur de matériel photographique professionnel, mais c'est une solution coûteuse.
Pourtant, si vous êtes équipé d'un flash amovible, vous pouvez acheter pour une somme modique un câble de synchronisation qui déclenche le flash, quand il n'est pas fixé sur l'appareil.
Pour mettre en valeur votre modèle, placez votre éclairage dans un angle qui l'avantage. Pour vérifier l'effet obtenu, orientez une lampe de bureau ordinaire vers le modèle. Déplacez-la jusqu'à ce que vous ayez trouvé l'angle à partir duquel vous voulez diffuser la lumière. Remplacez ensuite la lampe par votre flash. Pensez à éteindre la lampe avant de prendre votre photographie, afin d'utiliser seulement le flash. Demandez à un ami de tenir le flash dans la position voulue ou fixez-le avec une pince ordinaire sur une bibliothèque ou une autre installation.

Compact

Un compact ne convient pas vraiment pour ce type de photographies en studio, parce qu'il faut utiliser un flash distinct. Pour faire un bon portrait avec un compact, il vaudrait mieux utiliser la lumière naturelle provenant d'une fenêtre ou faire une photographie en plein air. S'il n'y a pas assez de lumière, on peut aussi se servir d'un flash doté d'une touche fill-in, si votre appareil en est doté.

▲ ***Le photographe a estimé que d'autres vêtements iraient mieux avec les jolis cheveux bouclés de la fillette et donneraient une bien meilleure photographie. Il a choisi une robe seyante, qui crée un effet plus doux***

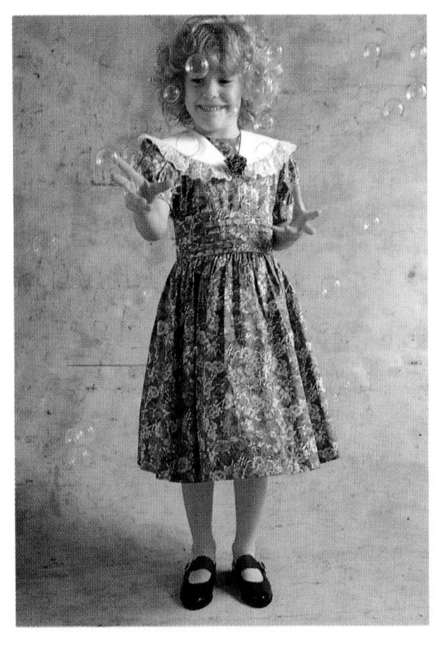

◀ ***Au bout d'un moment, même un enfant bien élevé commence à s'ennuyer pendant une séance de photographies. Il vaut mieux avoir une ou deux idées qui distraient votre jeune modèle. Notre spécialiste nous a confié un de ses secrets de professionnel : utilisez un flacon de bulles. Il amuse toujours un enfant qui s'ennuie et donne de superbes photographies.***

Le portrait de famille

Un photographe professionnel nous explique comment prendre une photographie de famille.

"Avez-vous déjà essayé de faire taire votre famille et de l'obliger à rester immobile pour la prendre en photo ? Je n'y suis jamais parvenu. J'ai donc demandé à un photographe professionnel de m'expliquer comment il s'y prenait pour faire une photo de famille correcte. Une famille a accepté de se laisser photographier à son domicile, avec une patience à toute épreuve.

Nous avons décidé de faire un portrait de groupe assez étudié. Nous avons tous deux utilisé des Nikon FE2, et mon professeur a choisi le film pour diapositives Ektachrome 100 Plus, à tonalité chaude, qui rend bien les carnations. Mais choisissez plutôt un film pour papier à 100 ISO, si vous voulez faire des photos pour l'album de famille.

Le décor

Ces clichés ont été réalisés dans une longue pièce regroupant le séjour et la salle à manger. Les deux photographes ont commencé par faire poser leurs modèles sur le sofa à l'avant de la pièce, mais le professeur est vite passé dans la salle à manger, moins encombrée, dans l'espoir de trouver quelques accessoires qui révèlent la personnalité de la famille. Noter que les plafonds hauts et blancs étaient légèrement teintés de rose.

Les deux photographes ont d'abord utilisé un flash portatif, mais le professeur a ensuite choisi un flash plus puissant, relié au secteur.

▼ ***La famille paraît assez détendue sur la première photo prise par mon professeur. Mais les têtes sont trop éloignées les unes des autres pour créer un effet intime. De plus, le fond est loin d'être idéal.***

Saisir l'instant

"Photographier un groupe, où figure un enfant en bas âge est parfois difficile, explique mon professeur. Il faut souvent travailler très vite, avant que l'enfant s'ennuie. Parfois, chacun se concentre sur l'enfant pour le pousser à fixer les yeux sur l'appareil photo. Pendant ce temps, ils ne regardent plus l'objectif eux-mêmes, ce qui pose un problème. Vérifiez donc d'abord que tout le reste du groupe regarde dans la bonne direction. Au lieu d'attendre que l'enfant réagisse, commencez à prendre des photos. Il finira par regarder où il faut."

▼ *On trouve quelques erreurs faciles à éviter sur la première photo de l'élève. L'accoudoir du sofa masque partiellement le garçon sur la gauche. De plus, la poupée sur la droite détourne carrément l'attention : on dirait presque un autre bébé. La lampe produit le même effet. De plus, les garçons ont l'air de s'ennuyer.*

▲ *Ici, il y a un défaut d'éclairage. Pour adoucir les ombres, l'élève a orienté le flash vers le haut, mais la teinte rosée du plafond a coloré la lumière. De plus, le plafond est trop haut pour que le flash l'atteigne vraiment. La photo est donc trop sombre.*

FAIRE POSER LA FAMILLE

1 DES DÉBUTS MALADROITS
Le professeur a d'abord assis ses modèles dans des positions diverses pour varier la composition de ses photos, puis a fait des essais avec l'éclairage. Il a allumé une lampe au tungstène derrière ses modèles pour voir ce que cela donnerait. Il a ensuite demandé à la mère de porter un pull plus vif et d'ajouter des fleurs pour rendre la photo plus gaie. Mais les garçons sont mal placés devant les fleurs et le pied de lampe, ce qui donne un aspect maladroit à la photo.

Des problèmes d'éclairage

"J'ai commencé ma prise de vues en premier avec un objectif de 50 mm et un flash fixé à l'appareil, dirigé directement sur les sujets. Mais un flash direct crée des ombres très dures derrière les modèles. J'ai donc décidé d'essayer de le réfléchir sur le plafond. Cela diffuse la lumière sur une surface plus large et adoucit les ombres.

C'était une erreur de choisir un objectif ordinaire de 50 mm pour prendre des photos dans un petit séjour. J'ai fini par heurter une chaise en reculant, parce que je n'avais pas assez de place pour réunir toute la famille sur la photo. Il aurait été plus judicieux de choisir un objectif à plus grand angle. Le plafond me posait aussi un gros problème : il était trop haut pour réfléchir la lumière adéquatement. La plupart de mes clichés étaient donc beaucoup trop sombres."

Le professeur prend le relais

Le professeur a commencé par étudier l'aspect que présentait la famille sur le sofa. Il a assis ses modèles à divers endroits pour trouver la meilleure présentation. "Une des erreurs les plus courantes est d'aligner des personnes sur un sofa, explique-t-il. Cela donne une photo tout en longueur, étriquée et sans intérêt. Essayez de créer une composition plus arrondie, pour que le regard se déplace d'une personne à l'autre de manière circulaire."

Un plus grand angle

Le professeur a utilisé un objectif à grand angle de 24 mm, ce qui lui a donné l'assurance de disposer d'une marge de manœuvre beaucoup plus grande. En contrepartie, beaucoup d'autres éléments allaient figurer sur la photo. Il a donc rangé tous les jouets, les magazines et les autres objets encombrants.

2 CHANGEMENT DE TACTIQUE
En installant la famille dans la salle à manger et en utilisant un objectif à grand angle de 24 mm, le professeur a réussi à faire figurer sur la photo des objets familiers, qui révèlent mieux la personnalité du groupe. La composition devient intéressante, parce que la mère et un garçon sont maintenant debout. De plus, l'éclairage est parfait, mais trop d'éléments figurent sur la photo.

3 LA BELLE AU BOIS DORMANT
Épuisé par cette expérience excitante, le bébé est tombé dans un sommeil profond. La famille voulait qu'elle figure quand même sur la photo. Sa minuscule silhouette ajoute une note tendre à la photo. Mais la mère paraît isolée et mal à l'aise au bord du groupe. De plus, le fond encombré détourne trop l'attention.

Il a commencé par se servir d'un petit flash fixé sur l'appareil pour réfléchir la lumière sur le plafond, comme je l'avais fait. Mais il a ouvert le diaphragme pour compenser la distance supplémentaire que la lumière devait parcourir.

Finalement, il a décidé d'utiliser un flash sur un support et relié au secteur, en raison de la légère teinte rose du plafond. Il a rendu la lumière diffuse en la réfléchissant sur un parapluie blanc derrière le support.

Bavarder avec la famille

Le professeur n'était pas satisfait du décor. Les membres de la famille étaient mal assis et mal à l'aise. Il fallait donc les installer ailleurs. Le bébé n'était plus fasciné par le flash magique et commençait à être grognon. Nous avons donc décidé de faire une pause pour prendre le thé.

Le professeur a bavardé avec les membres de la famille et leur a posé des questions sur leur travail, l'école et leurs loisirs. "J'aime obtenir le maximum d'informations sur les personnes que je photographie et sur leurs activités communes, a-t-il expliqué. S'ils ont une passion commune, j'essaie de la montrer sur ma photo."

Il a découvert que la famille avait des penchants artistiques. Comme de nombreux objets colorés ornaient la pièce, il a pensé qu'ils seraient plus à l'aise parmi certains d'entre eux.

Les membres de la famille ont finalement commencé à se détendre, probablement en partie parce qu'ils se sentaient dans un environnement plus familier. Comme le professeur l'a fait remarquer, les personnes mettent du temps à se sentir à l'aise. "Je ne m'attends jamais à faire des photos satisfaisantes sur mon premier rouleau de film. Il faut cette quantité de photos pour que la plupart des gens commencent à se sentir à l'aise."

Se rapprocher des modèles

La famille était maintenant beaucoup plus à l'aise. D'ailleurs, la petite fille était si détendue qu'elle s'est endormie. Selon le professeur, il était temps de se concentrer sur les visages de ses modèles.

Il a remplacé le grand angle par un objectif de 85 mm, l'objectif idéal pour les portraits. le professeur a pris la précaution de laisser un peu d'espace autour de l'image.

"Il ne faut pas avoir une marge trop grande, mais une petite peut s'avérer utile. Si vous n'aimez pas votre cadrage par la suite, vous pouvez toujours recadrer vos épreuves. Il est bon de prendre des séries de deux photos. De nombreuses personnes ont tendance à se crisper, en effet, avant qu'une photo soit prise. Aussi, le bruit de l'obturateur qui se déclenche la première fois les aide souvent à se détendre. "

Compact

❑ Plus le groupe que vous photographiez est grand, plus il est difficile de faire une photo sur laquelle tout le monde a les yeux ouverts et sourit. La seule façon de faire à coup sûr un bon portrait de groupe, c'est d'utiliser une grande quantité de film.

❑ Sous l'objectif, les personnes ont l'air plus éloignées les unes des autres qu'elles ne le sont réellement. Si vous voulez faire un portrait de groupe intime, assurez-vous par-dessus tout que vos modèles sont assis très près les uns des autres.

Réflex

❑ Pour éviter toute perte de luminosité éventuelle en réfléchissant un flash sur un plafond élevé, retirez-le de l'appareil et placez-le plus près du plafond. (Collez le flash sur le haut d'une porte ou une étagère avec du ruban adhésif). On peut synchroniser le flash avec une cellule secondaire, en déclenchant un minuscule flash à partir du porte-flash de l'appareil. La lumière du flash sur l'appareil illuminera aussi les yeux de tout le monde.

4 UNE FAMILLE UNIE
Pour faire un gros plan de la famille, le professeur lui a demandé de se regrouper, pour qu'il y ait très peu d'espace entre leurs têtes. En utilisant un objectif de 85 mm adapté aux portraits, il pouvait vraiment se rapprocher de ses modèles pour faire un gros plan sans marcher sur leurs pieds. Ils ont tous l'air détendus et contents sur cette photo.

Comment photographier de grands groupes

Le portrait ne se réduit pas à un plan rapproché, comme vous le découvrez vite quand vous essayez de photographier des groupes.

1 Le format

Il n'est pas étonnant que la plupart des photos de groupe soient d'un format horizontal. Il permet de répartir assez facilement vos modèles. Pourtant, n'excluez pas le format vertical.

La solution, c'est de placer les personnes à des hauteurs très différentes. S'il n'y a pas d'escaliers tout proches, soit utilisez des chaises ou des caisses d'emballage, soit demandez aux personnes devant de s'agenouiller.

Munissez-vous d'un objectif à grand angle. Si la rangée est vraiment longue, les appareils de photo panoramiques sont parfaits. Pourtant, les personnes aux bouts droit et gauche de la rangée peuvent paraître déformées, en particulier si on utilise des focales inférieures à 28 mm. Évitez si possible que les modèles soient répartis jusqu'au bord de la photo.

▲ *Ce qui unit ce groupe est évident. Le photographe a utilisé deux flashs pour faire cette photo.*

2 L'angle de vue

La taille du groupe aura une incidence sur l'endroit où vous placerez votre appareil. Utilisez une échelle pour réaliser une vue plongeante spectaculaire, qui vous permet de voir le visage de chacun.

Sinon, vous pouvez photographier vos modèles par la fenêtre, depuis le dernier étage d'un immeuble.

Vous pouvez obtenir une photo plus originale en vous accroupissant et en orientant l'appareil vers le haut. Mais les personnes les plus proches de l'objectif risquent d'être déformées.

Si vous photographiez une seule rangée de personnes, le visage de chacun figurera facilement sur l'image. Vous pouvez donc faire vos photos à la hauteur de leurs yeux.

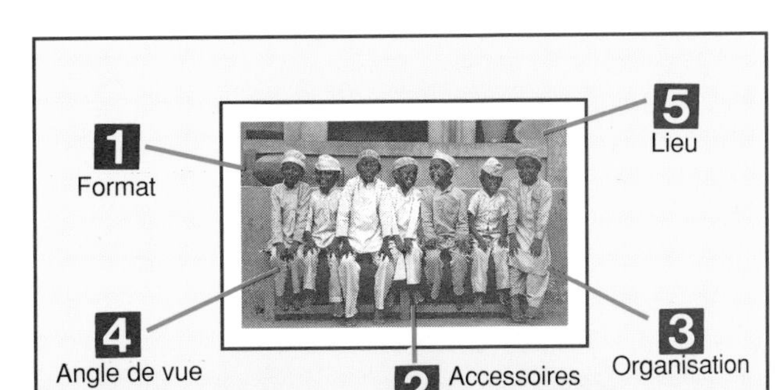

3 L'organisation

Quand vous faites poser vos modèles, prévoyez assez de temps pour les placer, mais ne traînez pas trop. Ils risquent de s'ennuyer, et cela se verrait sur leur visage.

Si vous photographiez de nombreuses personnes, il faut vous faire entendre. Expliquez clairement où chacun doit se placer et assurez-vous que vos instructions sont respectées. Il est utile d'avoir un assistant si on a à faire à de très grands groupes.

Un sifflet est un accessoire pratique pour attirer l'attention : sifflez, puis appuyez sur le déclencheur d'obturateur immédiatement, pendant que tout le monde vous regarde.

Pour obtenir des photos où les modèles ont l'air détendus et naturels, vous pouvez avoir recours à un autre stratagème. Comptez à rebours de trois à un, mais à un n'appuyez pas sur le déclencheur. Attendez quelques secondes, puis prenez la photo.

Avec un moteur d'entraînement, vous pouvez prendre deux photos très rapidement l'une à la suite de l'autre pour obtenir le même effet.

◀ ***Racontez une plaisanterie à vos modèles, puis saisissez leur réaction pour obtenir un superbe portrait, plein de spontanéité.***

4 Les accessoires

À moins que vos modèles soient en uniforme, il est parfois difficile pour le spectateur de déterminer exactement ce qu'ils ont en commun. Résolvez le problème en faisant figurer sur la photo des objets qu'ils utilisent dans le cadre de leur travail ou de leurs loisirs.

Vous pouvez photographier des musiciens avec leur instrument entre les mains ou en train de jouer. Un grand objet peut servir à souder le groupe. Imaginez, par exemple, plusieurs mécaniciens autour d'une voiture.

Si le groupe est plus petit, demandez donc à vos modèles de s'asseoir sur un long banc, pour que tous leurs visages soient à la même hauteur.

▲ ***Pour obtenir un effet humoristique, mettez en valeur comme dans ce portrait de groupe pris en contreplongée. Prendre une photo, accroupi, élimine aussi en partie les éléments distrayants.***

▼ ***Les modèles, disposés en rond, ont été photographiés en plongée, en train de jouer du tambour. Un objectif à grand angle accentue le motif circulaire.***

VÉRIFIEZ !

Appareil : un reflex ou un appareil panoramique. Si vous voulez figurer sur la photo, utilisez un retardateur ou une télécommande ou prévoyez un long déclencheur souple. Mais un retardateur vous permet moins de contrôler votre photo.
Objectif : idéalement entre 20 et 28 mm.
Film : 100 ISO.
Support d'appareil : un pied est utile, même essentiel, si vous voulez aussi être sur la photo.
Échelle : pour un très grand groupe.
Accessoires : tout ce qui est lié au travail ou aux activités du groupe, comme des instruments de musique ou un ballon de foot.
Heure : évitez le soleil en fin de soirée : de longues ombres peuvent, en effet, assombrir le visage des modèles.
Lieu : l'extérieur n'est pas recommandé.
Note : vérifiez que tous les modèles savent à quelle heure arriver. Demandez-leur d'être ponctuels.

5 Le lieu

Prenez des photos en plein air, si possible. Il est beaucoup plus facile de travailler en lumière naturelle, parce qu'elle est uniforme. Par temps couvert, personne ne disparaît derrière des ombres profondes ou des reflets brillants.
Ne prenez pas de photos quand le soleil est bas : il risque fort de projeter des ombres sur les visages.

Si vous êtes obligé de photographier un grand groupe à l'intérieur, utilisez un flash distinct, placé au-dessus de vos modèles, par exemple sur une poutre. Ainsi, le visage de chacun est éclairé de manière plus uniforme. Reliez-le à un appareil avec une rallonge ou utilisez une cellule secondaire. Sinon, servez-vous de plusieurs flashs.

Si la luminosité est assez bonne, profitez-en et prévoyez un long temps de pose. Assurez-vous que tout le monde reste immobile !

Les photographies de mariage

La photographie de mariage est un exemple classique de portrait, qui nécessite de bonnes aptitudes.

1 L'angle de vue

Faites vite, parce que toutes les autres personnes auront aussi des appareils photo ou des camescopes et chercheront un bon angle. Essayez de sortir de l'église dès que la dernière demoiselle d'honneur est passée. Cela vous évitera d'être bloqué par des personnes qui bavardent à l'entrée de l'église.

Éloignez-vous des autres photographes pour ne pas faire les mêmes photos. Une fois que le photographe officiel a placé les membres de la famille, c'est une bonne idée de se retourner et de prendre en photo les personnes qui les regardent sur les côtés. Comme vous les photographiez à l'improviste, vous obtenez des clichés pleins de spontanéité.

Mais veillez à ne pas gêner le photographe professionnel : il ne vous en saurait pas gré.

▼ ***En utilisant l'extrémité la plus longue du zoom d'un compact, on évite que les convives groupés autour des mariés ne paraissent déformés.***

2 La composition

▲ ***Des réflexes rapides et un appareil à mise au point automatique ont permis au photographe de saisir cette pose peu banale.***

Un objectif d'environ 35 mm vous permet de faire figurer d'autres membres de la famille et amis autour du couple. Si votre appareil est équipé, par exemple, d'un zoom de 35 à 80 mm, vous pouvez choisir la plus grande distance focale et saisir les expressions des uns et des autres, tout en gardant vos distances. Il rend aussi le fond flou.

Le photographe professionnel prendra beaucoup de photos officielles. Pourquoi n'essayez-vous donc pas de photographier les mariés au moment où ils se déplacent parmi leurs invités et bavardent et rient avec eux?

3 Les accessoires

Des objets traditionnels comme le bouquet de la mariée, les verres pour le toast et le gateau ne sont pas tout à fait des accessoires, mais sont intéressants .

Vous devez avoir des réflexes rapides pour saisir, par exemple, le moment exact où le riz ou les confettis volent, où la mariée jette son bouquet en l'air.

Préparez votre appareil et retirez le bouchon de l'objectif à ces moments-là (mais éteignez le flash pour éviter tout gaspillage).

Soyez prêt à faire vos photos quand les mariés sont sur le point de partir : saisissez leurs expressions quand ils aperçoivent la voiture toute décorée!

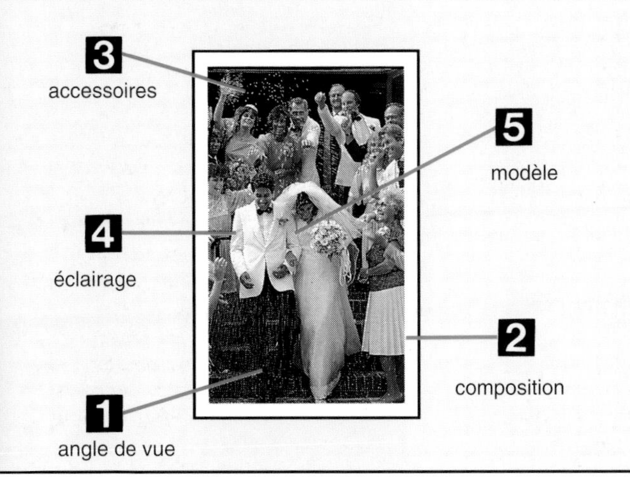

▲ *Appelez la mariée : elle se tournera vers vous. Appuyez immédiatement sur le déclencheur, avant qu'elle ne se détourne.*

4 L'éclairage

Par beau temps, le soleil filtre souvent à travers les vitraux de l'église ou sous les arches. Une photo de votre modèle, inondé de lumière, a des chances d'être excellente. Si vous avez un compact, vous aurez besoin d'un flash muni d'une touche fill-in, en raison de la faible luminosité.

Un tel flash est aussi pratique si le ciel s'assombrit brusquement et devient orageux. Souvenez-vous que votre flash n'éclairera pas tout le monde. Placez-vous donc à quelques mètres de la personne que vous voulez photographier et utilisez le flash.

Pendant la réception, observez les yeux de vos modèles : l'alcool, qu'ils consomment vraisemblablement, dilate, en effet, leurs pupilles et leur donne des yeux rouges. Essayez de faire des photos quand les personnes ne regardent pas directement l'appareil.

5 Le modèle

Ne croyez pas que vous devez uniquement photographier les mariés ! D'autres personnes font aussi d'excellents modèles. Par exemple, vous pouvez saisir sur le vif des demoiselles et des garçons d'honneur en train de jouer ou le père de la mariée qui se détend après la cérémonie. C'est l'occasion rêvée de photographier des personnes qui ne se sont pas vues depuis un certain temps.

Avec un peu de chance, les invités seront en train de bavarder et de passer un bon moment. Cela vous donnera de nombreuses occasions de les photographier à l'improviste.

▲ *Essayez de photographier les demoiselles d'honneur, merveilleusement spontanées, comme ici.*

VÉRIFIEZ !

Appareil : un compact équipé d'un flash et d'un zoom, que l'on peut glisser dans une poche ou un sac à main, fait parfaitement l'affaire.
Film : en extérieur, 100 à 200 ISO, s'il y a du soleil ; 400 ISO, s'il n'y en a pas. À l'intérieur, 400 à 1000 ISO. On peut rattraper quelques légères erreurs de pose, si on utilise du film pour papier. De plus, de nouveaux tirages destinés aux membres de la famille sont peu coûteux.
Support d'appareil : non indispensable.
Piles de rechange : recommandées.
Accessoires : confettis, riz, bouquet de fleurs.
Temps : munissez-vous d'un parapluie, s'il pleut, et demandez à quelqu'un de le tenir au-dessus de vous et de l'appareil pendant la prise de vues.
Note : demandez au préalable l'autorisation du prêtre, si vous voulez faire des photos dans l'église.

Les natures mortes et les gros plans

Cette dernière partie est consacrée aux natures mortes et aux gros plans, deux types de photographie où l'expertise peut encore plus faire la différence entre un cliché terne et une photo mémorable.

La photographie de natures mortes se différencie des portraits, des vues ou des clichés de paysages ou d'événements. C'est un art très différent, qui donne au photographe un contrôle total à la fois sur le sujet, l'éclairage, l'angle de vue et la présentation. C'est un domaine rêvé pour explorer et développer vos aptitudes en matière de photo.

De plus, vous avez besoin de très peu de matériel. Un objectif ordinaire (50 mm sur un appareil de 35 mm) devrait convenir pour la plupart des décors.

Les sujets

N'importe quel objet peut figurer dans une nature morte, depuis des articles comme un verre de vin, des plantes, des bouteilles et des livres jusqu'à des pièces de collection rares comme des vieilles montres ou des médailles militaires. Tout ce qui est assez petit pour figurer sur une table de taille moyenne et ne bouge pas est approprié.

Une nature morte réussie se caractérise, en général, par un thème commun : par exemple, des objets en bois ou un assortiment frappant de contours, de formes ou de textures contrastés. Le plaisir de créer une nature morte réside en partie dans la recherche et la découverte des bons accessoires.

▲ **UN DÉLICE DE POMMES**
Le photographe a utilisé un éclairage latéral dur et des contrastes de tons audacieux pour réaliser cette nature morte à l'impact immédiat. La vue plongeante met en valeur l'effet graphique des ombres inclinées.

◀ **UN ASSORTIMENT TRADITIONNEL**
Une nature morte réussie a souvent un thème commun. Ici, le photographe a choisi de vieux objets comme des médailles et de la porcelaine de la même époque. Avec une lumière douce et diffuse, les taches lumineuses risquent moins d'être visibles, ce qui permet de voir plus de détails.

Comment présenter une nature morte

Le secret pour réaliser une belle nature morte réside dans sa préparation. Une fois que vous avez choisi votre sujet, il suffit de faire des essais avec des fonds, des présentations et des emplacements d'éclairage.

La photographie de natures mortes est un processus de perfectionnement progressif. N'entamez pas votre prise de vues avant d'être tout à fait satisfait de la présentation. Rappelez-vous que vous n'avez pas besoin de vous presser, car vous contrôlez totalement la situation.

La présentation n'a pas besoin d'être compliquée : parfois, les plus simples sont les plus frappantes. Vous pouvez commencer par placer un objet dans un cadre tout simple, comme un bol sur une table en bois.

Faites ensuite des essais avec divers fonds, comme des tissus de couleur. Ou vous pouvez commencer avec un sujet principal, puis ajouter des accessoires. Des objets aux formes et aux couleurs contrastées paraissent souvent plus beaux, quand ils sont placés les uns à côté des autres. Pensez à un vase de fleurs aux couleurs éclatantes, près d'un vieux téléphone.

L'angle de vue est très important dans la photographie de nature morte. Un léger changement d'angle peut transformer le résultat final de manière spectaculaire.

Les contours et les formes des objets peuvent aussi subir un effet de distorsion, en fonction des diverses positions à partir desquelles ils sont photographiés. C'est pourquoi il est important de vérifier constamment la présentation dans le viseur.

Vous pouvez aussi réaliser des photos de nature morte abstraites. Utilisez des soufflets, des bagues d'extension ou un objectif macro pour faire un gros plan d'un détail. Vous pouvez, par exemple, obtenir une composition abstraite fascinante avec un détail d'un vieux cadenas, qui remplit toute l'image.

▲ DU POISSON FRAIS
Les couleurs, les formes et les textures contrastées des diverses sortes de poissons et fruits de mer créent une composition frappante sur cette photo.

▼ DU MÉTAL SUR DU BOIS
Si on supprime, comme ici, toute impression de profondeur, en éliminant des éléments qui pourraient suggérer la perspective, on obtient une image plate et graphique.

Comment éclairer votre nature morte

Note

Les diffuseurs

Vous pouvez fabriquer votre propre diffuseur avec diverses sortes de tissu translucide. Du papier calque, un drap blanc ou de l'acrylique opale conviennent bien. Pour varier l'impact du diffuseur, utilisez un drap translucide plus ou moins épais.

◀ **DES FLEURS SÉCHÉES**
Une lumière douce provenant d'une fenêtre hors champ, sur le côté droit, crée une ambiance chaude appropriée. En décentrant le vase et les fleurs, on obtient une meilleure composition.

Quand on photographie une nature morte, on cherche le plus souvent à donner l'impression au spectateur qu'il pourrait presque entrer dans la photo et toucher les objets. Pour bien restituer la forme et la texture de votre sujet, la façon dont vous utilisez la lumière et l'ombre est cruciale.

Placer l'objet en fonction de la règle de trois améliore la composition.

La lumière douce provenant de la fenêtre, sur le côté, s'assortit bien avec les couleurs atténuées de la nature morte.

Un éclairage latéral

La meilleure façon de révéler la texture dans une nature morte, c'est d'utiliser un éclairage dur, depuis un angle oblique. Cela crée un effet particulièrement frappant, si on photographie des objets comme des morceaux de bois rêches et noueux ou des plumes d'oiseau à la texture délicate. Cependant, vérifiez que les ombres n'altèrent pas l'effet recherché.

Une lumière diffuse

Une autre possibilité, c'est d'utiliser un éclairage diffus : par exemple, la lumière qui passe à travers un drap translucide. Ce type d'éclairage crée une ambiance plus douce, avec très peu d'ombres. Une lumière douce révèle des détails tout en finesse et le modelage de motifs délicats comme les pétales d'une fleur.

Éclairer par-derrière

Certains motifs de nature morte ont des formes fascinantes : par exemple, une bouteille de parfum ou un objet mécanique avec un contour graphique comme une pièce de moteur. Vous pouvez mettre en valeur la forme d'un objet en l'éclairant par derrière. En plaçant votre éclairage principal derrière l'objet, vous obtiendrez une silhouette nette. Essayez de placer de petits objets opaques sur un projecteur de diapositives, puis allumez-le.

▶ **UN ROBINET BRILLANT**
En réfléchissant des bandes de carte noire et blanche sur le robinet très brillant, le photographe a défini ses courbes en chrome.

Des objets découverts au hasard

La plupart des photos de nature morte sont réalisées dans un cadre entièrement contrôlé par le photographe. Pourtant, vous pouvez parfois trouver des objets qui donnent des compositions intéressantes, sans aucune autre intervention.

En réalité, de nombreuses natures mortes créées en studio sont présentées de manière à cacher le fait qu'elles ne sont pas naturelles. Regardez des photos de nature morte pour tâcher de déterminer si elles sont artificielles.

Commencez par regarder les vitrines pour trouver des compositions de nature morte. Songez à un magasin d'antiquités rempli d'objets divers comme des poupées, des verres, des livres et des meubles. Bien qu'ils soient peut-être disposés au hasard, vous pouvez, en général, découvrir des motifs et des présentations intéressants en isolant des détails.

Des objets usuels sur un rebord de fenêtre ou même une bouteille jetée sur une plage, correctement présentés, peuvent donner des photos frappantes. Vous avez seulement besoin de faire preuve d'imagination et de composer soigneusement vos photos.

▲ DES POUPÉES ANCIENNES
Les magasins d'antiquités sont de bons endroits pour faire des photos de nature morte. Il est inutile de changer quoi que ce soit. Le secret, c'est de choisir des détails qui donnent une belle photo comme celle-ci. Remarquez aussi que le photographe figure sur l'image.

◀ UNE BOUTEILLE VERTE
Même des détritus sur la plage peuvent figurer dans une nature morte. Le photographe a attendu que le soleil soit bas pour mettre en valeur la texture du sable et de la bouteille.

Les gros plans

Une manière fascinante de photographier votre sujet est de faire des gros plans. La distance focale minimale de votre objectif standard vous permettra normalement de réduire votre sujet à environ 1/10ème de sa grandeur réelle. Ce sera peut-être suffisant, mais vous pouvez vous en approcher davantage avec des objectifs pour gros plans appelés dioptres, des tubes d'extension, des soufflets ou des objectifs macro de spécialistes, permettant une mise au point continue.

Ne vous contentez pas de photographier de petits sujets. Les détails de plus gros objets permettent de faire des photos particulièrement frappantes. La photographie, en gros plans, de panneaux d'affichage publicitaire aux couleurs éclatantes jusqu'aux formations rocheuses étranges, est un moyen idéal d'isoler la couleur, le motif et la texture pour créer des œuvres abstraites saisissantes.

Recadrer la photo peut transformer radicalement le résultat final. Comme pour les photos de nature morte, essayez de faire des essais avec le plus d'angles de vue et de positions possibles.

La photographie en gros plan pose un problème : la profondeur de champ est très réduite. Vous devez donc faire une mise au point très précise. Pourtant, cela a tout de même un avantage : la faible profondeur de champ à des distances aussi réduites rend les fonds flous et tend à mieux mettre en valeur le sujet. Songez à une fleur sur une toile de fond floue pastel.

◀ **UNE LANTERNE ROUGE**
Des plantes et des fleurs sont des motifs rêvés pour faire des gros plans. Cette lanterne chinoise, qui remplit l'image, a été photographiée avec un objectif macro. On évite ainsi de recadrer l'image par la suite.

L'éclairage

Le secret d'une nature morte réussie, c'est de maîtriser l'éclairage. Des lampes spéciales de studio facilitent la tâche, mais on peut utiliser des lampes toutes simples ou des flashs portables pour photographier de petits objets. Des diffuseurs improvisés font l'affaire.

La macrophotographie

▲ **DES COULEURS ET DES GOUTTES** ***Ici, les gouttelettes d'eau sur cette cannette créent une nouvelle texture et donne un aspect tridimensionnel à cette image abstraite.***

La macrophotographie, qui consiste à reproduire sur la pellicule des objets grandeur nature ou à une échelle plus grande, vous fait entrer dans un monde complètement différent. Par exemple, une aile de papillon toute simple se transforme en une tapisserie de couleurs et de texture complexe.

Il est encore plus important de faire une mise au point minutieuse quand on fait de la macrophotographie que pour réaliser des gros plans. Choisissez la plus petite ouverture possible, afin de maximiser la profondeur de champ : elle sera tout au plus de quelques millimètres. Calculez le temps de pose soigneusement et prévoyez une marge, si vous n'êtes pas sûr de vous.

VÉRIFIEZ !

Quand vous faites des études de nature morte et des gros plans :

❑ vérifiez aussi souvent que possible la présentation de votre sujet dans le viseur.

❑ Choisissez des objets dont les formes, les couleurs et la texture créent des contrastes.

❑ Faites des essais avec des éclairages divers : un éclairage latéral pour la texture, une lumière diffuse pour les détails et un éclairage par l'arrière pour les formes.

❑ Isolez des détails pour réaliser des photos intéressantes d'objets trouvés.

❑ N'hésitez pas à recadrer vos photos en gros plan.

❑ Vérifiez que votre pose et votre mise au point sont parfaites quand vous faites des gros plans ou de la macrophotographie.

Aliments photogéniques

Photographiez des aliments délicieux qui vous donnent envie de les goûter ou n'importe quelle autre nourriture. Vous n'avez pas besoin de dépenser beaucoup d'argent.

▲ DES ALIMENTS DE LA CAMPAGNE
Prenez le temps de choisir un panier ou un autre objet qui s'intègre bien au fond. Ici, le panier en bois suggère que l'on se trouve à la campagne. Les fruits et les boutons d'or devant le panier empêchent de voir qu'il est surélevé et posé en partie sur le rebord de la fenêtre. Les fruits ont été soigneusement choisis pour leurs couleurs et leur taille : s'ils étaient plus gros, ils nuiraient à l'équilibre de la composition. La lumière semble provenir exclusivement de la fenêtre. Mais si vous regardez de plus près, vous apercevrez des reflets révélateurs sur les cerises: ils montrent qu'un flash a été utilisé.

Vous verrez qu'il est plus facile de commencer à photographier des compositions simples, par exemple des fruits crus, des légumes frais ou des fromages plutôt que des plats cuits compliqués. Rappelez-vous que le cadre de vos natures mortes est déterminant pour réussir, en définitive, votre photo. Trouvez des assiettes peintes ou une nappe pour présenter votre sujet, mais évitez un motif trop criard qui détournerait l'attention.

Avant de commencer votre prise de vues, vérifiez qu'aucune marque ne figure sur les aliments, autant que possible. Si vous achetez, en particulier, des fruits ou des légumes, examinez-les d'abord attentivement et faites attention à ne pas les abîmer en les rapportant chez vous.

Occupez-vous d'abord de la vaisselle, du fond, de l'éclairage et de la position de l'appareil. Apportez seulement la nourriture à la dernière minute, quand votre présentation vous paraît satisfaisante. Cela vous permettra de faire la photo avant que la nourriture fonde. Ceci s'applique aussi à tout aliment qui s'affaisse facilement, comme la laitue.

▶ MONTREZ LES DÉTAILS
Une citrouille en gros plan donne une photo graphique. Pour photographier un aussi gros fruit, vous pouvez utiliser un objectif ordinaire qui montre bien les détails, au lieu d'un équipement spécial. Placez votre appareil sur un pied et choisissez une petite ouverture pour obtenir une profondeur de champ maximale. Un éclairage soigneux met en valeur les plis de la citrouille et donne un aspect tridimensionnel à l'image.

◀ **DE GROS FROMAGES**
Pourquoi ne pas acheter plusieurs sortes d'aliment et les présenter ensemble pour mettre en valeur leurs différentes couleurs, formes et textures? Ici, ce sont surtout les diverses formes des fromages qui rendent la photo intéressante. Mais on peut obtenir un cliché tout aussi frappant avec un assortiment plus réduit. Si vous voulez faire une photo en lumière naturelle (elle provient ici d'une fenêtre, sur la droite), attendez que le soleil se cache derrière les nuages. Cela évitera que votre photo soit trop contrastée.

▼ **AU GRAND AIR**
Une présentation tentante sur une belle nappe blanche donne une image assez conventionnelle. Mais le cadre champêtre rend l'image saisissante et inoubliable. Vous pouvez préparer une nature morte dans votre propre jardin ou même un parc public, à condition de tout pouvoir transporter facilement. Faites-vous aider et choisissez un jour sans vent.

Des aliments délicieux

❑ Des fruits frais ont l'air encore plus appétissants s'ils sont couverts de gouttelettes d'eau brillantes. Utilisez un vaporisateur à plantes ou mélangez de la glycérine et de l'eau chaude, puis appliquez la préparation sur le fruit pour qu'il reste brillant plus longtemps.

❑ Pour des photos plus difficiles, vous pouvez faire passer un aliment pour un autre. Par exemple, de la purée de pommes de terre teinte passe facilement pour de la glace.

▲ DES ALIMENTS CRUS
Un cadre tout simple en plein air et une lumière tachetée sont parfaits pour photographier des ingrédients crus, apparemment prêts à être cuits. L'angle aigu de la pierre donne à l'image une perspective spectaculaire. On obtient cet effet en utilisant un objectif à grand angle, qui permet de faire figurer tous les élements sur la photo, même s'il y a peu d'espace. Pour des photos de poissons, repérez les produits les plus frais, aux superbes couleurs brillantes.

▶ SUR LE FEU
Les ingrédients les plus simples peuvent donner une photo frappante. Ici, le photographe a veillé à ce que l'eau boue à peine, afin que la couleur des carottes soit facilement visible. Vérifiez que la vapeur ne se condense pas sur l'objectif : ne tenez pas donc pas votre appareil juste au-dessus de la casserole.

◀ UN FRUIT GÉANT
Tâchez d'éviter les idées préconçues. Si vous regardez les œuvres de nombreux photographes dans ce livre, vous verrez comment une idée mène à une autre. Ici, une photo d'un petit garçon dévorant une grosse pastèque traite encore le thème de la nourriture. Mais elle n'a rien à voir avec une nature morte.

▲ DU CRESSON EN GROS PLAN
On peut imiter cette photo avec un appareil 35 mm et du matériel macro, en prenant son temps. Une petite ouverture permet de saisir chaque détail avec une précision extrême. Le photographe a coupé le cresson pour que toutes les tiges soient nettes. Un éclairage soigneux met en valeur chacune d'entre elles.

▶ UN ASSORTIMENT DE MELONS
Les photographes choisissent de préférence des fruits crus quand ils font des photos d'aliments. Ici, le melon sculpté donne une photo originale. Le photographe a présenté chaque type de fruit de la manière la plus esthétique possible et a choisi un fond simple qui ne détourne pas l'attention.

Il est capital de faire attention aux détails : le bord de l'assiette répète la forme du melon, tandis que la pensée et les groseilles du Cap aux textures contrastées complètent l'assortiment.

Photographier des fleurs

Pour prendre de superbes photographies de fleurs, n'allez pas plus loin que votre jardin ou le parc municipal.

▲ *Notre professeur fait une expérience. Il fixe quatre morceaux de ruban adhésif transparent sur un porte-filtre, en prenant soin de laisser une ouverture au centre puis il place le porte-filtre devant l'objectif de son appareil photographique. Le ruban donne un effet de flou artistique à tout le pourtour de l'image.*

C'est par une belle journée ensoleillée que notre expert en photographie et son élève décident d'aller faire un tour à la recherche de jolies fleurs des prés à photographier. S'ils trouvent de magnifiques champs de boutons d'or et de cerfeuil sauvage, ils constatent aussi que la saison n'est pas suffisamment avancée pour qu'ils rencontrent toutes les variétés de fleurs qu'ils espèrent photographier.

Mais notre professeur a une idée. Il connaît en effet un ami qui vit pas très loin et possède un grand jardin. Lorsqu'ils arrivent chez cet ami, ils découvrent avec ravissement un somptueux jardin rempli de fleurs de toutes les couleurs. Mais il est déjà midi passé. "Quand on veut photographier des fleurs, explique notre professeur de photographie, il vaut mieux commencer le plus tôt possible le matin, parce qu'elles se flétrissent très vite avec la chaleur du soleil. Ne perdons pas une minute."

S'installer

L'élève avait emporté un appareil reflex Pentax ME Super équipé d'un objectif de 50 mm et chargé avec une pellicule diapositives Fujichrome de 100 ISO. Mais il y a tant de jolies fleurs dans le jardin qu'il ne sait pas par où commencer. Il finit par choisir un parterre de coquelicots d'une belle teinte rouge-orangé qui se trouve près de la palissade. Ce sont des coquelicots de jardin, plus grands que ceux que l'on voit dans les champs.

Il repère un coquelicot qui pousse à part et le cadre en se rapprochant de la fleur aussi près que possible mais sans réussir à obtenir que la fleur remplisse parfaitement le champ de vue de son objectif.

Notre élève change donc de sujet et s'intéresse à un petit parterre de coquelicots qui poussent tout près de la palissade. Il s'installe de façon à avoir les yeux au niveau des pétales des fleurs et il règle la vitesse d'obturation. Mais ses photographies sont toutes ratées, la palissade apparaissant de manière beaucoup trop nette en arrière-plan.

Le décor

Les coquelicots poussent dans une bordure située le long de la palissade entourant le jardin, ce qui limite fortement les angles de prises de vues. Le professeur de photographie et son élève sont donc obligés de prendre leurs photographies en installant leurs appareils sur la pelouse. Par la suite, notre expert réussit à placer son appareil juste au-dessus du parterre de coquelicots.

◀ Avec un objectif de 50 mm, le coquelicot apparaît un peu perdu sur la photographie. Les pétales ne sont pas assez ouverts et le feuillage, tout autour de l'image, étouffe quelque peu la fleur.

▶ L'élève pense qu'un temps de pose relativement long rendra flou le fond. Malheureusement, cela ne suffit pas pour masquer la palissade, peu esthétique, et n'empêche pas la formation d'une zone d'ombre assez gênante, sur la partie gauche de la photographie.

CONTRÔLER LA NATURE

1 UNE SEULE FLEUR Pour réussir à photographier un seul coquelicot, notre professeur de photographie attache précautionneusement, avec une ficelle, les autres fleurs et les écarte du coquelicot qu'il a choisi comme sujet. Il attend ensuite qu'il n'y ait plus un seul souffle de vent, afin que la fleur ne bouge pas. Puis il appuie sur le décencheur. La photographie est réussie malgré la présence d'une ombre légère sur les pétales.

2 FAIRE DISPARAÎTRE LES OMBRES
Notre professeur de photographie avait apporté un grand parapluie blanc qui se révèle fort utile pour masquer le soleil et faire disparaître les ombres gênantes. Cette photographie est beaucoup moins contrastée que les précédentes et la couleur rouge-orangée des pétales est plus uniforme. Cependant, un cadrage rectangulaire n'est pas le plus approprié pour photographier juste une fleur.

Contrôler le contraste

Notre professeur de photographie prend le relais. Il se sert d'un reflex Nikon FE2 avec un zoom de 75-150 mm. "Tu n'as pas besoin d'un objectif macro, dit-il à son élève, car il est tout à fait possible de cadrer facilement et parfaitement les fleurs dans l'oculaire de l'appareil." Il a chargé son boîtier reflex avec une pellicule Fuji Velvia, "laquelle, dit-il, est idéale pour rendre toutes les nuances et l'éclat des couleurs des fleurs".

Notre professeur effectue d'abord un gros plan. Comme la fleur qu'il a choisie de photographier fait partie d'un ensemble, il attache les autres fleurs avec une ficelle afin de pouvoir les écarter et les faire sortir de son champ de prise de vue. Par ailleurs, comme le soleil est très fort, la photographie risque d'être très contrastée. Heureusement, il a apporté un grand parapluie blanc qu'il place au-dessus de la fleur de façon à ce que celle-ci soit entièrement dans l'ombre.

Photographie de groupe

Notre expert veut ensuite prendre un cliché de plusieurs fleurs. Il choisit donc un groupe de trois fleurs. Pour ne pas que la palissade apparaisse dans son champ de prise de vue, il déplie complètement les pieds de son appareil.

L'utilisation d'un trépied lui permet en outre de régler l'appareil sur une vitesse d'obturation très longue et une ouverture de diaphragme très étroite pour conserver aux fleurs toute leur netteté.

3 BOUQUET DE FLEURS Notre professeur pense qu'une photographie de plusieurs coquelicots rendra mieux qu'une image d'une seule fleur. Il règle donc son zoom sur la plus courte longueur focale possible. Puis il cadre le groupe de coquelicots qu'il veut prendre en écartant les autres fleurs. Cette opération lui permet d'obtenir une photographie bien équilibrée. Grâce au parapluie, toutes les fleurs et les feuilles peuvent être plongées dans l'ombre, mais celle-ci fait également disparaître tout contraste et donne un aspect terne aux couleurs des coquelicots.

Apprivoiser la brise

Lors de la séance de prise de vues, notre professeur de photographie et son élève doivent trouver une solution au problème posé par la brise qui, même très légère, fait bouger les fleurs et risque de les rendre floues sur les photographies. Un procédé consiste à employer des planches pour faire écran au vent, mais, pour être réellement efficace, ces planches doivent entourer complètement le massif de fleurs que l'on veut photographier.

Cette méthode est applicable si l'on dispose d'assistants pour tenir les planches exactement comme il faut, mais elle n'est pas pratique lorsque l'on est seul. Dans ce cas, il ne reste plus qu'à attendre un moment de calme entre deux souffles de brise.

4 DES COULEURS ÉCLATANTES

Notre professeur photographie ensuite le même groupe de fleurs, mais cette fois sans masquer l'ombre avec le parapluie. On constate immédiatement que le soleil donne des couleurs éclatantes aux coquelicots. On aperçoit même la texture et les dégradés de couleurs des pétales.

Compact

❑ À moins que votre appareil compact ne possède une fonction macro, vous ne pourrez pas cadrer exactement une seule fleur dans le viseur. Il faudra donc vous reculer quelque peu afin de prendre un groupe de fleurs plutôt qu'une fleur isolée. Un compact sophistiqué pourra également choisir lui-même l'ouverture du diaphragme et la bonne vitesse d'obturation pour que les fleurs photographiées apparaissent avec une grande netteté.

Réflex

❑ Un appareil photographique équipé d'un bouton de contrôle de la profondeur de champ est particulièrement utile pour photographier des fleurs. Il vous permet en effet de vous rendre compte parfaitement de la netteté de l'arrière-plan avant que vous ne pressiez sur le déclencheur.

❑ Donner une impression de flou à l'arrière-plan dépend en fait de la nature de celui-ci. Sur cette photographie, le feuillage vert légèrement estompé convient parfaitement pour faire ressortir les couleurs éclatantes des coquelicots.

Se rapprocher de la nature

Notre expert en photographie montre à son élève comment surprendre les secrets de la nature et photographier les papillons.

Un jour ou l'autre, tous les photographes amateurs essaient de photographier des papillons de jour et de nuit, mais la plupart finissent par renoncer, découragés par la difficulté de ce genre de prises de vues, car les papillons sont des insectes très petits qui restent rarement à la même place très longtemps. Quant à courir à travers un jardin l'œil sur le viseur de son appareil pour les photographier, il ne s'agit certainement pas de la meilleure solution, en tous les cas, ce n'est pas ainsi que vous obtiendrez des clichés de bonne qualité !

Officiellement, notre expert photographe n'est qu'un amateur, mais il a déjà réalisé des photographies dont n'importe quel professionnel serait très fier. Il s'est en effet spécialisé dans la macro-photographie de papillons et de fleurs et préfère travailler chez lui en utilisant un matériel très simple et en choisissant lui-même les papillons qu'il va prendre.

▶ ***Le papillon est resté immobile assez longtemps pour que le photographe puisse prendre ce cliché avec un appareil équipé d'un objectif macro afin de cadrer parfaitement le sujet. Cependant, le fait de ne pas avoir utilisé de réflecteur donne une photographie très sombre.***

Installation

Le professeur et son élève commencent donc par s'installer dans une pièce qu'ils obscurcissent en tendant devant la fenêtre une grande couverture noire. Puis ils choisissent un pot de fleur avec un beau coquelicot dont les pétales sont encore fermés, ils la posent sur une table et

▶ ***Une photographie d'un papillon montant le long de la tige d'un coquelicot. En raison du contrejour important avec lequel ce cliché a été pris, tous les détails des fibres composant la tige de la fleur apparaissent très nettement. La fleur proprement dite et le papillon sont en revanche beaucoup trop sous-exposés.***

PATIENCE ET HABILETÉ

1 VUE LATÉRALE
Le papillon est accroché au coquelicot lorsque notre professeur de photographie prend ce cliché, mais l'éclairage est trop faible. Il place donc un morceau de polystyrène blanc en guise de réflecteur autour du pot de fleurs afin de projeter davantage de lumière sur le papillon. Le bourgeon aurait cependant pu être plus lumineux.

2 CHANGEMENT DE POSE
Dès que le papillon commence à bouger, notre expert attend patiemment qu'il s'immobilise. L'insecte vient alors se poser derrière le coquelicot et, lorsqu'il déploie ses ailes, le professeur en profite pour prendre plusieurs photographies, dont celle-ci, particulièrement réussie, avec un éclairage mettant bien en valeur tous les détails de couleurs des ailes alors que la plante reste un peu dans l'obscurité.

placent un flash derrière et sur le côté gauche du sujet.

Notre expert utilise un appareil photographique Mamiya RZ67 à objectif de moyenne focale en raison de l'excellente qualité qu'il permet d'obtenir pour les gros plans. Il l'installe sur un trépied pour que son élève puisse s'en servir plus facilement et il lui recommande de l'équiper d'un objectif macro de 140 mm afin de prendre un maximum de détails. En outre, l'élève a chargé son appareil avec une pellicule diapositives Ektachrome de 64 ISO.

Lorsque tout est prêt, notre professeur de photographie sort de sa boîte son précieux modèle, un joli papillon aux ailes marbrées de blanc et le place délicatement sur le coquelicot. Le papillon ne s'envole pas et l'élève s'empresse alors de le photographier.

Il prend plusieurs clichés intéressants du papillon accroché à la plante, mais l'éclairage est vraiment très mauvais car il est placé à contre-jour et devrait utiliser des réflecteurs pour renvoyer la lumière sur son sujet.

Travail d'expert

La première chose que fait notre professeur lorsqu'il prend la place de son élève est de faire varier la direction de l'éclairage de façon à ce qu'il soit projeté de manière plongeante sur le papillon, un peu comme l'aurait faite la lumière solaire. Puis il place en guise de réflecteur un morceau de polystyrène blanc par terre, autour du pot de fleurs, afin de renvoyer la lumière sur le dessous du papillon. Il prend alors deux photographies, juge que ce n'est pas suffisant et ajoute des réflecteurs sur les côtés du pot de fleurs et même devant son appareil, en ayant soin de percer un trou dans le panneau réflecteur en polystyrène pour y passer l'objectif de son appareil.

Notre professeur déplace ensuite son trépied de façon à ce que l'objectif se trouve à 60 cm environ du sujet. Puis il s'assied et attend : "Photographier des papillons demande de la patience, explique-t-il. Il faut toujours attendre un peu si l'on veut obtenir le meilleur cliché possible d'un insecte. Et le résultat n'est pas garanti. Car, si certains papillons se comportent exactement comme on le souhaite, d'autres n'arrêteront pas de bouger, ce qui est particulièrement frustrant."

Heureusement, le sujet est du genre coopératif. Il ne bouge presque pas et reste immobile suffisamment longtemps pour que le professeur de photographie puisse le photographier dans différentes positions. Ce dernier utilise le même appareil photographique, le même objectif et la même pellicule diapositives Ektachrome 64 que ceux qu'a utilisés son élève.

Donner des couleurs éclatantes

Le professeur photographie donc l'insecte dans plusieurs positions et obtient une série de clichés excellents qui restituent parfaitement les détails des ailes du papillon. Il change plusieurs fois de coquelicot pendant la séance de prises de vues, terminant avec une fleur dont les pétales sont à peine ouverts. "Les fleurs se flétrissent vite sous l'action de la lumière, dit-il, il faut donc changer souvent de support."

Il remet toujours ses sujets en liberté après une séance de photographies.

3 UN ÉCLAIRAGE PARFAIT

Notre professeur préfère travailler avec un seul projecteur, aussi, plutôt que de multiplier les sources lumineuses, il utilise des réflecteurs pour renvoyer la lumière. Il essaie également autant que possible de se rapprocher de son sujet afin de le cadrer plein cadre. Il obtient généralement des photographies excellentes restituant en gros plan tous les détails d'une plante et d'un insecte.

Utiliser un seul projecteur

Lorsque notre expert-photographe est à l'œuvre, il préfère se servir d'un seul projecteur. "Le soleil ne donne qu'une seule source lumineuse, explique-t-il, C'est pourquoi une scène éclairée par une seule source de lumière apparaît comme parfaitement naturelle. Quand on dirige plusieurs sources lumineuses sur un sujet, on crée des ombres et la photographie semble tout à fait artificielle. C'est pourquoi, il vaut mieux essayer de reproduire autant que possible la lumière du soleil. Par ailleurs, lorsqu'on ne branche qu'un seul projecteur, il n'est pas nécessaire de le changer de place chaque fois que l'animal bouge. Des mises en scène compliquées sont bien souvent inutiles avec un sujet qui bouge toutes les trois secondes."

Mise en scène

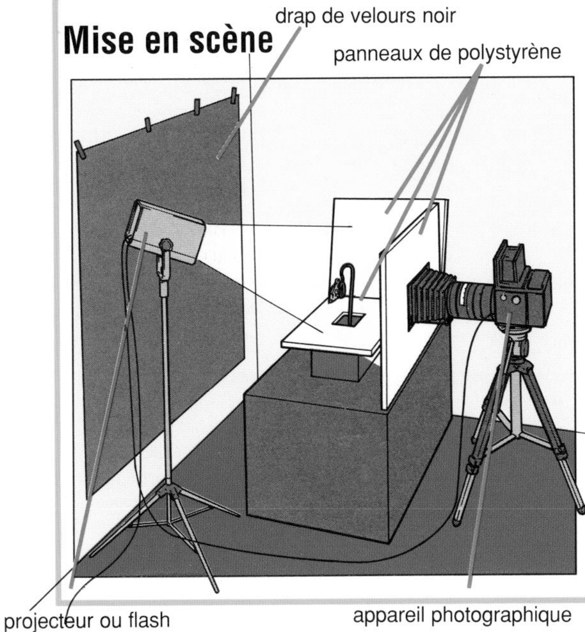

Le professeur et son élève se sont installés dans une pièce qu'ils ont obscurcie. Tous deux sont équipés d'un appareil Mamiya RZ67 monté sur trépied et doté d'un objectif macro de 140 mm. La mise en scène est très simple : un rideau de velours noir constitue l'arrière-plan et le sujet est éclairé par derrière et par la gauche au moyen d'un seul projecteur ou d'un seul flash du type Jessop MD400.

Des panneaux réflecteurs en polystyrène sont disposés dessous, devant et sur un côté du sujet afin que le coquelicot soit correctement éclairé.

Si vous utilisez un projecteur, rappelez-vous de disposer un voile de gaze devant la lampe du projecteur afin d'éviter que le papillon ne vole trop près de la lampe, ce qui pourrait lui brûler les ailes.

4 UNE TOUCHE DE COULEUR Pour ses dernières prises de vues, notre professeur décide de changer de coquelicot, celui-ci commençant à se faner sous l'effet de la lumière. Il le remplace donc par une fleur plus ouverte et attend ensuite que le papillon s'installe sur le côté du coquelicot, puis il prend plusieurs photographies. C'est sans doute le cliché le plus réussi de toute la journée.

Appareil compact

Il est toujours possible de réaliser quelques photographies en macro avec un boîtier compact équipé d'un zoom, pourvu que l'on cadre le sujet de très près. Il est alors conseillé d'utiliser un flash d'appoint déclenché par un boîtier esclave relié au flash principal intégré à votre appareil photographique compact.

Réflex

Les objectifs macro ne coûtent pas très cher, mais il existe plusieurs manières de transformer un objectif ordinaire en objectif macro. Une simple bonnette coiffant un objectif en modifiera la distance focale et améliorera la qualité de l'image en gros plan. Vous pouvez également ajouter des bagues de rallonge entre l'objectif et le boîtier — plus ces bagues sont longues, plus vous pouvez photographier de près —, ou encore un soufflet, qui vous donnera le même effet avec une qualité d'image excellente.

TROISIÈME PARTIE

LES NOUVELLES TECHNOLOGIES

La photographie tournée vers l'avenir

La technologie s'est véritablement mise au service de la photographie pour le plus grand plaisir des photographes amateurs et des professionnels.

Avant. La photo est sous-exposée.

Après. La lumière a été corrigée, l'image est plus précise, les détails ressortent mieux.

La photographie numérique est actuellement encore trop perçue comme une technique compliquée réservée à des photographes avertis possédant un équipement informatique conséquent. En réalité, elle propose de nombreuses solutions facilement adaptables à tous les types de photographes. Elle permet d'obtenir rapidement une image tout en proposant une approche plus ludique de la photographie. La technique numérique fait partie intégrante d'une révolution en marche depuis deux décennies. Son développement s'est accru davantage avec l'arrivée du micro-ordinateur et des périphériques dans les foyers. Simplicité de mise en œuvre et instantanéité du résultat sont les maîtres mots de cet univers.

◄ ***L'un des avantages majeurs de la photographie numérique est la possibilité de corriger l'image et de modifier très rapidement les moindres détails de prise de vue.***

Quelques repères

En 1980, Sony créé Mavica, le premier concept de photographie numérique. Quelques années plus tard, Canon lance ION, un appareil hybride qui enregistre les images sur de petites disquettes. Apple lance en parallèle le QuickTake 100 conçu par Kodak. A partir de là, la technologie numérique commence à trouver un écho commercial et la plupart des grands fabricants liés de près ou de loin à la photographie développent des produits qui ne cessent d'évoluer.

Principes de fonctionnement

Tout comme pour la photographie conventionnelle, les rayons lumineux passent à travers l'objectif, puis le diaphragme et atteignent enfin la surface sensible. Dans le cas du numérique, il s'agit d'un capteur CCD (Charge-Coupled Device) soumis au flux lumineux traversant l'objectif. La pellicule est remplacée par une puce. Elle permet de stocker les images. Les informations sont converties en signaux électriques puis numérisées. L'image est ensuite compressée et enregistrée dans la mémoire de l'appareil ou sur une carte. On utilise alors l'ordinateur pour remplacer le travail en laboratoire.

Les pixels

La photographie traditionnelle travaille selon un procédé argentique. Le film se compose d'une infinité de particules d'argent permettant d'offrir une qualité exceptionnelle. La photographie numérique emploie un tout autre procédé. L'image est en effet formée de pixels qui sont de minuscules éléments de formes carrées ou rectangulaires, contenant une information relative à la luminosité et à la couleur. Ainsi, plus vous souhaitez obtenir une image précise, plus le nombre de pixels doit être important.

La résolution

Il est fondamental de comprendre la notion de résolution. Elle fait appel à deux types de principes, qui sont la résolution d'entrée et la résolution de sortie. La première concerne le réglage que vous effectuez lors de l'acquisition de l'image avec un appareil numérique ou un scanner. Il vous faut alors décider de l'utilisation que vous ferez de votre image. Evitez dans tous les cas de choisir des niveaux de résolution qui augmenteront considérablement la taille du fichier.

La résolution de sortie est propre à l'image que vous utiliserez. En fonction du travail de retouche ou de sa dimension, vous obtiendrez une image dont la résolution sera exprimée en dpi (*dots per inch* ou points par pouce).

Exemples de résolutions

Image destinée à un transfert sur Internet	72 à 96 dpi
Image tirée sur une imprimante à jets d'encre	140 à 240 dpi
Image destinée à l'impression professionnelle	260 à 340 dpi

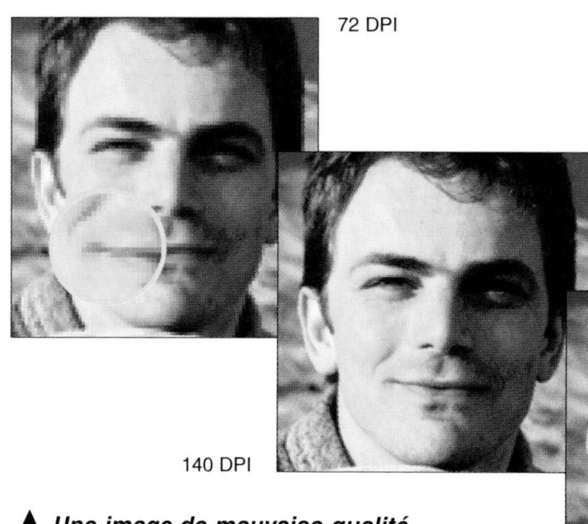

▲ ***Une image de mauvaise qualité est une image « pixellisée » car elle laisse apparaître clairement les pixels qui la composent.***

Image en mode RVB

RVB/CMJN

Une image en couleurs est composée de points définis par trois nombres qui équivalent aux valeurs de Rouge (R), de Vert (V), et de Bleu (B). Ces couleurs primaires servent à la synthèse par mélange de lumières. Le RVB est un modèle de couleurs primaires additives. Il se distingue donc du modèle des couleurs primaires soustractives utilisé pour le mélange des pigments basiques en impression : Cyan, Magenta et Jaune. C'est donc en mélangeant des composants de lumières rouges, vertes et bleues que l'on obtient n'importe quelle couleur. La différence de modèle employée entre la prise de vue (RVB) et l'impression (CMJ + Noir) explique les écarts parfois importants entre la photo telle qu'elle apparaît à l'écran et celle qui est couchée sur papier, d'où l'importance du calibrage des couleurs. Il s'agit en effet du réglage des équivalences de couleurs entre les périphériques d'entrée (appareils photos, scanners...) et les périphériques de sortie (imprimante).

Image en mode CMJN

Pour qui, pour quoi ?

La photographie numérique est un univers dans lequel chacun peut trouver sa place. Quelle que soit votre façon de l'aborder, à partir de prises de vue ou d'acquisition d'images, vous pourrez toujours en tirer partie et y trouver une source de plaisir ou d'intérêt.

Grâce au numérique, vous pourrez effectuer des prises de vue et les utiliser immédiatement pour enrichir ou illustrer vos documents personnels ou vos bases de données. La plupart des personnes ayant acquis un appareil numérique sont en fait motivées par l'envoi de photographies sur Internet. Il est effectivement possible d'envoyer rapidement une prise de vue sur votre site ou vers une messagerie électronique. Les échanges d'images sont ainsi réalisables sans délai. Vous pouvez également récupérer vos images personnelles pour habiller vos écrans de veille ou pour illustrer votre site Internet. En créant vos albums photo numériques, vous pourrez faire profiter tous vos proches de cette technologie qui permet d'afficher vos photographies directement sur un écran de télévision ou d'imprimer rapidement vos propres tirages sans frais supplémentaires. Vous pourrez les retoucher et les transformer facilement et en toute liberté.

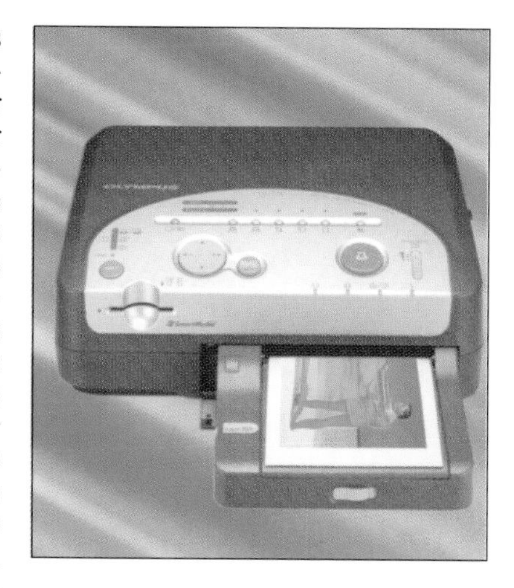

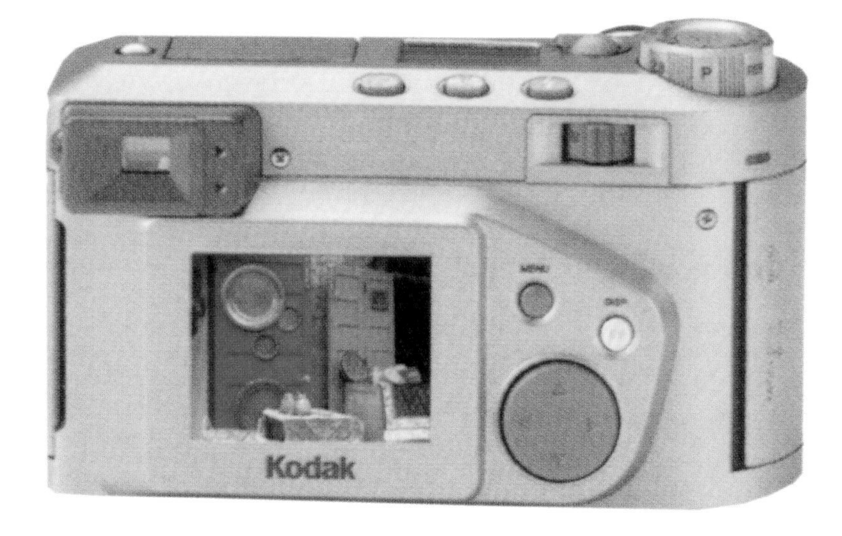

Vous en aurez enfin terminé avec les murs de bibliothèques remplis d'albums photo lourds et volumineux. En transférant sur votre ordinateur uniquement les images réussies, vous ne conservez que celles qui vous intéressent. Le stockage et l'archivage sont entièrement informatisés et assurent une sécurité des données et une diffusion immédiate par impression ou via Internet.

N'oublions pas de préciser que cette technologie est parfaitement écologique puisque la photographie n'est plus associée au traitement chimique en laboratoire. L'écran LCD proposé sur les appareils numériques vous permet de choisir une image et de la visualiser avant de décider si vous la conserverez. Ainsi, vous pouvez travailler sans coût supplémentaire et en toute liberté d'interprétation de vos tirages.

Quelques inconvénients pour les photographes avertis

Comme toutes les nouvelles technologies, la photographie numérique peut présenter quelques contraintes pour un photographe averti. En effet, la qualité des tirages, bien que très satisfaisante, ne pourra rivaliser avec la qualité d'un tirage argentique. De plus, en matière de prise de vue, les appareils photo sont encore un peu limités, à moins d'acquérir un appareil professionnel très coûteux. Le cadrage est très approximatif, la plupart des appareils disposant uniquement d'un viseur optique. Les automatismes limitent la prise de vue et les réglages. Seuls les appareils haut de gamme permettent des prises de vues à répétition, le temps de latence entre la compression de chaque image imposant un laps de temps parfois handicapant. Les sujets en mouvement sont donc difficiles à saisir.

Si, de plus, vous ne disposez pas d'équipement informatique, vous risquez d'être obligé d'investir pour profiter réellement de ce formidable progrès technologique. Car la photographie numérique peut réellement s'insérer dans notre quotidien. Sa simplicité de mise en œuvre facilite la prise de vue. Le réflex qui nous pousse à capturer l'instant prend une autre dimension. L'aspect ludique de la photographie numérique permet à un nouveau public d'entrer dans le monde de l'image fixe.

Acquisition d'images

Quelle que soit votre motivation ou votre équipement, vous trouverez toujours une solution adéquate afin de profiter de l'imagerie numérique.

Quelles solutions ?

Le but étant d'intégrer vos images dans un ordinateur qui vous permettra de les exploiter, plusieurs solutions sont envisageables. Ne soyez pas désespéré si vous ne possédez pas d'appareil numérique et que vous n'avez pas l'intention de reléguer votre Reflex au rayon des antiquités. Vous pouvez en effet effectuer vos prises de vue de façon conventionnelle et les numériser par la suite. Soit vous optez pour l'achat d'un scanner à plat qui vous permet d'enregistrer vos images en tant que fichier, soit vous demandez à votre labo habituel de les stocker directement sur un CD. Le procédé offre de très bons résultats et restitue des images haute définition. Vous pouvez également faire stocker votre collection de diapositives ou tous les tirages de vos vieux albums sur CD.

Néanmoins, le plus simple reste d'acquérir un appareil numérique et d'effectuer directement des transferts d'images sur votre ordinateur. Les scanners à plat ou les scanners de films constituent un certain investissement mais sont polyvalents et ne servent pas uniquement dans le domaine de la photographie familiale. Ils permettent d'acquérir tous types d'images, quelle que soit la source. Les photos sur CD représente une solution avantageuse et pratique pour la conservation de vos données. Internet constitue également une source inépuisable d'images en tout genre.

Vous trouverez sur le Web des sites proposant des images libres de droits, téléchargeables gratuitement. Vous pourrez les récupérer et les transformer à volonté avant de les employer dans vos documents personnels. Les images issues d'Internet sont souvent livrées en basse résolution afin d'être affichées et manipulées facilement. Elles sont légères et pourront donc illustrer tous vos documents informatiques. Si vous souhaitez acheter des images haute résolution, vous trouverez des CD-ROM de photographies libres de droits. Ces banques d'images sont disponibles par thèmes et proposent des images d'excellente qualité, souvent réalisées par de grands photographes.

Transfert des images et matériel informatique

Après la prise de vue, vous devrez transférer vos images sur un ordinateur. Vous avez la possibilité de brancher directement l'appareil photo à votre ordinateur par l'intermédiaire d'un câble. Le transfert s'effectue automatiquement. La lenteur liée au type de connexion peut rendre le processus fastidieux. Mieux vaut opter pour un système de support mémoire qui permet d'accélérer le transfert.

Il existe des cartes nommées SmartMedia ou carte mémoire Flash. Il s'agit des plus petites cartes de stockage d'images. Vous trouverez également des cartes CompactFlash, plus répandues mais aussi plus puissantes. Elles sont pratiquement indestructibles mais requièrent l'utilisation d'un lecteur de carte spécifique. Les lecteurs de cartes représentent un investissement intéressant pour tout usager d'imagerie numérique qui possède un PC. Certains ordinateurs, notamment les portables, possèdent déjà des lecteurs intégrés.

▶ ***Capacité unitaire, encombrement, rapidité, prix et consommation électrique sont des caractéristiques importantes lors de l'achat***

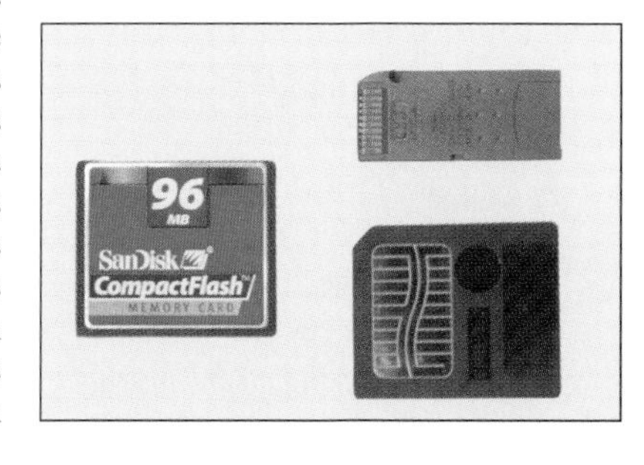

◀ ***Il existe actuellement trois types de formats de mémoire Flash : la carte SmartMedia, la CompactFlash et la MemoryStick.***

Appareils numériques

Comme tout appareil photo, les appareils numériques doivent répondre à certains critères de qualité.

Pour choisir un appareil en fonction de vos besoins, vous devez réfléchir à la qualité de l'optique mais aussi à l'ergonomie ainsi qu'aux diverses fonctions spécifiques au numérique. En termes de résolution ou de mémoire, choisissez en fonction de l'utilisation réelle de votre appareil et de la quantité des photos que vous avez l'habitude de prendre. N'hésitez pas à investir dans un zoom que vous apprécierez certainement. Les appareils sont généralement équipés d'un écran LCD en couleurs. Pensez à acheter des batteries supplémentaires car la consommation d'énergie est impressionnante dès lors que vous utilisez tout le potentiel de votre appareil. La gamme de prix varie en fonction de la qualité de l'optique, les Reflex pouvant atteindre des prix astronomiques.

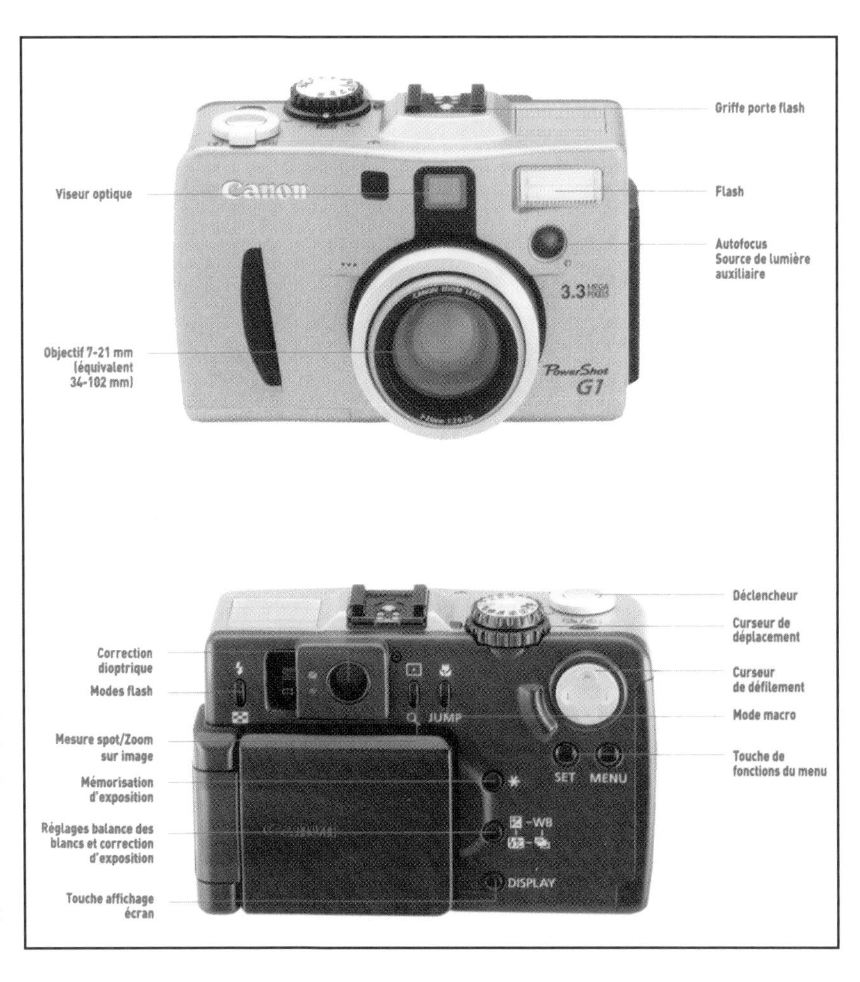

Diverses utilisations

Ils permettent des prises de vue quotidiennes et directement utilisables pour Internet, dans l'univers de l'édition et de la presse, le transfert de données pouvant s'effectuer instantanément. Dans certains secteurs comme le médical, il offre un support d'archivage et de simulation d'intervention non négligeable. Il sert également dans les secteurs commerciaux tels que l'immobilier ou pour les travaux d'experts en assurance. Imaginez le gain de temps réalisé par un photographe reporter en mission à l'autre bout du monde. Parfois ce ne sont que quelques minutes qui s'écoulent entre sa prise de vue et l'insertion de l'image dans la maquette d'un journal.

◀ Le capteur CCD (Coupled Charge Device) : pièce maîtresse d'un appareil numérique. Résolution de 150 000 à plus de 1.5 millions de pixels. La qualité du tirage dépend en grande partie de la résolution du CCD.

De la prise de vue au tirage

Un bon appareil n'est pas la seule condition à une photographie réussie. Vous devez également penser à la lumière et choisir des gammes de couleurs intéressantes.

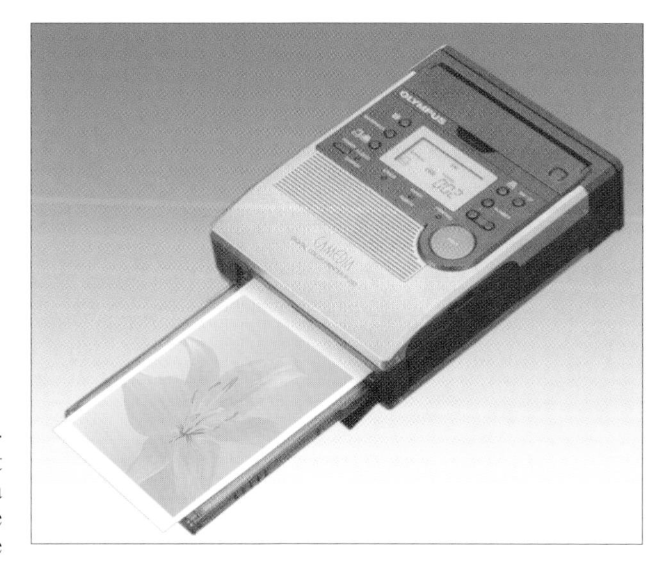

◀ *Ce type d'imprimantes offre la possibilité de tirer ses photos sur place et immédiatement. Très facile d'emploi, vous pouvez l'emmener en voyage et effectuer des tirages en série.*

La lumière

Matière première de la photographie, la lumière est un élément fondamental au moment de la prise de vue. La technologie numérique, plus encore que l'argentique, nécessite une lumière de qualité. L'image sera radicalement différente selon la direction de la lumière, son intensité ou la position du photographe. Les appareils numériques possèdent un dispositif de réglage en fonction du type de lumière que l'on appelle la balance des blancs. Chaque fois que vous changez d'ambiance lumineuse, l'appareil règle la proportion des couleurs RVB, la couleur blanche étant l'addition des trois couleurs fondamentales. Vous avez également la possibilité de choisir entre des modes tels que « lumière du jour », « temps nuageux », « éclairage au néon », de façon à vous rapprocher de la réalité des couleurs originales.

Les couleurs

La qualité et la restitution des couleurs propres au numérique sont source d'émerveillement aux yeux d'un public non initié. Cette qualité est au prix d'une bonne gestion de la composition de vos images et de la gestion des couleurs jusqu'au tirage. Tous les principes de cadrage et de composition appliqués en photographie traditionnelle sont valables et même indispensables. La dynamique d'une photographie en dépend. Vous pourrez toujours accentuer ou modifier les couleurs lors de la retouche d'image mais la prise de vue est la première étape afin de créer une image forte. N'hésitez pas à prendre de nombreux clichés destinés à compléter votre base de données d'images. Ils pourront servir de support à un travail de montage ultérieur.

Le tirage à domicile

Vous souhaiterez probablement conserver vos images dans des albums ou les offrir, les montrer ou les encadrer. Il vous faut donc réfléchir aux différents procédés d'impression offerts par le numérique.

Les imprimantes actuelles permettent d'obtenir un résultat très intéressant : la « qualité photo ». Il existe deux grandes catégories d'imprimantes. Les imprimantes polyvalentes sont utilisables dans tous les domaines de l'informatique alors que les imprimantes dédiées sont spécifiques à la photographie. Ces dernières sont limitées au format carte postale et utilisent le principe de la sublimation thermique. Elles offrent un excellent niveau de qualité mais restent d'utilisation restreinte. Les imprimantes polyvalentes sont à jet d'encre et permettent de profiter de différents formats jusqu'au A4. Quel que soit votre achat ou votre matériel actuel, vous pouvez toujours demander à un laboratoire d'effectuer des sorties de qualité selon vos propres critères. Les travaux photo demeurent, malgré le marché du numérique, la spécialité des laboratoires photographiques.

Stockage des images

Vous découvrirez rapidement que le stockage d'images retouchées requiert beaucoup d'espace et nécessite une sérieuse organisation.

Vous pouvez décider de dédier un ordinateur ou un disque dur à votre activité photographique mais la solution paraît quelque peu limitée. Il existe de nombreux outils permettant de conserver dans de bonnes conditions l'intégralité de votre travail.

Choix des formats de fichier

Les fichiers informatiques qui abritent vos images doivent être enregistrés dans des formats spécifiques au type d'utilisation de vos photographies. Ainsi, si vous souhaitez exploiter vos images en conservant un excellent niveau de qualité, il est recommandé de travailler avec le format de fichier TIFF. Les appareils photo numériques compressent souvent automatiquement les fichiers et les restituent généralement au format JPEG. Ces fichiers sont plus légers et permettent d'être déplacés et stockés facilement. Si vous comptez envoyer vos images sur Internet ou profiter du transfert de données par la messagerie électronique, il est préférable de transformer vos images au format GIF qui optimise le rapport qualité/poids du fichier image.

Les supports de stockage

Vous souhaiterez inévitablement transporter vos images afin de les exploiter, les partager ou les faire développer. Les cartouches Zip remplacent dorénavant les traditionnelles disquettes et permettent de stocker jusqu'à 250 Mo de données. Les laboratoires ont l'habitude de traiter avec ce type de support adapté aux images haute définition. Si vous avez la possibilité d'acquérir un graveur de CD, il est intéressant de travailler également avec le support CD. Il n'est pas exclusivement réservé à la photographie et représente un moyen très efficace de partager ou de stocker ses données. Il est capable d'enregistrer 650 Mo et offre l'avantage d'un classement rigoureux des informations. Le CD en lui-même est peu coûteux mais les données, une fois enregistrées, ne peuvent plus être éliminées. Vous devrez donc le considérer comme un support de classement définitif contrairement à la cartouche Zip.

▲ ***Les outils de stockage les plus abordables et les plus performants restent incontestablement la cartouche Zip et le CD.***

Classer et organiser vos photographies numériques

Le numérique propose de nombreuses solutions de classement et de visualisation de vos images, en fonction de votre matériel et de vos goûts personnels.

Les vignettes

Si vous possédez un bon équipement informatique (un scanner et une imprimante), vous pourrez organiser vos images comme bon vous semble. Au départ, vous consultez vos images à l'écran, puis après élimination de celles qui ne vous intéresse pas, vous pouvez procéder à l'impression d'index ou de planches-contact. Les imprimantes dédiées à la photographie proposent naturellement d'imprimer des index présentant sur une même feuille vos photographies aux dimensions d'une vignette. Ce type de lecture des images est utile pour le classement de votre base de données d'images. La planche-contact s'obtient à l'aide d'un scanner et d'un logiciel de gestion d'images. La planche-contact constitue un outil de sélection d'images et un document de travail pour les photographes professionnels.

Albums numériques

Les albums numériques sont souples d'emploi et surtout plus légers au sens propre du terme. Il suffit d'acquérir un logiciel adapté au classement des images et permettant de les visionner. L'album devient alors une véritable base de données pratique, quelle que soit votre activité photographique. L'application numérote et répertorie vos images en fonction de critères qui vous sont personnels. Ainsi, chaque image est immédiatement retrouvée et peut même être visionnée sur votre téléviseur.

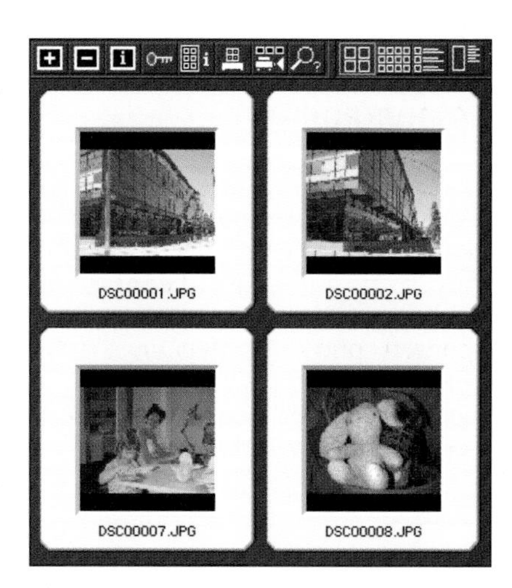

▲ ***L'ordinateur offre l'avantage de pouvoir consulter ses images et de conserver les plus intéressantes. Le classement de vos images devient aussi élaboré qu'une véritable base de données.***

▼ ***La planche-contact permet de sélectionner les images qui vous intéressent tout en conservant une trace de celles que vous n'utiliserez pas dans l'immédiat.***

Logiciels de retouche

Maintenant que vous connaissez le principe de l'imagerie numérique, nous allons aborder l'aspect informatique du traitement des photographies.

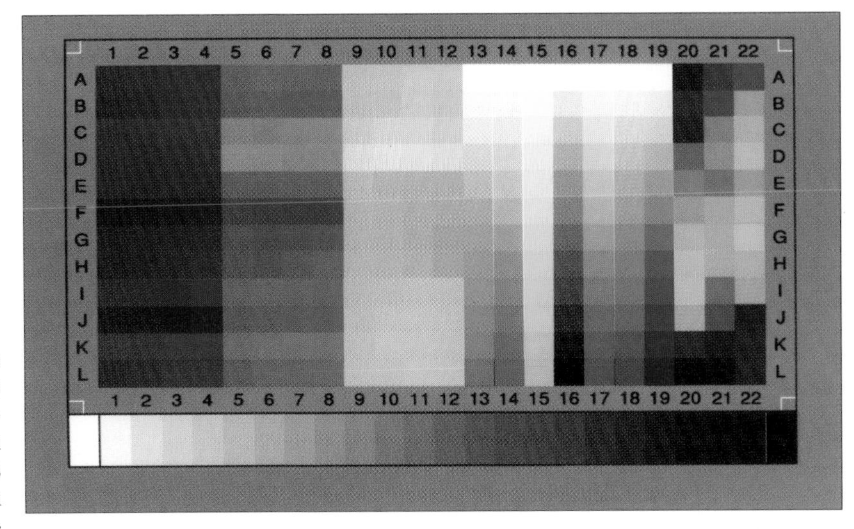

Si vous comptez travailler avec des images numériques, c'est que vous les avez capturées par l'intermédiaire d'un scanner ou d'un appareil photo numérique. Vous avez donc en votre possession un logiciel livré avec ce type de matériel. Il vous permettra de visualiser et de transformer vos images.

Paramètres incontournables

Pour travailler correctement et afficher sans soucis vos images à l'écran, vous devrez calibrer le moniteur de votre ordinateur de façon à faire coïncider l'affichage des couleurs avec l'impression des photographies. De plus, vous devez absolument libérer suffisamment de mémoire RAM afin de manipuler les images sans que la machine ralentisse. Vous devez savoir qu'un logiciel de retouche d'images exige trois à cinq fois plus de mémoire RAM que les logiciels de bureautique.

La gamme de logiciels

Les logiciels livrés avec les appareils photo numériques sont tout à fait satisfaisants. Ils permettent généralement de transférer les images vers l'ordinateur et de les afficher à l'écran. Les images sont proposées dans de petits formats afin de les consulter en intégralité et de choisir celles que vous conserverez. Si vous employez un scanner, les interfaces logiciel sont parfois plus compliquées. Il convient de tester les réglages lors de la prévisualisation de la photographie avant de lancer la numérisation effective de l'image.

Les logiciels de retouche d'image

Vous trouverez de nombreux produits sur le marché. Les plus accessibles (souvent gratuits) sont les utilitaires proposés en libre accès sur Internet. Ces sharewares peuvent être des visionneuses d'images permettant de créer des albums numériques et d'accéder à des fonctions de retouche basiques. Vous trouverez également des logiciels plus performants que vous pourrez télécharger et tester avant de les acheter. Le produit le plus répandu est Paint Shop Pro. Il permet de créer des objets graphiques grâce à des superpositions de calques vectoriels et propose la plupart des fonctions de retouche traditionnelles. Photoshop reste, quant à lui, le produit incontournable pour les professionnels de l'image. Il est malheureusement coûteux et difficile d'accès.

Libérer de la mémoire RAM

Un ordinateur, qu'il soit PC ou Mac, contient une quantité définie de mémoire RAM (*Random Access Memory*). A l'inverse du disque dur, la mémoire sert à stocker des informations que l'on qualifie de volatiles. En d'autres termes, lorsque l'on éteint son ordinateur, cette zone de stockage est vidée de son contenu. Son rôle est cependant essentiel dans le cas du traitement des images puisque c'est au sein de la RAM que sont hébergés les modules en fonctionnement du système d'exploitation et de l'éditeur graphique. Ainsi, plus la quantité de RAM est importante, plus confortable sera votre utilisation du micro. Pour augmenter la mémoire RAM, il suffit d'acheter et d'installer des barrettes de mémoire.

La palette d'outils standard

Quel que soit le logiciel que vous utiliserez, vous retrouverez fréquemment les mêmes outils de retouche d'images. Il est important de se familiariser avec la palette d'outils que propose la plupart des applications qui travaillent avec la photographie numérique.

Le potentiel de ces petits outils est tout à fait surprenant. Après de nombreux essais, vous serez alors familiarisé avec les caractéristiques principales des logiciels de retouche.

Avec de l'expérience, vous choisirez avec précision l'outil adéquat et vous transformerez vos images aussi rapidement qu'un professionnel. N'hésitez pas à explorer l'aide contextuelle des logiciels qui vous propose instantanément des précicisions concernant les outils graphiques. Des exercices didactiques vous permettront d'aborder plus concrètement la retouche d'image.

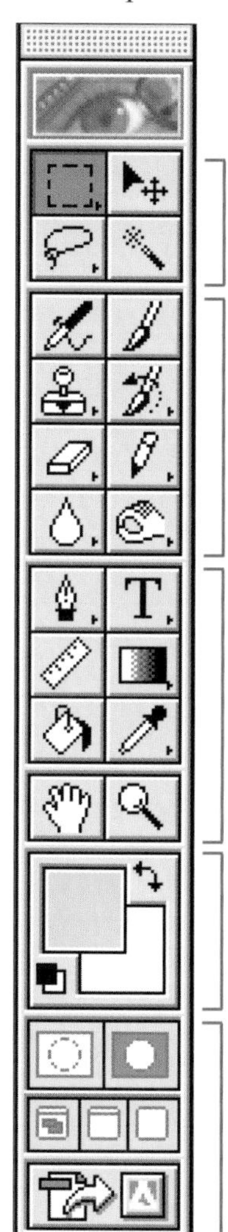

Les outils de sélection

Les modes de sélection doivent être choisis en fonction de la forme initiale de l'objet. Ainsi, vous disposez d'outils de sélection dont la forme est prédéfinie et d'un outil à main levée. Une fois les objets sélectionnés, vous pouvez les déplacer, ajouter des calques pour insérer du texte ou superposer des images en vue d'un montage.

Les outils graphiques

Ils simulent parfaitement l'effet produit par des outils de dessin traditionnels tels que le pinceau, le crayon, la gomme ou l'aérographe. Certains autres outils plus particuliers comme la Goutte d'eau, le Tampon ou la Baguette magique sont plus précis et offrent de nombreuses possibilités de transformation des images. Ils copient, estompent ou suppriment des pixels et opèrent des modifications spectaculaires sur vos images.

Texte et remplissage

L'outil texte vous permettra d'insérer aisément une légende ou un titre à vos images. La plume vous servira à effectuer des détourages précis. Quant aux outils pipette et pot de peinture, ils vous permettent de prélever ou d'appliquer une couleur sur un objet. Vous avez également la possibilité de créer des dégradés. Pour être plus précis dans vos actions, n'hésitez pas à utiliser la loupe.

Couleurs

Par défaut, la couleur d'arrière-plan sera le blanc et celle de premier plan le noir. Mais vous pouvez modifier une couleur en cliquant simplement sur celle-ci. Un nuancier apparaît et vous choisissez celle qui correspond à vos besoins. Vous pourrez ensuite l'appliquer à vos sélections grâce aux outils de remplissage.

Affichage

La palette d'outil vous offre plusieurs possibilités d'affichage. Vous pouvez afficher votre image en mode standard ou bien visualiser les sélections que vous effectuez grâce au mode masque. Vous pouvez demander à ce que la fenêtre d'affichage soit standard ou en plein écran.

Le tampon : l'outil de clonage par excellence

L'outil tampon est l'un de ceux qui rendent le plus de services. Une fois le principe de fonctionnement assimilé, il est en effet facile à employer et permet de corriger rapidement tous les défauts. Ici, nous l'avons utilisé pour effacer l'oeillet en haut à gauche de la photo. Pour que l'effet soit naturel, il a fallu « cloner » le pli du rideau de l'arrière-plan et une partie de la chevelure du sujet. Il suffit de cliquer une première fois avec l'outil tampon pour dupliquer, comme par magie, la zone qui vous intéresse.

Corriger vos images

La prise de vue ne s'effectue pas toujours dans des circonstances idéales et certains détails peuvent vous paraître, lors du tirage, gênants et peu esthétiques.

Recadrer

Il est très facile de recadrer ou de redéfinir le format d'une image numérique. L'un des premiers avantages offerts par la technologie numérique est de pouvoir modifier ou recadrer l'image très facilement. Il suffit de supprimer les parties indésirables de l'image et de profiter de l'occasion pour replacer l'image dans un format qui lui convient mieux. Vous passerez ainsi facilement une image prise horizontalement (paysage) à la verticale (portrait). Les outils de sélection vous permettent de sélectionner la zone de l'image qui vous intéresse et il ne vous restera plus qu'à l'enregistrer dans un nouveau fichier.

▲ Lors de la prise de vue, il est possible que vous ayez opté pour un cadrage horizontal. Si vous souhaitez recadrer l'image autour du personnage, vous pouvez également en profiter pour changer d'orientation.

Eliminer les yeux rouges

La prise de vue en faible lumière oblige parfois à employer un flash. Or, il est fréquent que les personnages soient alors affublés des « yeux rouges » que nous redoutons tous en tant que photographe. Il existe deux recours. L'un est préventif, l'autre est du domaine de la retouche numérique.
La première précaution doit être prise au moment de la prise de vue. En effet, la plupart des appareils actuels proposent une touche anti-yeux rouges qui évitent ce phénomène visuel gênant. Vous pouvez également éclairer fortement la pièce dans laquelle se trouve votre sujet pour que ses pupilles se rétractent.

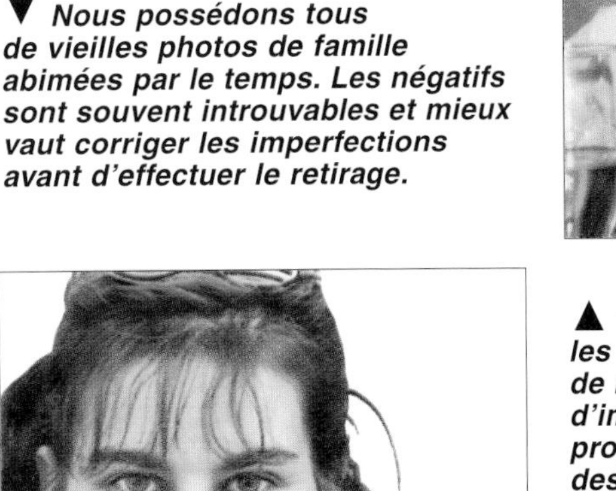

▼ Nous possédons tous de vieilles photos de famille abimées par le temps. Les négatifs sont souvent introuvables et mieux vaut corriger les imperfections avant d'effectuer le retirage.

▲ Tous les logiciels de retouche d'images proposent des outils permettant de corriger efficacement et rapidement l'effet des yeux rouges. Sélectionnez la zone à retoucher et la correction s'effectue automatiquement après avoir cliqué sur le bouton de commande adéquate. Si votre logiciel ne possède pas de procédure automatique, il suffit de « peindre » les yeux pixel par pixel en fonction de la couleur des yeux de votre sujet.

Effets spéciaux

Les logiciels de retouche et notamment Adobe Photoshop, permettent de transformer les images en leur appliquant des effets spéciaux très impressionnants. Il existe une large gamme d'effets spéciaux qui nécessitaient auparavant en laboratoire, une grande maîtrise de la technique de développement pour obtenir des résultats bien en-deça de ceux obtenus aujourd'hui avec un simple clic de souris.

Effets classiques

Les effets classiques concernent les transformations graphiques les plus basiques.

Effets artistiques

Les effets artistiques simulent une intervention au niveau du tirage de différentes techniques graphiques telles que la peinture, l'aquarelle ou l'utilisation de papier à grains.

▲ *Pointillisme*

Plus créatifs, ces effets offrent un éventail de trames très spécifiques.

◀ *Tracé de contours*

◀ *Flou gaussien*

Quelles que soient les transformations apportées à vos images, vous devrez choisir l'effet en fonction de votre sujet.

▶ *Ajout de bruit*

Filtres

Les filtres permettent de retravailler une image et de lui donner un ton différent. Les filtres s'appliquent très facilement mais la subtilité des résultats est le fruit d'un dosage attentif. Ils peuvent être cumulés mais mieux vaut les choisir en fonction de la nature du sujet. Certains transforment radicalement la photographie initiale et offrent la possibilité de créer de nouvelles compositions.

▲ *Coordonnées polaires*

▲ *Contractions*

▲ *Carrelage*

▲ *Tourbillon*

Retouche avancée

Ouvrons à présent les portes de l'univers magique de la retouche numérique. Equipé d'un logiciel de retouche performant, comme Adobe Photoshop, vous ne trouverez aucune limite à la création d'images extraordinaires.

Virage

Le virage ou la coloration des tirages est l'un des premiers pas dans l'amélioration de l'impact de l'image.
Auparavant, il fallait acquérir des papiers différents pour espérer obtenir des tonalités ou des virages, relevant de procédés chimiques complexes.
Grâce au numérique, vos portraits peuvent prendre facilement l'aspect sophistiqué des vieilles images virées à l'or ou à l'argent. Le sépia est le virage traditionnel, mais vous serez sans aucun doute également tenté par la coloration dans des teintes plus nuancées.

Couleur et noir et blanc

Le mélange de la couleur et du noir et blanc permet de souligner les qualités visuelles d'une image. Le contraste entre le sujet coloré et le fond gris assure une intensité des couleurs.

▶ ***Les deux images ont été superposées pour donner un effet étonnant.***

Mouvement

La grande lacune des appareils numériques étant la difficulté à saisir un sujet en mouvement et à exprimer la sensation de vitesse, la retouche photographique peut s'avérer très convaincant.

▶ ***L'effet soufflerie accentue la sensation de vent dans les cheveux.***

Création graphique

Au-delà de l'aspect pratique et ludique de la photographie à domicile, le domaine du graphisme s'est, avec le numérique et l'infographie, enrichi d'une technique exceptionnelle. La superposition des calques permet une grande liberté de création et favorise le travail intuitif. Vous pourrez combiner les effets graphiques et composer des images personnelles étonnantes.

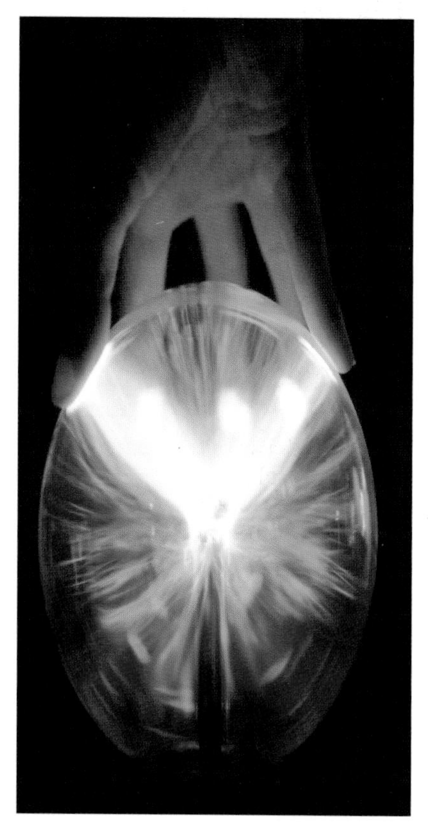

L'APS

Les nouvelles technologies appliquées à la photographie apportent un nouveau souffle à la prise de vue. Les appareils APS sont aussi attrayants que pratiques et présentent de nombreuses qualités en comparaison de leurs homologues compacts 24 x 36.

L'APS (*Advanced Photo System*) est une technologie développée par cinq fabricants du domaine de la photographie. Le film APS possède un nouveau format 16 x 30 mm et permet d'obtenir trois formats d'images. La cassette qui héberge le film conserve toutes les informations concernant la prise de vue, le ruban magnétique du film APS enregistrant des informations supplémentaires. Il ne s'agit pas d'un support numérique mais ses qualités sont tout aussi intéressantes.

Des appareils intelligents

Les petits appareils APS sont particulièrement attrayants. Ils sont, pour la plupart, fabriqués avec des matériaux leur conférant une élégance métallique et un design très actuel. La miniaturisation des composants permet de proposer des appareils extrêmement légers qui tiennent facilement dans une poche, en toute discrétion. Ils sont à la pointe de la technologie et présentent l'avantage d'être très faciles à employer. Leur confort d'utilisation tient aux performances automatiques permettant de gérer les situations de prise de vue difficiles. Ils sont, en fonction des gammes de prix, très bien équipés et offrent aux photographes de tous les niveaux de

nombreuses satisfactions. Les prix des appareils APS évoluent dans la même gamme que ceux des compacts 24 x 36 qui souffrent dorénavant d'une terrible concurrence face à l'APS. Ainsi, en France, un compact vendu sur trois est au format APS.

Quelques fonctions disponibles sur les appareils APS

- Atténuation des yeux rouges
- Flash rétractable
- Ecran LCD compteur de vues
- Titres pré-enregistrés
- MRC (multi-rechargement de la cassette)
- Choix du nombre de tirages au moment de la prise de vue 
- Conseil à la prise de vue

▲ ***Le design des appareils APS est généralement très soigné. Le flash escamotable n'enlève rien à l'allure de ces petits bijoux de technologie miniature.***

Chargement simplifié du film

La différence fondamentale entre les appareils compacts 24 x 36 et le format APS tient à la sécurité et aux innovations apportées en matière de protection du film. En effet, grâce à l'APS, le film est totalement protégé et n'est jamais manipulé par l'utilisateur. Vous achetez une pellicule APS, dont les caractéristiques sont les mêmes que celles des pellicules 24 x 36, et vous profitez immédiatement du chargement automatique. Un système très fiable de chargement et de déchargement du film élimine définitivement les risques d'obtenir des films voilés, mal enclenchés ou non exposés.

▲ ***Vous chargez automatiquement votre cassette sans vous préoccuper de l'enclenchement du film ou du réglage concernant les caractéristiques de la pellicule employée.***

Multi-rechargement de la cassette (MRC)

Certains appareils APS vous permettent, à tout moment, d'enlever la cassette de l'appareil. Cette technologie offre l'avantage de pouvoir changer de film en cours d'utilisation. Il suffit de se référer aux pictogrammes proposés sur la cassette pour obtenir des informations concernant l'exposition du film. Une cassette peut donc être sortie de l'appareil avant la fin du film. Le film reste positionné là où vous l'avez laissé lors de la dernière utilisation. Vous pouvez donc changer de film en fonction des conditions de prise de vue ou consacrer un thème particulier à une cassette. Vous pourrez par exemple réserver une cassette à votre enfant et partager votre appareil photo avec plusieurs utilisateurs, chacun employant sa propre cassette.

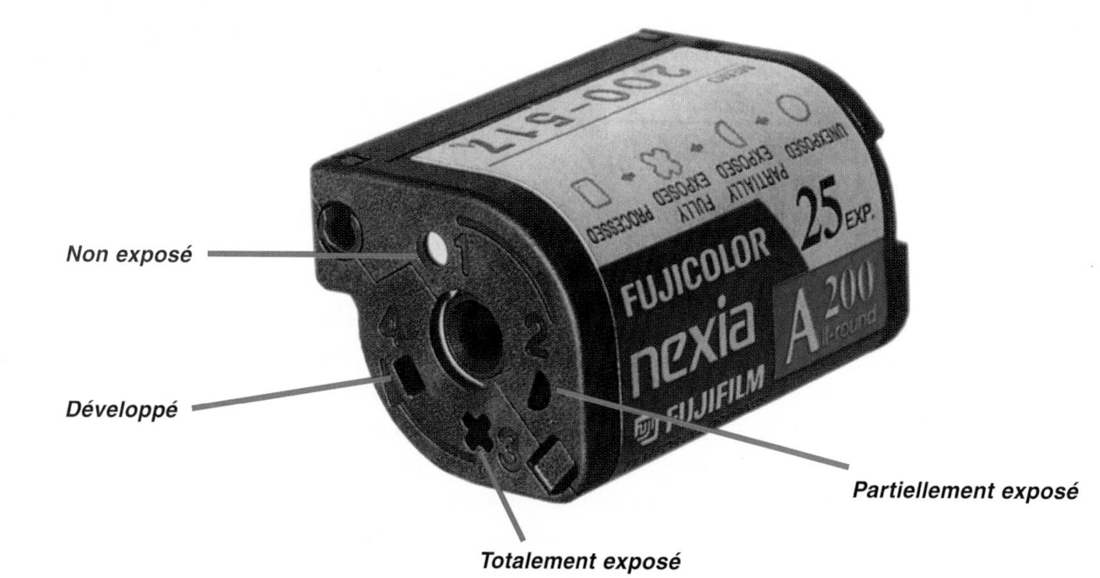

La cassette APS

L'énorme avantage de l'APS se résume au confort de manipulation de la pellicule qui contient le film, plus communément appelé cassette. La cassette APS est totalement hermétique à la lumière et peut être manipulée sans précaution particulière. Il suffit de la glisser tout naturellement dans l'appareil et de refermer la trappe. Le film s'accroche automatiquement et le chargement s'effectue sans intervention de l'utilisateur, ce qui évite tout risque d'erreur. Un verrouillage du compartiment empêche toute ouverture accidentelle. Inutile de s'inquiéter pour le défilement du film. Autant dire que la sécurité du film est largement assurée.

Lorsque vous souhaitez développer votre film, la cassette vous est rendue en parfait état. Elle peut d'ailleurs vous servir à visionner vos photographies sous la forme d'un diaporama, par l'intermédiaire d'un lecteur spécial connecté à votre poste de télévision.

L'APS est véritablement une technologie qui conserve les avantages et les qualités de l'argentique tout en amenant progressivement la photographie vers l'univers numérique, les images étant effectivement lues par un scanner et numérisées pour être restituées.

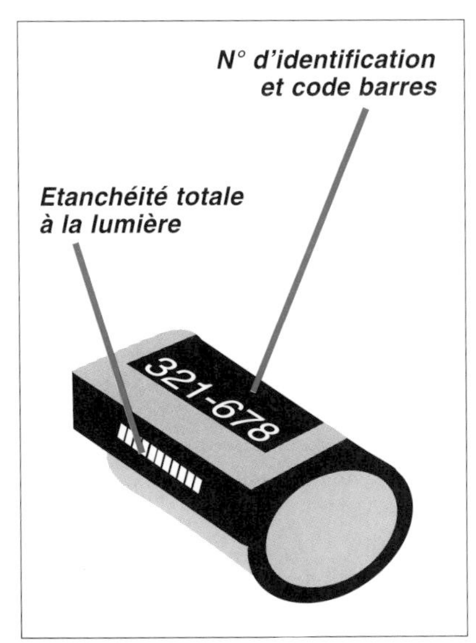

▲ ***Le film est conservé dans sa cassette assurant une utilisation à long terme. C'est également un moyen de protéger le film des poussières et de la lumière.***

▶ ***Le disque de données informe l'appareil photo sur la sensibilité et le nombre de poses.***

Les tirages

L'électronique embarquée des appareils APS permet d'intervenir efficacement lors de la prise de vue mais assure également un lien direct entre le laboratoire et le photographe.

Le laboratoire n'a besoin d'aucune information supplémentaire car toutes les indications relatives au cadrage ou au tirage, ainsi que les conditions de prise de vue sont enregistrées sur la cassette. La qualité des travaux photo s'en trouve nettement améliorée et permet de conserver un niveau de qualité constant quels que soient le nombre et les conditions de retirage.

► ***Tous les réglages de prise de vue ainsi que des détails concernant la date et l'heure ou le titre de l'image seront conservés de façon à les exploiter à tout moment et surtout à long terme.***

Les inscriptions sur le tirage

Certains appareils proposent d'inscrire un grand nombre d'informations utiles au dos du tirage. Au moment de la prise de vue, des informations optiques ou magnétiques s'inscrivent sur le film. Vous pouvez également identifier vos photographies en indiquant un titre, la date, l'heure, le numéro de la cassette ou le choix du cadrage ainsi que le nombre de tirages. Vous disposez donc d'une importante quantité d'informations vous permettant ensuite de classer, d'archiver ou de ranger vos séries de photographies.
Cette interactivité entre le photographe et son appareil constitue une véritable valeur ajoutée pour l'APS, qui se prête résolument à un usage familial.

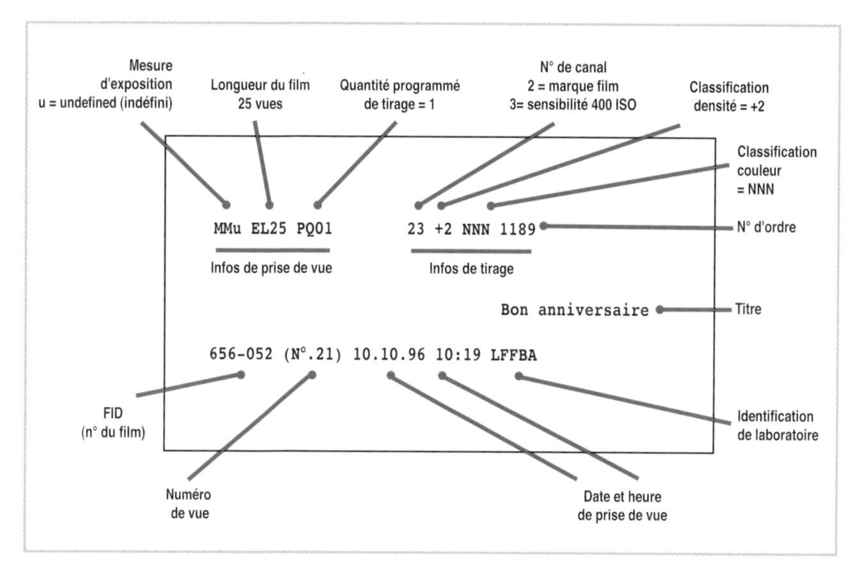

▲ ***Le dos des tirages peut présenter un certain nombre d'informations aussi explicite que pourrait l'être un message codé d'agent secret. Grâce à ce schéma, ces informations deviennent tout de suite plus claires.***

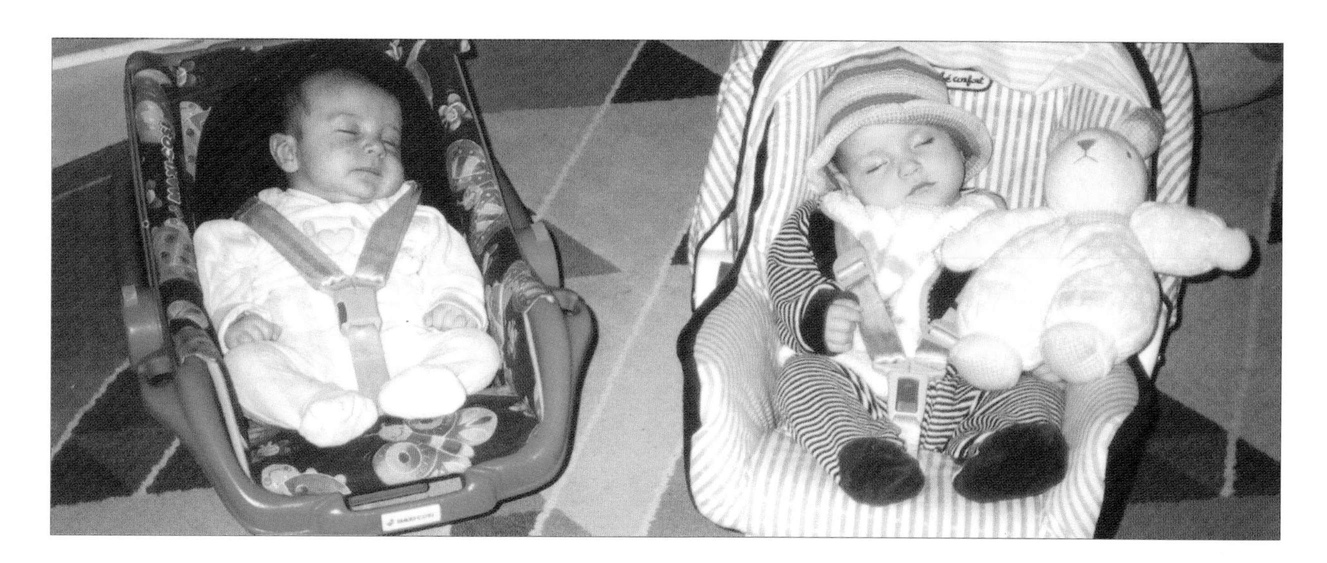

Nouveaux formats

La grande nouveauté propre à l'APS, ce sont les trois formats de tirages photographiques. Ils permettent de prévoir les dimensions de votre tirage et de profiter d'angles de vision plus importants. Le format C, classique, équivaut au tirage 24 x 36 utilisant le rapport hauteur/largeur 2/3 dont les dimensions sont 10 x 15 cm. Le format H, restitue l'intégralité de la surface du film et équivaut au format 16/9ème, plus proche de notre propre champ de vision, dont les dimensions sont 10 x 18 cm. Enfin, le format P pour panoramique, très impressionnant, dont les dimensions exploitent toute la largeur du film recadré au format 10 x 24 cm.

Le cadrage s'effectue lors de la prise de vue et le viseur de l'appareil se positionne automatiquement au format que vous aurez sélectionné sur votre appareil. Les informations sont conservées par la cassette et les consignes de format seront respectées lors du tirage. En revanche, vous devez savoir que le film est toujours traité sur l'intégralité de sa surface et que le format du tirage n'est qu'un simple recadrage permettant de profiter des dimensions des trois formats. Ainsi, le retirage des images reste possible dans des formats différents de ceux choisis initialement, lors de la prise de vue.

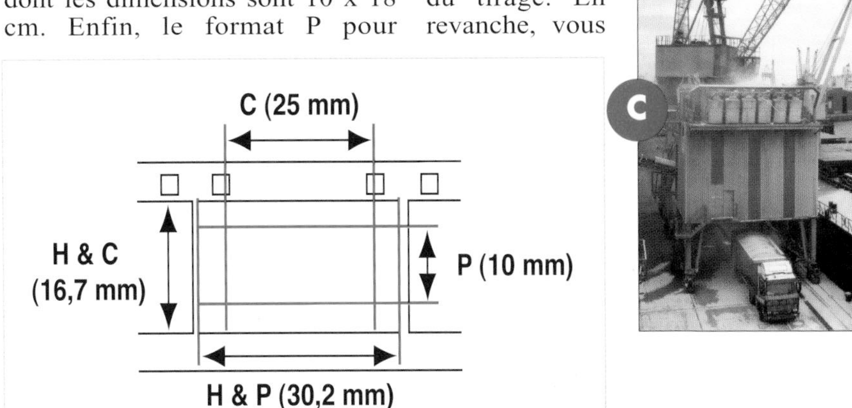

▲ *Le film est toujours impressionné au format H afin de pouvoir effectuer des retirages dans d'autres dimensions.*

▶ *Lors de la prise de vue, vous pouvez choisir entre formats de tirage, C (Classique), H (16/9ème), P (Panoramique). Vous pouvez tout aussi bien commander plus tard des tirages dans d'autres formats que ceux prévus initialement.*

Index Photo

L'index est une mini-planche contact numérotée, remis au développement de la cassette. Il est immédiatement identifié par le numéro de la cassette et présente en vignette, les images numérotées et recadrées en fonction du cadrage initial. Il vous permet de consulter les images d'une même pellicule dans leur ensemble et de modifier les choix de cadrage déterminés lors de la prise de vue.

Recherche et classement simplifié des images

Un seul numéro permet d'identifier à la fois la cassette, les photos et l'index livré après le développement. Une boîte ou un coffret vous est remis, contenant des emplacements prévus pour la cassette, l'index et les tirages en fonction de leur format. Après développement la cassette reste intacte et n'a subi aucun dommage. Ainsi, vous pourrez la conserver avec l'index et retirer les images lorsque l'occasion se présentera.

▼ ***Vous pourrez également stocker vos index et leur cassette correspondante, dans les boîtes de classement très utiles. Vous continuerez à remplir vos albums photo personnalisés mais vos archives resteront intactes et vos négatifs passeront l'épreuve du temps sans aucune altération.***

▼ ***L'Index Photo facilite la commande de retirages et permet par exemple à vos amis de vous emprunter la cartouche correspondante afin de conserver les images qu'ils pourront recadrer à volonté.***

GLOSSAIRE

Album numérique : base de données où sont classées des images qu'on peut visionner ; ces images sont numérotées et répertoriées en fonction des critères choisis.

APS (Advanced Photo System) : le film APS, de format 16x30, permet d'obtenir trois formats d'image.

Bonnette : une bonnette est une lentille grossissante montée devant l'objectif en vue de permettre la prise de vues rapprochée.

Capteur CDD (Charge-Coupled Device) : surface sensible soumise au flux lumineux traversant l'objectif, résolution de 150 000 à plus de 1,5 millions de pixels.

Cartes smartMedia, mémoire Flash : ce sont les plus petites cartes de stockage d'images.

Cartouche Zip : support adapté aux images de haute définition qui peut stocker jusqu'à 250 Mo de données.

CMJN : modèle de couleurs primaires soustractives utilisé pour le mélange des pigments basiques en impression (Cyan, Magenta, Jaune + Noir).

Contraste : il s'agit de l'alternance des zones claires et des zones d'ombres sur un sujet donné.

Composition : elle consiste à agencer les différents éléments qui doivent composer une photographie, en déterminant quel en sera le sujet principal et le cadre dans lequel il sera pris. Elle s'intéresse aussi aux formes, aux lignes et aux couleurs qui constituent une photographie.

Dpi (Dots Per Inch) : points par pouce.

Exposition : l'exposition consiste à faire impressionner l'émulsion d'un film par la lumière afin que s'y forme une image.

Film lent : il s'agit d'un film dont le grain est fin et qui convient à des extérieurs très lumineux ou à des prises de vues au flash (ISO 25-50).

Film de sensibilité moyenne : il s'agit d'un film qui convient à des prises de vues dans des conditions d'éclairage normales (ISO 100-125).

Film rapide : il s'agit d'un film à haute sensibilité qui convient à des prises de vues dans des conditions d'éclairage insuffisantes, notamment en intérieur (ISO 400-500).

Filtre : il s'agit d'une pièce de verre ou de plastique montée devant l'objectif en vue de modifier la lumière ambiante.

Fisheye : il s'agit d'un objectif ultra grand angulaire, dont l'angle atteint 180° – qui permet d'obtenir d'importantes déformations.

Format : le terme format recouvre deux sens différents. Le premier se rapporte à la taille d'un film ; le second à l'orientation d'une image, dans le sens vertical ou horizontal.

Index : présentation sur une même feuille de vos photos aux dimensions d'une vignette.

LCD (écran) : sur les appareils numériques, il permet de choisir une image et de la visualiser.

Longueur focale : la longueur focale correspond à la distance qui sépare l'émulsion du film du centre de l'objectif, de manière à produire une image nette de sujets situés à l'infini.

MRC : Multi-Rechargement de la Cassette.

Mise au point : la mise au point consiste à régler, grâce à la bague de mise au point, dite également bague de distance, la netteté du sujet photographié.

Moment décisif : il s'agit du moment précis où tous les éléments d'une composition se combinent pour produire le meilleur effet.

Objectif grand angulaire : il s'agit d'un objectif qui permet de prendre de grandes étendues.

Objectif standard : il s'agit d'un objectif dont l'angle de champ équivaut pratiquement à celui de l'œil humain, soit un angle d'environ 50°.

Ouverture de diaphragme : le diaphragme d'un appareil photographique fonctionne à la manière de l'iris de l'œil. Il peut être ouvert plus ou moins en vue de permettre à une quantité plus ou moins importante de lumière d'atteindre l'émulsion du film et d'y produire une image. Cette ouverture peut être réglée grâce à une bague sur laquelle sont reportées les valeurs de diaphragme. Les objectifs standard de 50 mm comportent une échelle d'ouvertures de f1,4, f2,8, f5,6, f8, f16 et f22. Moins ces valeurs sont importantes, plus grande est l'ouverture et plus grand est le volume de lumière qui atteint le film.

Pixels : minuscules éléments de formes carrées ou rectangulaires, contenant une information relative à la luminosité et à la couleur.

Planche-contact : obtenue à l'aide d'un scanner et d'un logiciel de sélection d'images, c'est un document de travail pour les photographes professionnels et un outil de sélection d'images.

Posemètre : le posemètre consiste en une cellule photosensible, qui mesure la lumière, dont la consultation permet de déterminer la vitesse d'obturation et l'ouverture de diphragme. Il existe différents types de posemètres, les uns indépendants des appareils photographiques, les autres qui y sont intégrés.

Profondeur de champ : il s'agit de la plage de netteté qui s'étend devant et derrière un sujet sur lequel s'effectue la mise au point. La profondeur de champ varie cependant en fonction d'un certain nombre de paramètres. La mise au point et le réglage de la profondeur de champ constituent deux opérations étroitement associées. Un certain nombre d'appareils reflex possèdent un système qui permet de contrôler visuellement la profondeur de champ. Si l'on sélectionne une petite ouverture, la profondeur du champ est importante, et une grande partie de l'image est contrastée. Ce type de réglage est adapté aux paysages et aux prises de vues architecturales. Une grande ouverture de diaphragme permettra d'obtenir une profondeur de champ moindre.

RAM (Random Access Memory) : mémoire d'un ordinateur qui stocke des informations volatiles, elle héberge les modules en fonctionnement du système d'exploitation et de l'éditeur graphique.

RVB : c'est un modèle de couleurs primaires additives (Rouge, Vert, Bleu), utilisé pour la prise de vue.

Soufflet : se plaçant entre le boîtier et l'objectif, le soufflet autorise la macrophotographie en permettant d'importants grossissements.

Sous-exposition : une image est sous-exposée lorsqu'elle n'a pas bénéficié d'une lumière suffisante, au point qu'elle n'a pas de relief et que ses couleurs sont fades.

Surexposition : une image est surexposée lorsqu'elle a reçu trop de lumière et qu'elle apparaît à la fois très pâle et comme délavée.

Téléobjectif : il s'agit d'un objectif qui permet de se rapprocher d'un sujet éloigné.

Virage : coloration des images.

Visée reflex : avec la visée reflex, l'image qui apparaît sur le viseur constitue la copie conforme de celle qui impressionnera l'émulsion.

Vitesse d'obturation : la vitesse d'obturation correspond au temps pendant lequel l'obturateur reste ouvert afin de permettre le passage de la lumière jusqu'à l'émulsion du film. Sur un appareil reflex, la vitesse d'obturation peut aller de 1 seconde à 1/2 000e de seconde, en passant par 1/2 seconde, 1/4, 1/8e, 1/30e, 1/60e, 1/125e, 1/250e, 1/500e, ou 1/1 000e. Quelques appareils professionnels peuvent même aller jusqu'à 1/8 000e de seconde, mais d'autres disposent d'une vitesse d'obturation atteignant 1 minute.

INDEX

Tous les termes appartenant au chapitre sur les nouvelles technologies sont en italique.

Remerciements

Photographs: 9 Mike Key, 10(t) Eaglemoss/John Suett, (c) Eaglemoss/Shona Wood, 11(c) Eaglemoss/John Suett, (r) Eaglemoss/Jonathan Vince, 12(c) Eaglemoss/John Suett, (bl) The Image Bank/Pete Turner, (bc) Allsport/Steve Powell, (br) Jonathan Vince, 13 Zefa, 14(t) Stuart Windsor, (c) Dev Raj Agarwal, (b) Eaglemoss/John Suett, 15,16 Eaglemoss/Steve Tanner, 17(l) Nikon, (r) Eaglemoss/Michael Taylor, 18(tl) Michael Busselle, (tr) Robert Harding Picture Library, (b) Allsport/Bob Martin, 19(t) Henri Cartier-Bresson/Magnum, (b) Eaglemoss/Trevor Melton, 20 Roger Howard, 21 Oxford Scientific Films, 22(t) Dev Raj Agarwal, (b) Seamus Ryan, 23(t) Eaglemoss/John Suett, (b) The Image Bank/Colin Molyneux, 24(t) John Heseltine, (b) Eaglemoss/Mike Henton, 25 Robert Harding Picture Library, 26(t) Adam Eastland, (cl) Eaglemoss/John Suett, 26-27(b) The Photographers' Library, 27(tl) Eaglemoss/John Suett, (tr,cl,b) Eaglemoss/Mike Henton, 28(l) George Wright, (r) Jonathan Eastland, 29(t) Eaglemoss/John Suett, (b) Eaglemoss, 30(l) Eaglemoss/John Suett, (r) The Image Bank/Stuart Dee, 31(tl,b) Eaglemoss/John Suett, (tr) Allsport/Bob Martin, (c) The Photographers' Library, 32(t) Allsport/Pascal Rondeau, (c) Michael Busselle, (b) Neil Holmes, 33(t) Eaglemoss/Trevor Melton, (b) Tony Stone Images/Getty Images, 34 Jonathan Vince, 35 Tony Stone Images/Getty Images, 36(l) Eaglemoss/Trevor Melton, (r) Jonathan Vince, 37(t) Michael Busselle, (b) Eaglemoss/Simon Page-Richie, 38 Jonathan Vince, 39(t) The Image Bank, (b) Eaglemoss/Simon Page-Richie, 40(c) Eaglemoss/Trevor Melton, (b) The Image Bank, 41(t) Performing Arts Library/James McCormick, (b) Eaglemoss/Simon Page-Richie, 42(t) The Image Bank, (b) Topham/Press Association, 43(t) Chris Lees, (b) Eaglemoss/Simon Page-Richie, 44 Allsport/David Cannon, 45 Nick Meers, 46(t) Eaglemoss, (c,b) Michael Busselle, 47(t) The Photographers' Library, (b) Eaglemoss/Shona Wood, 48 Eaglemoss/Han Lee de Boer, 49 Michael Busselle, 50(tr) Adam Eastland, (b) Michael Busselle, 51(t) Stuart Windsor, (b) Michael Busselle, 52(t) Eaglemoss/Shona Wood, (b) The Photographers' Library, 53(t) The Image Bank, (b) John Heseltine, 54 Tony Stone Images/Getty Images, 55(t) Eaglemoss/John Suett, (b) Jahres Zeiten Verlag, 56 Collections/Brian Shuel, 57(t) John Heseltine, (b) Eaglemoss/John Suett, 58(t) Eaglemoss/John Suett, (b) Marie Claire Maison, 59 Jahres Zeiten Verlag, 60-61 Eaglemoss/Mike Henton, 62(t) Mei Lim, (b) Richard Platt, 63 The Image Bank, 64(t) Britstock-IFA, (b) The Image Bank, 65 Zefa, 66(t) The Photographers' Library, (b) The Image Bank, 67 Keith Johnson and Pelling, 69 Eaglemoss/John Suett, 70 Eaglemoss/Patrick Llewellyn-Davies, 71(t) Eaglemoss/Trevor Melton, (b) BFI Stills, 72 Eaglemoss/Trevor Melton, 73 Simon Donnelly, 74(t) Eaglemoss/Trevor Melton, (b) John Heseltine, 75(t) Michael Freeman, (b) Eaglemoss/Trevor Melton, 76-77 Eaglemoss/Trevor Melton, 78 Retna/Steve Double, 79 Eugene Doyen, 80-82 Eaglemoss/Nigel Robertson, 83 The Photographers' Library, 84(t) Zefa, (c) Spectrum, (b) Tony Stone Images/Getty Images, 85 Zefa, 86(l) Zefa, 86-87 The Photographers' Library, 87 Allsport/Pascal Rondeau, 88 Zefa, 89 Michael Busselle, 90(t) Robin Bath, 90-91 The Photographers' Library, 91(t) Michael Busselle, (b) Zefa, 92(t) Alastair Scott, (b) Tony Stone Images/Getty Images, 93 Robert Eames, 94(c) Stuart Windsor, (b) Roger Howard, 95(t) Zefa, (b) Allsport/Mike Powell, 96(t) Roger Howard, (b) Stuart Windsor, 97 Tim Woodcock, 98(t) Michael Busselle, (b) The Photographers' Library, 99(t) Robin Bath, (b) The Image Bank, 100(t) Zefa, (b) The Image Bank, 101 The Image Bank, 102 Robin Bath, 103(tl) Ed Buziak, (tr) Robert Eames, (b) Michael Busselle, 104(t) Allsport/Vandystadt, (b) Jonathan Vince, 105 Michael Busselle, 106(tl) Allsport/Steve Powell, (tr) Allsport/Bob Martin, (b) Jennifer Rigby, 107(t) The Image Bank, (bl) Allsport/Simon Bruty, (br) Ken Powell, 108 Allsport/Dan Smith, 109(l) Zefa, (r) The Image Bank, 110 NHPA/Stephen Dalton, 111(t) Ilford Photographic, (b) Tony Stone Images/Getty Images, 112(t) Tony Stone Images/Getty Images, (b) David Fairman, 113 Tony Stone Images/Getty Images, 114(t) Eaglemoss/Shona Wood, (b) Eaglemoss/Stuart Windsor, 115 Telegraph Colour Library, 116(t) The Photographers' Library, 117 Alastair Scott, 118(t) Struan Wallace, (b) Robert Harding Picture Library, 119(t) Jennifer Rigby, (b) Zefa, 120(t) Vincent Oliver, (b) Roger Howard, 121(t) Vincent Oliver, (b) Robert Eames, 122 Roger Howard, 125-128 Eaglemoss/Michael Busselle, 129 The Photographers' Library, 130 Michael Busselle, 131-134 Eaglemoss/Michael Busselle, 135(t) Jennifer Rigby, (b) Robert Harding Picture Library, 136(tl) Neil Holmes, (bl) Alastair Scott, 136-137 Michael Busselle, 138(tl) Neil Holmes, (tr) Michael Busselle, (b) Alastair Scott, 139(t) Michael Busselle, (b) Jennifer Rigby, 140(t) Jennifer Rigby, (b) Robert Harding Picture Library, 140-141 Tony Stone Images/Getty Images, 141(b) Michael Busselle, 142(tl) Michael Busselle, (tr) Jennifer Rigby, (b) Zefa, 143(t) Tony Stone Images/Getty Images, (b) Zefa, 144(b) The Image Bank, 144-145 Images Colour Library, 145(t) Michael Busselle, (b) The Image Bank, 146(t) Biofotos/Heather Angel, (b) The Image Bank, 147(t) John Heseltine, (b) Zefa, 148(t) The Image Bank, (b) Van Greaves, 149(t) Zefa, (b) Tim Woodcock, 150(t) John Heseltine, (b) Zefa, 151-154 Eaglemoss/Michael Busselle, 155 Michael Busselle, 156(t) Michael Busselle, (b) Tony Stone Images/Getty Images, 157 Patrick Eagar, 158 Tony Stone Images/Getty Images, 159(t) Allsport, (b) Professional Sport, 160(t) Professional Sport, (b) Colorsport, 161-168 Eaglemoss/Frank Coppi, 169(t) Tony Stone Images/Getty Images, (b) Allsport/Vandystadt, 170(t) Allsport/Gary Newkirk, 170-171 Tony Stone Images/Getty Images, 171(t) Allsport/Mike Powell, (b) The Image Bank, 172(t) Allsport/Mike Powell, (bl) The Image Bank, (br) Action Plus/Graham Watson, 173-176 Eaglemoss/Frank Coppi, 177(t) Allsport/Vandystadt, (b) Allsport/Mike Powell, 178(t) Allsport/Gray Mortimore, (b) Allsport/Shaun Botterill, 179(t) Ardea, (c) NHPA, (b) Colin Molyneux, 180(t) Allsport/Gray Mortimore, (b) Allsport, 181(t) Tony Stone Images/Getty Images, (b) Allsport/Gray Mortimore, 182(t,cr) Kit Houghton, (cl) Tony Stone Images/Getty Images, (b) The Image Bank, 183 Allsport/Mark Lamke, 184-186 Allsport, 187(t) Allsport, (b) Action-Plus, 188 Empics, 189-196 Eaglemoss/Michael Busselle, 197-200 Eaglemoss/Mike Henton, 201-204 Eaglemoss/Ray Moller, 205 Tony Stone Images/Getty Images, 206 Zefa, 207-210 Eaglemoss/Ray Moller, 211-214 Eaglemoss/Vincent Oliver, 215(t) Roger Howard, (b) Zefa, 216(t) Tony Stone Images/Getty Images, (b) The Image Bank, 217(t) George Wright, (b) Tony Stone Images/Getty Images, 218(t) Allsport/Tony Duffy, (b) Tony Stone Images/Getty Images, 219 Zefa, 220 The Image Bank, 221(t) The Photographers' Library, (b) Robert Harding Picture Library, 222(t) Zefa, (b) Robert Harding Picture Library, 223 Robert Harding Picture Library, 224 Martin Lillicrap, 225(t) Anthony Blake Photo Library/Tony Robins, (b) Zefa, 226(t) Anthony Blake Photo Library, 226-227 Sue Atkinson, 227 Anthony Blake Photo Library, 228(th) The Image Bank, (tr) Moke Newton, (b) Sue Atkinson, 229-232 Eaglemoss/Michael Busselle, 233-236 Mike Travers, 238 Stockbyte, 239 Initiales, 240 Initiales/Stockbyte, 241 Olympus/Kodak, 242 Kodak/Fuji/Sandisk, 243 Kodak/Canon, 244 Olympus, 245 iom, 246-247 Initiales, 248 Adobe/Initiales, 249 Initiales, 250-251 Initiales, 252 Stockbyte/Initiales, 253 Kodak/Minolta/Yashica/APS, 254 Fuji, 255-256 Initiales, 257 Stockbyte, 258 Kodak/Initiales.

Illustrations : Graham Dorsett.